Lorsque Phinneas Cole — connu officiellement sous le nom de « Baron Radcliffe » et communément sous celui de « Baron fou », et préférant pour sa part être appelé « Phinn » — posa pour la première fois les yeux sur Lady Olivia Archer lors d'un bal, il saisit le sens du mot « magnétisme » comme jamais auparavant.

Étant donné qu'il était en quelque sorte un expert en la matière, c'était remarquable.

Il savait quels étaient les principes et les forces à l'œuvre, mais il n'avait jamais compris viscéralement ce pouvoir invisible jusqu'à ce qu'il n'arrive plus à détourner son attention d'Olivia. Il n'avait jamais ressenti cela.

Dès qu'il la vit, s'arracher à sa contemplation tomba dans la catégorie des impossibilités physiques.

Elle était debout, seule, sur le balcon ceinturant la salle de bal, comme si elle s'était sentie solitaire dans la foule. C'était là un sentiment qu'il ne connaissait que trop bien et qu'il ne s'attendait pas à partager avec une femme. Pendant un moment, Phinn resta là, indifférent à la cohue, à la regarder, à l'observer. Elle avait de beaux cheveux blonds et le teint clair. Chacun de ses mouvements — depuis la légère inclinaison de sa tête jusqu'à sa façon de caresser la balustrade de ses doigts — était posé et gracieux.

Il comprit aussitôt qu'elle avait tout ce qu'il espérait d'une épouse.

MAUVAIS GARÇONS ET BELLES INGÉNUES

L'ingénue se rebelle

L'ingénue se rebelle

Maya Rodale

Traduit de l'anglais par
Janine Renaud

Éditeur : François Doucet
Traduction : Janine Renaud
Révision linguistique : Féminin pluriel
Correction d'épreuves : Nancy Coulombe, Catherine Vallée-Dumas
Conception de la couverture : Matthieu Fortin
Photo de la couverture : © Jon Paul Studios
Mise en pages : Sylvie Valois
ISBN papier 978-2-89752-524-8
ISBN PDF numérique 978-2-89752-525-5
ISBN ePub 978-2-89752-526-2
Première impression : 2015
Dépôt légal : 2015
Bibliothèque et Archives nationales du Québec
Bibliothèque Nationale du Canada

Éditions AdA Inc.
1385, boul. Lionel-Boulet
Varennes, Québec, Canada, J3X 1P7
Téléphone : 450-929-0296
Télécopieur : 450-929-0220
www.ada-inc.com
info@ada-inc.com

Diffusion
Canada :   Éditions AdA Inc.
France :   D.G. Diffusion
                  Z.I. des Bogues
                  31750 Escalquens — France
                  Téléphone : 05.61.00.09.99
Suisse :   Transat — 23.42.77.40
Belgique :   D.G. Diffusion — 05.61.00.09.99

Imprimé au Canada

Participation de la SODEC.

Nous reconnaissons l'aide financière du gouvernement du Canada par l'entremise du Fonds du livre du Canada (FLC) pour nos activités d'édition.
Gouvernement du Québec — Programme de crédit d'impôt pour l'édition de livres — Gestion SODEC.

Catalogage avant publication de Bibliothèque et Archives nationales du Québec et Bibliothèque et Archives Canada

Rodale, Maya
          [Wallflower gone wild. Français]
          L'ingénue se rebelle
          (Mauvais garçons et belles ingénues ; 2)
          Traduction de : Wallflower gone wild.
          ISBN 978-2-89752-524-8
          I. Renaud, Janine, 1953-   . II. Titre. III. Titre : Wallflower gone wild. Français.

PS3618.O322W3414 2015   813'.6   C2015-940091-0

*Je dédie ce livre à toutes les jeunes filles sages.
Et à Penelope, qui se plie aux règles uniquement
quand cela lui convient.
Et à Tony. Parce que c'est ainsi.*

Remerciements

Mille mercis à Sara Jane Stone, Amanda Kimble-Evans et Tony Haile, qui ont lu les premières versions du manuscrit. Je remercie également Caroline Linden, qui m'a autorisée à utiliser *50 Ways to Sin* [50 façons de pécher], le livre coquin que lisent les personnages de son roman *Love and Other Scandals*.

Prologue

Que la chasse au mari idéal commence !
— Lady Penelope à ses diplômées

Première saison de Lady Olivia Archer
Londres, 1821

En dépit de l'excellente éducation dispensée par l'Académie pour jeunes filles de bonne famille de Lady Penelope, Lady Olivia Archer constituait un échec sur le marché nuptial. La saison venait à peine de commencer qu'il était d'ores et déjà évident que son éducation ne lui attirerait aucun prétendant.

— Je suppose que les hommes ne s'intéressent guère à la broderie, déclara Olivia à Lady Emma Avery et à miss Prudence Merryweather Payton, ses amies — et comme elle, deux laissées-pour-compte —, en revenant de l'une des trois danses figurant sur son carnet de bal par ailleurs vierge.

— Nous sommes censées les interroger sur eux-mêmes, répondit Emma. Mais que faire s'ils nous interrogent sur nous ?

— Exactement ! « Une jeune dame doit être vue, mais elle ne doit pas être entendue », dit Olivia.

C'était là l'une des Grandes Règles qu'elles avaient consciencieusement apprises.

— Mais il serait impoli de ne pas répondre.

— Je l'ai fait, et cela a été catastrophique, dit Prudence avec un frémissement. J'ai dû écouter Lord Gifford discourir sur les fossés d'écoulement de sa propriété pendant une demi-heure.

Non loin de là, Lady Katherine Abernathy — une camarade de classe de l'Académie — éclata de rire, de concert avec l'essaim de jeunes et séduisants célibataires qui faisaient cercle autour d'elle. Il était clair qu'ils ne discutaient pas de fossés d'écoulement. Ni de broderie.

Olivia lui jeta un regard quelque peu envieux, mais réprima aussitôt cette émotion barbare indigne d'une jeune dame. Non, les jeunes dames demeurent sereines et affables. Celles qui enfreignent les règles s'engagent sur la pente glissante du vice et courent à leur perte. En revanche, les jeunes filles sages font un bon mariage et sont heureuses à jamais.

Mais Lady Katherine avait vraiment l'air de s'amuser follement.

— Nous aurions peut-être dû passer moins de temps à apprendre à servir le thé et davantage à apprendre à flirter, murmura Olivia en regardant Lady Katherine battre des cils d'un air engageant à l'intention de la meute de jeunes hommes.

D'ici la fin de sa première saison, il était à prévoir qu'Olivia n'aurait guère l'occasion d'apprendre à flirter étant donné que les messieurs n'osaient pas s'aventurer jusqu'à ce coin de la salle de bal accueillant celles qui faisaient tapisserie, c'est-à-dire là où Olivia passait le plus clair de ses soirées.

Deuxième saison de Lady Olivia
Dans diverses salles de bal

Vêtue d'une robe à la coupe banale, taillée dans une étoffe dont la teinte blanche n'était guère flatteuse, Olivia erra de soirées en bals, *constamment* accompagnée de sa mère, qui faisait des pieds et des mains pour convaincre ces messieurs de bavarder avec elle, parce qu'au cours de la saison précédente, Olivia avait passé « beaucoup trop de temps à faire tapisserie avec ses amies » au lieu de se chercher un mari.

— Parle de tes aquarelles à Lord Stanton, lui ordonna Lady Archer.

Olivia lui obéit et remarqua que le lord en question détournait le regard d'un air distrait. Sincèrement, elle ne pouvait le lui reprocher. Y avait-il sujet plus ennuyeux que les aquarelles d'une jeune fille ? Néanmoins, elle lui raconta qu'elle consacrait ses mardis et ses jeudis après midi à peindre. Scandaleusement, elle faillit lui confier qu'elle aimait plus que tout peindre des nus masculins.

Plus scandaleux encore, elle aurait réellement aimé cela.

Mais proférer une telle ignominie en présence d'un homme courtois n'était pas acceptable. Olivia se borna donc à lui raconter comme il était ardu de peindre un chaton jouant avec une balle de laine. Le monsieur l'écouta patiemment pendant un moment, puis lui demanda de l'excuser et alla remplir son verre. Ou saluer quelqu'un. Ou réclamer sa voiture.

— Dis à Lord Babington que tu chantes, lui suggéra Lady Archer. Olivia a une jolie voix.

Olivia lui obéit et remarqua que le regard de Lord Babington s'égarait. Sincèrement, elle le comprenait.

N'était-il pas absurde de raconter qu'on chantait? Mais l'alternative consistait à pousser une petite chanson ici même dans la salle de bal.

Les dames ne poussent pas de petites chansons.

Mais ce serait amusant, non? Olivia réprima un gloussement à cette idée. Le coude pointu de sa mère dans ses côtes lui fit retrouver ses esprits.

Non. *Jamais* elle n'oserait.

Mais elle y songeait.

— Olivia, raconte à M. Parker-Jones comme tu aimes broder.

— Je consacre mes loisirs à la broderie, dit Olivia avec un manque évident d'enthousiasme.

— Comme c'est intéressant, murmura le monsieur, alors qu'en réalité c'était parfaitement assommant.

Pendant tout ce temps, l'attention du malheureux était visiblement attirée par Lady Katherine, qui riait des bons mots des hommes tout en se penchant en avant afin d'exhiber avantageusement sa poitrine.

Olivia avait une très petite poitrine, et celle-ci était toujours voilée.

Les dames ne s'exhibent pas.

— Tu ne dois pas parler autant de toi, Olivia, lui reprocha sa mère, et Olivia réprima un soupir exaspéré.

Les jeunes dames ne poussent pas de soupirs exaspérés.

— Les hommes ne s'intéressent pas aux activités féminines, poursuivit sa mère, en totale contradiction avec tous les sujets de conversation qu'elle avait imposés tant à Olivia qu'aux hommes sans méfiance. Tu dois les faire parler d'eux. C'est le sujet préféré de tous les hommes.

Lord Pendleton s'empressa de lui donner raison. Croyant avoir trouvé en Olivia un auditoire ravi, il s'étendit longuement sur ses chiens de chasse, ses métayers mécontents et les vexations que subissait un campagnard dans une métropole telle que Londres.

Parce que les dames sourient gracieusement alors même qu'elles s'ennuient à périr, c'est ce que fit Olivia. Mais son regard s'égara bel et bien du côté de ses compagnes de tapisserie qui riaient gaiement entre elles.

Elle ne pouvait éviter de remarquer que les jeunes filles avec lesquelles flirtaient de séduisants jeunes hommes n'étaient pas affublées d'une mère dominatrice. Ni du sobriquet de Petite Bégueule à cause de leurs manières et de leur conversation beaucoup trop convenables.

Ce qui était hilarant parce qu'au fin fond d'elle-même, elle savait ne pas être une petite Bégueule. Elle aimait danser et chanter, rêvait de flirter avec des vauriens et d'être embrassée de manière indécente. Malheureusement, les circonstances ne lui permettaient jamais d'être cette fille-là. Elle s'employait beaucoup trop à être Une Dame.

— Est-ce du punch, Olivia ? Les dames ne boivent que de la citronnade.

Olivia remit son verre à un valet passant par là. Même si c'était un monsieur qui le lui avait offert et que, selon sa mère, Une Dame ne doit pas refuser.

Troisième saison de Lady Olivia
Bibliothèque de Lord Archer

Au début de sa troisième saison, les parents d'Olivia la convoquèrent à la bibliothèque pour un entretien sur ses perspectives matrimoniales. Ou plutôt sur leur absence évidente. À vrai dire, elle aussi en avait marre d'être célibataire. Elle souhaitait se marier. Elle souhaitait connaître l'amour. Elle souhaitait fonder une famille. Mais qu'y pouvait-elle ? Elle avait fait tout ce qu'il *convenait* de faire. Elle avait porté des robes décentes, peaufiné ses manières de dame, ravalé ses commentaires impolis ou impertinents. Malgré tout, le Bon Mari et le Grand Bonheur que l'on avait promis lui faisaient défaut.

Olivia se percha sur un canapé. Ses parents s'assirent devant elle. Ils utilisaient rarement cette pièce ; Lord Archer, fuyant sa femme et sa fille, passait le plus clair de son temps au club, sauf quand des Questions Graves surgissaient.

— Olivia, maintenant que tu as terminé ta deuxième saison…, commença sa mère.

— Sans te trouver un mari, grommela son père, soulignant inutilement la douloureuse évidence. Malgré tout l'argent que nous avons englouti dans ton éducation.

— Tu dois faire mieux durant la troisième. J'ai dressé à ton intention la liste des candidats potentiels, dit sa mère en tendant à Olivia une feuille de papier. Nous allons déployer des efforts particuliers pour faire plus ample connaissance avec ces gentilshommes que ton père et moi estimons être des candidats éminemment convenables.

À chacun des noms qu'elle déchiffrait, Olivia sentait son dégoût s'accroître. S'il s'agissait là des Bons Maris qu'on lui avait laissé miroiter, c'est qu'on lui avait conté des pipes. S'il s'agissait là des seuls maris que ses parents la croyaient capable de séduire, il y avait de quoi être horrifiée.

— Lord Eccles? demanda Olivia en levant les yeux de la feuille. Mais c'est un vieillard! Je suis certaine qu'il était déjà né au moment du déluge!

— Jeune dame, la mit en garde son père.

On pouvait mesurer la gravité de son humeur à la couleur de son teint. En ce moment, Olivia estima qu'elle s'apparentait à celle du vin rosé.

— Sans doute, mais tu serais vicomtesse, et d'ici quelques années, une veuve bien nantie, fit remarquer sa mère.

Olivia craignit de vomir sur le tapis. Même si les jeunes dames ne rendent pas leur goûter dans la bibliothèque.

— Et Lord Derby a les mains baladeuses, dit Olivia en frémissant. Toutes les jeunes filles savent qu'il vaut mieux l'éviter.

— Il a également un revenu annuel de six mille livres et une grande terre jouxtant notre propriété, répliqua son père comme si cela importait.

Comme si ses espoirs et ses rêves étaient insignifiants. Comme si ses jours et — frémissement — ses nuits avec cet homme ne pesaient pas dans la balance. Pour elle, ils pesaient lourdement!

Au bout du compte, la Galerie des Horreurs n'avait aucune espèce d'importance. Olivia avait peut-être enfin appris à ne pas parler d'aquarelle, de broderie ou de chant avec les messieurs, elle l'avait appris trop tard.

En effet, il lui était virtuellement impossible de nouer la conversation avec un homme, peu importe *lequel* — même avec les candidats de la Galerie des Horreurs. Sa réputation la précédait : les hommes baissaient les yeux ou se détournaient comme elle traversait la salle de bal tout en s'efforçant de garder la tête haute et le sourire aux lèvres.

Elle songeait parfois à les interpeler et à leur lancer : « Messieurs, je vous assure que je juge également fort ennuyeux de parler des jolis rubans que je mets dans mes cheveux. En fait, j'éprouverais une profonde gratitude si un beau jeune mâle m'embrassait. »

Naturellement, elle n'en faisait rien. Mais l'imaginer lui permettait de conserver le sourire aux lèvres et les yeux au sec.

Quelques fois, ça ne suffisait pas. Quand sa mère se trouvait à ses côtés, l'aversion qu'elle suscitait était encore plus visible. Au garden-party de Lady Farnsworth, M. Middleton s'était littéralement jeté dans une haie pour éviter les femmes Archer.

Il y avait une foule de personnes qu'Olivia aurait préféré éviter, quitte à se jeter pour cela dans une haie. Par exemple, Lady Katherine Abernathy, Lord Derby ou Lord Eccles. Mais les jeunes dames sourient et bavardent poliment. Elles ne courent pas se cacher dans les buissons. Pourtant, elle admirait M. Middleton d'agir à sa guise, sans se soucier des convenances.

À mesure que les heures de visite et les soirées s'écoulaient, Olivia avait découvert qu'être une jeune dame n'avait rien à voir avec ce qu'on lui avait promis. Mais tout le monde lui répétait qu'à force de se comporter convenablement et de respecter les règles, elle finirait par connaître le bonheur. Lady Penelope avait ancré cette certitude dans l'esprit de ses pupilles. La mère d'Olivia la lui avait enfoncée dans le crâne. Tous les manuels de bienséance et les douairières avec leurs bouches en cul de poule lui avaient confirmé la chose.

Le pire n'était pas M. Middleton et sa haie. Loin de là.

On l'avait surnommée la «jeune fille la moins susceptible de Londres de provoquer un scandale». Olivia l'avait appris avec déplaisir en surprenant une conversation entre quelques jeunes mâles fraîchement débarqués d'Oxford. Elle les observait d'un œil rêveur. Ils étaient précisément le genre d'hommes qui font battre d'excitation et de nervosité le cœur des filles. Elle ne faisait pas exception à la règle. Prenant son courage à deux mains, elle s'était contrainte à avancer vers eux, dans l'espoir de se retrouver dans leur champ de vision. Peut-être que l'un d'eux la remarquerait et l'inviterait à danser.

Se redressant, elle avait tiré sur son corsage le plus bas possible (c'est-à-dire pas vraiment bas). Elle s'était approchée d'un pas lent tout en copiant la moue de Lady Abernathy, que tous les hommes semblaient trouver irrésistible.

Les jeunes gens ne lui avaient pas prêté attention; ils étaient plongés dans une conversation animée.

— Mais à vrai dire, quand pourrait-elle provoquer un scandale? Elle est beaucoup trop accaparée par ses rubans et sa broderie, lança un étranger de haute taille à la chevelure sombre.

Dieu qu'il était beau! Olivia s'avança un peu plus, toute disposée à se moquer de ces pauvres sottes qui se souciaient uniquement de rubans et de broderie.

Mais c'est alors qu'un type aux cheveux roux ajouta :

— N'oublie pas l'aquarelle et le chant.

Olivia se figea, craignant qu'ils ne parlent d'elle. Elle entreprit de reculer lentement, honteuse d'avoir cru que l'un d'eux puisse vouloir danser avec elle.

— Même si la Petite Bégueule en avait envie, dit un autre — et elle comprit qu'ils parlaient d'elle —, avec sa mère qui ne la lâche pas d'une semelle, comment pourrait-elle ne serait-ce que tenter de faire quelque chose de scandaleux.

La plupart d'entre eux grognèrent à la mention de sa mère.

— Que le ciel nous préserve des femmes Archer, lança encore un autre, et ses compagnons acquiescèrent vigoureusement.

Olivia s'éclipsa discrètement, blessée et horrifiée. Tout compte fait, elle n'était peut-être pas destinée à vivre un conte de fées.

Chapitre 1

Lord Castleton, qui était parti faire son grand voyage rituel et l'avait prolongé de quelques années, a fait savoir qu'il rentrerait bientôt en Angleterre.

— UNE DAME DISTINGUÉE, « LES COULISSES DU BEAU MONDE »,
LONDON WEEKLY

Quatrième saison de Lady Olivia

Olivia, qui se tenait en bordure de la salle de bal avec les autres laissées-pour-compte, était tristement consciente du passage des minutes. Minutes qui amenuisaient ses perspectives matrimoniales. Elle tenta de calculer combien de minutes il restait avant le bal qu'allait donner Lady Penelope pour commémorer le centième anniversaire de l'Académie, et dans combien de minutes, par conséquent, on la déclarerait vieille fille, incapable de se trouver un mari et cas désespéré.

De toute l'histoire de l'Académie, il n'était jamais arrivé qu'une de ses diplômées ne se soit toujours pas trouvé de mari au terme de sa quatrième saison. Sauf, peut-être, Olivia. On aurait pu aussi bien la surnommer la «jeune fille la moins susceptible de Londres de se marier».

— Ça va ? lui demanda Prudence alors qu'elle tentait de multiplier quarante-quatre jours par le nombre de minutes dans une journée. Tu as l'air mal en point.

— Je calcule, expliqua Olivia, avant de renoncer.

Elle n'entendait rien aux chiffres.

— Cela ne te donne pas bonne mine, lui dit Prudence comme seule une amie très chère le peut.

— Que dirais-tu d'aller nous promener dans la salle de bal ? demanda Olivia.

Elle n'en pouvait plus de rester là. À attendre. Toujours à attendre.

— Oui, allons-y. Très divertissant, murmura Prudence.

Délaissant le coin des laissées-pour-compte, elles s'aventurèrent bras dessus, bras dessous, dans la salle où, tout autour d'elles, des hommes et des femmes flirtaient et bavardaient, et planifiaient des mariages ou des rendez-vous. Elles gagnèrent le balcon ceinturant la portion supérieure de la salle de bal.

— Vous voici ! s'exclama Emma. J'aimerais vous présenter à quelques-uns des amis de Blake.

Tant Olivia que Prudence froncèrent les sourcils. Blake était le duc d'Ashbrooke et, jusqu'à ce qu'il épouse Emma, un débauché notoire. Ses amis ne s'intéressaient pas du tout aux moins susceptibles de Londres.

— Je crois que peut-être…, lança Olivia.

Il y avait dans le fait qu'on impose sa compagnie à des jeunes gens qui n'en avaient cure quelque chose qu'elle ne se sentait pas la force de supporter ce soir-là. Elle avait beau souhaiter ardemment trouver l'amour et se marier, ses échecs répétés l'épuisaient. Il était temps de songer à ce qu'elle ferait si elle ne se mariait pas. Peut-être que

Prudence et elle pourraient vivre ensemble et partager leur célibat.

Toutefois, Emma ne savait rien des pensées qui l'agitaient.

— Oh, allons bon, venez! s'exclama-t-elle avant d'entraîner pratiquement Prudence à sa suite.

— J'arrive, dit Olivia. Dans une minute.

Lentement, elle parcourut le balcon en laissant courir ses doigts sur la balustrade. Baissant les yeux sur la foule agitée, elle observa le joli spectacle des couples qui tournoyaient en bas... mais, *oh*, comme elle aurait voulu danser parmi eux. Elle était si lasse de rester à l'écart, d'attendre.

C'est alors qu'elle le vit.

Ou plutôt, elle vit comment la foule se déplaçait autour de lui. On eût dit qu'elle s'écartait comme devant un Personnage de Grande Importance. À l'instar des autres hommes présents, il était vêtu d'un habit de soirée. Mais la ressemblance s'arrêtait là. Il était plus grand, ses épaules étaient plus larges. Sa façon de bouger laissait entendre qu'il était un homme déterminé, un homme d'action. Il avait les cheveux coupés courts mais en désordre, comme s'il venait d'y passer la main... ou de sortir du lit d'une femme.

On pouvait facilement voir en lui un vaurien ou un corsaire. En fait, c'est ce qu'on fit.

Intriguée, Olivia longea lentement le balcon, accordant son pas à celui de l'homme alors qu'il parcourait la salle de bal. *Qui était-ce?* Elle ne se rappelait pas l'avoir vu lors des soirées précédentes. Il s'agissait peut-être de ce Lord Castleton dont les journaux parlaient — celui qui devait rentrer d'un long séjour à l'étranger. Olivia n'en avait cure: peu importe qui il était, c'était un nouvel arrivant et il ignorait de ce fait qu'on la surnommait la « Petite Bégueule » et qu'elle figurait parmi les moins susceptibles de Londres. Son cœur se mit à battre à triple tour à cette perspective.

Soudain, inexplicablement, il se retourna et la regarda carrément.

Le cœur d'Olivia cessa de battre.

Son souffle se coinça dans sa gorge.

Il était magnifique. Et il la regardait intensément. Avant cet instant, Olivia ne savait pas qu'on pouvait *sentir* le regard de quelqu'un depuis l'autre bout d'une salle de bal. Elle n'avait jamais été frappée par la foudre, mais elle figura que cela devait y ressembler. Elle ne pouvait plus bouger. Elle ne pouvait plus respirer. Elle sentit s'allumer en elle une étincelle, l'étincelle de la curiosité, du désir, du possible.

Elle le vit murmurer quelque chose à l'intention d'un ami près de lui, puis marcher jusqu'à l'escalier menant au balcon.

Elle devait faire sa connaissance. Immédiatement.

Olivia marcha rapidement vers l'escalier qui menait à la salle de bal. L'heure de sa rencontre avec l'amour de sa vie avait-elle sonné ? Tout espoir semblait perdu — mais sa chance allait-elle tourner et sa vie commencer vraiment ?

Le séduisant inconnu l'attendait au pied de l'escalier. Alors qu'elle le descendait, un degré après l'autre, Olivia songea que l'éducation dispensée par Lady Penelope l'avait au moins préparée à ce moment : grâce à toutes ces heures passées à monter et à descendre des escaliers avec des bouquins sur la tête, elle était capable de soutenir son regard tout en descendant vers lui.

— Bonsoir, dit-il.

Sa voix possédait tous les attributs que doit avoir une voix d'homme : elle était basse et puissante, et pour une raison inconnue, Olivia se sentit devenir chaude depuis l'intérieur vers l'extérieur.

Les dames ne parlent pas aux hommes auxquels elles n'ont pas été présentées. Elle entendit dans sa tête la voix de sa mère lui rappeler la règle. Mais que faire ? Se sauver à toutes jambes et trouver quelqu'un qui se chargerait des présentations ? Le charme serait rompu. Même si cela allait à l'encontre de toute son éducation, faisant fi de son premier instinct, elle murmura :

— Bonsoir.

Le séduisant inconnu lui tendit la main, et elle y posa gracieusement la sienne. Les doigts du jeune homme se refermèrent sur les siens. Il effleura sa main d'un baiser. Le geste était tout à fait convenable, pourtant il lui parut... coquin. Elle ne s'était jamais sentie coquine auparavant. Pourquoi ne lui avait-on pas dit à quel point c'était agréable ?

Pendant un moment, ils se contentèrent de se regarder les yeux dans les yeux.

Après quoi, peu versée dans l'art de converser avec un homme, elle lança la première chose qui lui vint à l'esprit :

— Vous avez les yeux très verts.

Ils l'étaient en effet : verts, et ombragés de cils sombres, et quand il souriait — comme en ce moment —, ils se plissaient légèrement dans les coins. C'est alors qu'elle remarqua la cicatrice. Une fine balafre s'étendait de sa tempe à sa pommette.

Qui était cet homme ? Où s'était-il caché pendant ces quatre dernières années ?

Il fit un pas vers elle et baissa les yeux sur sa bouche. Olivia entrouvrit les lèvres. L'heure de son premier baiser avait-elle sonné? Chacun des nerfs d'Olivia fourmillait. Ces étincelles, encore.

Une pensée idiote lui traversa l'esprit, énoncée cette fois par la voix de Lady Penelope : «Les dames ne restent pas seules avec un homme, qu'elles aient été présentées ou non, sans chaperon.»

Si elle l'embrassait maintenant, il risquait de la prendre pour l'une de Ces Filles. D'après ce qu'on lui avait dit, les hommes n'épousaient pas l'une de Ces Filles. Et considérant l'attirance presque tangible entre eux, elle ne croyait pas qu'un seul baiser suffirait. Étant donné que son unique but dans la vie était de se marier, et au plus vite

Olivia soupira, déchirée entre le désir de se montrer indécente et l'obligation de se montrer décente.

Au moment même où elle envisageait la possibilité de faire fi de toute prudence, d'entourer ce bel étranger de ses bras et de presser ses lèvres contre les siennes, la voix stridente et méchante de Lady Katherine fit irruption. Qui plus est, celle-ci traînait dans son sillage sa bande d'amies détestables, c'est-à-dire Lady Crawford, Lady Mulberry, Lady Falmouth et Lady Montague.

— Olivia, c'est toi? *Avec un homme?*

L'incrédulité de Lady Katherine était beaucoup trop évidente. Olivia, contrariée, se mordit la lèvre. Naturellement, elle allait tout gâcher en se mêlant de la conversation et en informant le bel inconnu qu'il se trouvait en compagnie de l'une des moins susceptibles de Londres.

— Je pensais ne jamais voir ce jour.

L'inconnu haussa un sourcil interrogateur. Olivia aurait voulu mourir. Ou, du moins, se sauver. Cependant, l'inconnu et la bande de chipies lui barraient la route vers la salle de bal.

Elle se tourna pour fusiller du regard Lady Katherine alors que celle-ci passait devant elle dans l'escalier. Mais Lady Katherine se contenta de lui adresser un sourire mauvais avant de la pousser, d'un coup de coude soudain, dans les bras de l'inconnu.

Naturellement, celui-ci la rattrapa. En frappant sa large poitrine ferme, Olivia perdit le souffle. Il referma les bras sur elle, l'espace d'une précieuse et affolante seconde. Elle inspira profondément et fut grisée par l'odeur de l'inconnu. Elle ferma brièvement les yeux et pria pour que toutes les règles s'évanouissent, de même que Lady Katherine et les gens de la haute, qui la surnommaient la « Petite Bégueule » et la « moins susceptible de Londres ». Elle ne voulait qu'*être*, et elle ne voulait qu'être avec cet homme, qui qu'il soit.

Les jeunes dames n'étreignent pas amoureusement un homme auquel elles ne sont pas mariées.

La voix de sa mère proférant encore une fois une règle s'immisça dans ses pensées, bien que...— Oh, mon Dieu, marmonna Olivia.

C'était bel et bien la voix de sa mère, toute proche, qui demandait si l'on avait vu sa fille. Craignant que sa mère la surprenne dans cette situation — et gâche *tout* en piquant une crise d'hystérie ou, pire encore, en lui intimant d'éclairer cet homme sur ses talents de brodeuse —, Olivia s'arracha à son étreinte et s'élança dans le giron rassurant de la salle de bal pleine à craquer, où sa mère finit par la retrouver et lui annoncer qu'elles rentraient, car elle ne se sentait pas dans son assiette.

Olivia s'endormit en rêvant du bel inconnu et du moyen de le revoir.

Chapitre 2

Lady Penelope invite les diplômées et leurs maris au bal marquant le centième anniversaire de l'Académie.

— TEXTE DE L'INVITATION

Bibliothèque de Lord Archer
Le lendemain

Olivia alla à contrecœur retrouver ses parents à la bibliothèque pour ce qui serait sans aucun doute un nouvel entretien sur son statut marital. La veille au soir, pendant environ dix minutes, elle avait repris espoir. Si seulement elle pouvait revoir ce bel inconnu…

— Excellente nouvelle, Olivia ! s'écria sa mère avec un sourire étincelant.

— Oh ? dit prudemment Olivia, sachant depuis longtemps déjà qu'elles n'avaient pas la même idée sur la question. De quoi s'agit-il ?

— Votre père a reçu une demande d'un excellent candidat.

— Qui est-ce ?

Les cheveux d'Olivia se dressèrent d'appréhension sur sa nuque. Ses parents avaient fait preuve, au fil de leurs tentatives précédentes, d'un jugement déplorable quant à ce qui

constituait un excellent candidat. Elle n'osait certes pas espérer que le bel inconnu de la veille l'avait déjà identifiée et
demandée en mariage.

— Un bon parti! s'exclama Lady Archer avec
enthousiasme.

Avec peut-être un peu trop d'enthousiasme. Les yeux
d'Olivia se rétrécirent.

— Sa Seigneurie a un revenu annuel de dix mille livres
et… eh bien, un titre. Il a demandé à faire ta cour et a déjà
exprimé son désir de se marier!

Une entente portant sur des fréquentations officielles
équivalait à des fiançailles, surtout une fois que la nouvelle
s'était répandue dans le monde.

— Bien, mais de qui s'agit-il? demanda impatiemment
Olivia.

S'agissait-il de l'homme aux yeux verts? Elle n'avait
aucun prétendant, même si parfois des jeunes gens l'invi-
taient à danser ou lui faisaient poliment la conversation
lorsqu'ils n'avaient rien de mieux à faire. Aucun, toutefois,
ne manifestait à son endroit quelque sentiment ressemblant
à une ardente passion, ni même à une vague inclinaison au
mariage… ni ne possédait un titre ou un revenu annuel de
dix mille livres.

Sa mère sourit. Son père se racla la gorge.

— Il s'agit de Lord Radcliffe.

Olivia se leva d'un bond en poussant un cri étranglé.

— *Le Baron fou?* Vous plaisantez!

Toutes les jeunes filles de Londres connaissaient le Baron
fou, dont on se servait pour les mettre en garde contre les
périls qui les guettaient dans leur quête d'un mari. Sa première
épouse était morte sous son toit — et dans des circonstances

mystérieuses — à la suite d'une âpre querelle. D'aucuns prétendaient qu'elle avait été empoisonnée, d'autres qu'elle avait été étranglée. Tous s'entendaient toutefois sur le fait qu'elle était morte en des circonstances douteuses et peu naturelles.

On ne voyait jamais le Baron Fou dans le monde, car qui l'aurait invité?

Toutes les jeunes filles redoutaient d'être fiancées à un homme tel que lui — un vil séducteur, un reclus, un meurtrier.

— Vous voulez me marier au Baron fou, dont on dit qu'il a assassiné sa première femme? hoqueta Olivia, les larmes aux yeux.

— Il n'a jamais été accusé, fit remarquer son père.

Un sanglot étranglé s'échappa d'Olivia.

— Enfin, inutile de devenir hystérique, dit vivement sa mère. Ce ne sont que des ragots. Les dames ne s'intéressent pas aux racontars.

— Je ne veux pas qu'il me courtise et je refuse catégoriquement de l'épouser! protesta Olivia, qui avait beaucoup de mal à maîtriser le ton de sa voix.

— Sottises! Tu ne le connais même pas, s'écria sa mère.

— Ce qui constitue l'une des raisons pour lesquelles je ne veux pas l'épouser, répliqua Olivia. Nous sommes des étrangers l'un pour l'autre. Quel genre d'homme irait demander la main d'une femme qu'il n'a jamais rencontrée? enchaîna-t-elle, même si le teint de son père passait du rose à l'écarlate.

Le genre d'homme à la réputation si répréhensible qu'aucune femme ne l'épouserait, sauf s'il avait recours à des manœuvres malhonnêtes et occultes. S'il lui avait été présenté selon les règles lors d'un bal, elle aurait eu le loisir de le rabrouer. Mais non, il avait obtenu de ses parents la permission de la courtiser, ce qui la privait pour ainsi dire de tout recours.

— Il t'a vue. Il a posé des questions sur toi, dit son père. Il m'a dit qu'il était venu à Londres pour s'y trouver une épouse et avait appris que tu étais une jeune fille sage, et que c'était précisément ce qu'il recherchait. Je lui ai dit que tu étais une jeune fille docile, obéissante, qui ferait une excellente épouse, et il a été ravi de l'entendre.

— Tu vois, Olivia! dit sa mère avec allégresse. Tous tes efforts portent fruit. Tu es une vraie dame et tu seras une épouse parfaite pour ce gentilhomme.

Olivia se tut. Toute sa vie, elle s'était préparée à être une dame parfaite et une épouse parfaite pour un parfait gentilhomme. Pas pour un Baron fou. Pas pour un homme qui se souciait si peu de son cœur, de son esprit ou de ses sentiments qu'il n'avait même pas eu la décence de solliciter une rencontre informelle avant d'entreprendre sa cour proprement dite. Pas pour un homme qui avait *assassiné sa femme*.

Elle n'avait jamais désobéi de sa vie. Même pas la veille, quand elle avait été tentée de mal se conduire, parce qu'une bonne fille fait un bon mariage. Un regret brûlant commença à se répandre dans son ventre. Si seulement elle avait agi différemment… ou à tout le moins embrassé le bel inconnu. Si seulement… si seulement

Il était trop tard.

Mais l'était-il vraiment?

— Je n'en ferai rien, dit fermement Olivia. Dites-lui que je refuse.

— Olivia! hurla sa mère.

Même si les dames ne hurlent pas.

— Tu dois te marier ! tonna son père. Les jeunes filles se marient ! C'est ce qu'elles font.

Elle savait qu'il était vain de leur expliquer qu'elle *voulait* se marier. Mais elle ne voulait tout bonnement pas se marier *au Baron fou*.

— Non, merci. Je suis très flattée de son intérêt, dit-elle avec un léger regain de courtoisie. Mais ma réponse est non.

Sa mère et son père échangèrent un de ces regards qui en disent long. Elle sentit son estomac se contracter et elle douta être encore capable de respirer. Ce ne pouvait être vrai. Pas lui. Pas elle. Elle avait été si sage.

Elle ne méritait pas cela.

— En fait, ma fille, la question est entendue, dit gravement son père. Je lui ai accordé la permission de t'épouser. Les contrats ont été établis. Il ne manque plus qu'une cour pour la forme et ton consentement. Te souviens-tu de notre conversation de la saison dernière ?

— Comment pourrais-je l'oublier ? demanda amèrement Olivia.

— Le fait est que tu dois te marier et que tu as démontré avoir besoin d'aide en la matière, dit son père. Nous t'avons trouvé un époux convenable. Lord Radcliffe possède un titre et un revenu confortable.

— Sa propriété n'est pas très loin de notre maison de campagne, nous pourrons donc venir te voir fréquemment, dit sa mère d'un ton encourageant.

De pis en pis ! Des images de sa future existence de Baronne folle défilèrent devant ses yeux : de longues plages de solitude entrecoupées uniquement de la visite de ses parents. À la condition toutefois qu'elle ne soit pas assassinée au cours de sa nuit de noces.

Elle serait à jamais unie à un homme qui l'appréciait en raison de sa nature docile, obéissante. Elle ne tomberait jamais amoureuse, et jamais un homme ne tomberait amoureux d'elle.

— Mais qu'en est-il de mes désirs ? murmura Olivia. Qu'en est-il de l'amour ou…

— Olivia, il est grand temps que tu oublies ces balivernes, dit sa mère. Nous aimerions que les bans soient publiés dimanche.

Autrement dit, elle allait faire sa connaissance. Il allait faire sa demande. Elle allait dire oui.

Rendue là, elle aurait dû hocher la tête et remercier ses parents de s'être chargés de la pénible tâche de lui trouver celui auquel elle appartiendrait pour le reste de ses jours. C'est ce que devait faire une fille respectueuse. Une jeune fille bien se montrerait reconnaissante qu'on ait veillé à son bien-être. Une fille encore meilleure ferait appel à leurs sentiments ou à leur désir de la voir heureuse.

Olivia avait toujours été une fille respectueuse, une bonne fille et une bonne personne. Et tout ce que cela lui avait rapporté était un fiancé méprisable et violent. Par conséquent, elle ne les remercia pas ni n'accepta son sort en silence. Elle ne fit pas appel à leurs sentiments ni à leur raison. Elle se contenta de refuser.

— Je n'en ferai rien.

Sa voix sembla étrangère à ses propres oreilles — elle avait un côté tranchant et une profondeur qu'elle n'y avait jamais décelés.

— Tu vas l'épouser, Olivia Elizabeth Catherine Archer, déclara sa mère d'un ton menaçant.

— Même si je dois pour cela te traîner moi-même jusqu'au pied de l'autel, compléta son père, dont la figure était désormais de la teinte du porto.

Ce à quoi Olivia rétorqua de manière fort inhabituelle et d'une voix dure comme l'acier :

— C'est ce que nous verrons.

Boudoir de la duchesse d'Ashbrooke

— Il y a un destin plus terrible encore que celui d'être toujours célibataire au bal de Lady Penelope, déclara Olivia.

Saisissant son reflet dans le miroir, elle vit qu'elle avait les yeux étincelant de colère et les joues inhabituellement rouges.

Emma (autrefois une laissée-pour-compte et aujourd'hui une duchesse) et Prudence (toujours la moins susceptible de Londres de se retrouver dans une situation compromettante) gardèrent le silence tout en sirotant leur thé et en tentant d'imaginer ce qu'il pouvait y avoir de pis que la pire chose au monde.

Pendant ce temps, Olivia continuait de bouillir de rage. Une part de sa colère était dirigée contre ses parents, naturellement, qui avaient conclu un mariage aussi impensable sans la consulter. Elle fulminait aussi contre ce monde injuste pour les jeunes filles qui n'avaient pas grand-chose à dire quant à leur avenir.

Oh, elle n'était pas *obligée* d'épouser le Baron fou. Mais dès que la rumeur se répandrait, il était hautement probable que la concurrence se fasse rare. Hormis le bel inconnu de l'autre soir — qu'elle avait planté là, sotte qu'elle était —, aucun jeune homme ne lui avait manifesté d'intérêt.

Olivia fulmina au souvenir de toutes ces *années* pendant lesquelles elle s'était contentée d'observer et d'attendre, en vain. Elle avait obéi aux règles et maintenant — ceci. Un sort encore pire que de paraître toujours célibataire au bal de Lady Penelope. Un sort encore pire que le célibat perpétuel. Après son mariage à ce baron cruel, à ce meurtrier, elle n'aurait plus jamais la chance de tomber amoureuse. Elle pouvait mettre une croix sur son conte de fées.

— Fort bien, je n'arrive pas à imaginer pire, dit Emma, mettant ainsi un terme au silence et à la bouderie rageuse d'Olivia.

Alors elle leur raconta. Les mots se bousculaient sur ses lèvres. Sa langue mangeait les phrases tandis qu'elle leur décrivait, furieuse, ses malheurs. Sa voix n'était plus du tout mesurée, elle n'avait plus ce ton posé qu'elle avait cultivé sa vie durant. Elle était rauque. Effrayée. Colérique.

— *Le Baron fou ?*

Ses amies eurent la réaction escomptée : une exclamation exprimant à la fois l'indignation et la peur.

Prudence et Emma échangèrent un regard où l'horreur se mêlait à la pitié et à l'inquiétude. Olivia tira une certaine satisfaction en constatant qu'elles partageaient son désarroi, mais somme toute, elle se sentit encore plus mal, beaucoup plus mal. Ses larmes n'étaient pas sans fondement. Sa colère n'était pas exagérée. Il ne s'agissait pas là d'un cauchemar dont elle émergerait.

C'était vrai et c'était abominable.

— Est-il aussi épouvantable que je me l'imagine ? demanda Emma. N'oublie pas que j'ai l'imagination fertile et un penchant pour les romans noirs.

— Je ne l'ai pas encore rencontré, répondit aigrement Olivia. Ce qui n'a pas empêché mes parents de consentir à ce qu'il me courtise et m'épouse. Par conséquent, j'ignore à quel point il est épouvantable, mais compte tenu de sa réputation et de sa manière pour le moins discutable d'entreprendre sa cour, il doit être assez épouvantable.

— N'oublions pas qu'il a assassiné sa première épouse, fit inutilement remarquer Prudence. Il est difficile d'oublier un détail aussi scabreux.

— Supposément assassiné, selon mon père, maugréa Olivia. Il n'est pas venu à Londres depuis qu'il a «supposément» assassiné sa femme. Pourquoi l'aurait-il fait? Personne ne veut le recevoir, *sauf mes parents*.

Avaient-ils aussi peu d'affection pour elle? Aussi peu confiance en ses perspectives d'avenir? Bien sûr, elle ne s'en sortait pas très bien sur le marché du mariage. Mais être courtisée par le Baron fou représentait pour elle une défaite supplémentaire, et une défaite épouvantable.

À tous points de vue, la situation donnait à Olivia le sentiment de n'avoir aucune valeur. Le seul homme qui voulait bien d'elle la voulait pour une raison consternante : parce qu'elle était obéissante. Et docile. Une petite fille bien sage. Comme si elle était uniquement l'incarnation d'un manuel de bienséance. Comme si elle n'était pas une femme désireuse d'être aimée.

— Du moins, tu ne seras plus célibataire au bal anniversaire de Lady Penelope, souligna Prudence. Qui aura lieu dans quarante-trois jours. Bien que personne ici ne tienne le compte.

— Mais est-ce un sort plus terrible que la mort? réfléchit Emma à voix haute.

— Vos considérations me réconfortent incommensura-
blement, répliqua sèchement Olivia. J'ai le choix entre être
l'unique célibataire de l'histoire de l'Académie pour jeunes
filles de bonne famille de Lady Penelope ou épouser le Baron
fou et trépasser avant mon heure.

— Je vais sans doute être moi aussi encore célibataire,
ajouta Prudence en tapotant affectueusement la main
d'Olivia. Nous souffrirons ensemble.

— Ça suffit, vous deux! s'écria Emma. Vous finirez
éventuellement par vous trouver de bons époux. J'en suis
certaine.

— Paroles encourageantes. De la part d'une duchesse
comblée, éperdument amoureuse, fit sèchement remarquer
Prudence.

Olivia et elle échangèrent Un Regard. Depuis sa folle
histoire d'amour et son mariage au duc, son séduisant, charmant et très amoureux mari, Emma affichait un optimisme
imbuvable en tout. Elle avait même commencé à jouer les
marieuses, saisissant la moindre occasion pour présenter
Olivia et Prudence aux amis célibataires du duc. Malheureusement, il n'en était qu'encore plus apparent qu'ils n'en
avaient rien à faire. Leur réputation de jeunes filles les moins
susceptibles de Londres les précédait, et aucun des débau-
chés, des voyous et des célibataires de la haute ne semblait
enclin à l'oublier, même si la duchesse d'Ashbrooke les
y encourageait fortement.

Honnêtement, c'était embarrassant. Presque pire que de
faire tapisserie.

— Le bal de Lady Penelope est une torture qui ne dure
qu'une seule soirée, tandis que ce mariage durera ma vie
entière, dit Olivia.

— Qui ne sera sans doute pas bien longue, dit Prudence. Si tu épouses le Baron fou.

— Prudence ! s'écria Emma, horrifiée.

— Belle consolation, dit sombrement Olivia.

Que cette remarque fit toutefois réfléchir.

Si elle n'en avait plus pour longtemps à vivre… que ferait-elle ?

Premièrement, elle n'épouserait pas le Baron fou. Elle ne peindrait plus de bouquets de fleurs ni ne broderait un seul point. Elle se consacrerait à ce qui importait vraiment : donner son premier baiser, un baiser exquis qui lui ferait plier les genoux, valser entre les bras de séduisants messieurs qui se colleraient à elle au mépris des convenances, se trouver un beau voyou qui s'amenderait par amour pour elle, et d'abord et avant tout, découvrir ce qu'*elle* aimait et qui elle était au lieu de suivre le droit chemin dans l'espoir de recevoir une bonne carotte un jour ou l'autre. Elle retrouverait le bel inconnu et l'embrasserait à perdre le souffle.

Elle vivrait là, *tout de suite*.

— Je me suis comportée en dame irréprochable, dit lentement Olivia, énonçant ainsi un fait évident. On nous a dit de nous tenir droites, de sourire même quand nous n'en avions pas envie, de ne jamais refuser une invitation à danser, de nous montrer toujours charmantes et dociles en toutes circonstances. Et que cela nous a-t-il rapporté ?

Les trois jeunes filles gardèrent le silence. Cela ne leur avait pour ainsi dire rien rapporté. Deux d'entre elles étaient presque officiellement des vieilles filles et sur le point de devenir la honte de l'Académie.

Cependant, l'une d'elles avait épousé un duc.

— Eh bien, cela a bien marché pour Emma, dit finalement Olivia.

Elle était sincèrement heureuse pour son amie. Profondément et sincèrement. Il y avait quelques semaines à peine, leurs perspectives à toutes trois étaient des plus sombres. Mais il était injuste qu'Emma ait eu le bonheur de connaître l'amour tandis qu'Olivia se retrouvait fiancée contre son gré au Baron fou et assassin.

— Ma chance a tourné lorsque, faisant fi des convenances et osant accomplir une folie, *nous* avons annoncé mes fausses fiançailles au duc, dit Emma. Par «nous», j'entends vous deux.

— Mais je t'en prie, dit gentiment Prudence.

— Affirmation intéressante de la part de la moins susceptible de Londres de mal se comporter, dit Olivia en faisant référence à l'ancien sobriquet d'Emma. Nous avons toutes été beaucoup trop sages beaucoup trop longtemps.

— Donc, nous devons logiquement en conclure qu'il nous faut être moins sages, déclara Prudence. Surtout toi, Olivia.

— Continue, murmura Olivia.

Son cœur commença à battre plus fort, car Prudence avait dans les yeux cette étincelle malicieuse annonciatrice de bêtises, d'ennuis possibles et de catastrophe potentielle.

Prudence reprit ses explications :

— Considérant que ton comportement irréprochable t'a conduite à être pratiquement fiancée contre ton gré à un homme qui t'a choisie très précisément en raison de cela, le fait de cesser d'être irréprochable devrait logiquement te tirer d'affaire.

— Elle n'a pas tort, dit Emma avec un enthousiasme grandissant. Tes parents ne te permettront jamais de rompre tes fiançailles, mais lui le pourrait. Surtout si l'épouse docile qu'il recherche se transforme en mégère hystérique, insupportable, accumulant des scandales qui l'horripilent.

— Ils peuvent m'obliger à l'épouser, dit Olivia, qui commençait à saisir l'ingéniosité du plan de Prudence. Mais ils ne peuvent pas l'obliger à m'épouser s'il juge que je ne lui conviens pas.

Il allait sans dire qu'elle était disposée à faire tout en son pouvoir pour lui prouver qu'elle ne lui convenait pas. Sa vie et son avenir en dépendaient.

— Tu dois enfreindre toutes les règles chères à ta mère, lui confirma Prudence.

Les jeunes dames n'enfreignent pas les règles.

Olivia eut un sourire malicieux. *Elles les enfreignent désormais.*

— Et il finira par rompre les fiançailles, s'exclama Emma. Oh, cela va être amusant !

— Que pourrait bien faire Olivia pour offusquer la haute société et le Baron fou ? demanda Prudence.

Les jeunes filles gardèrent le silence. Le front plissé pour mieux réfléchir. En poussant des soupirs à fendre l'âme.

— Eh bien, puisque je ne suis pas une dame, je vais manger une seconde pâtisserie, dit Olivia en en prenant une, puis une autre.

Elle envisagea la possibilité de parler du bel inconnu à ses amies, mais cela l'attristait trop maintenant. Par ailleurs, elle ne voulait pas interrompre la mise au point du plan.

Au bout d'un moment, leurs fronts plissés et leurs sourcils froncés furent remplacés par des sourires malicieux provoqués par les comportements condamnables qui leur venaient à l'esprit.

— Dans un premier temps, tu dois t'habiller autrement, dit Emma, et elles lorgnèrent toutes trois la modeste et banale robe de jour de mousseline ivoire à rayures bleues d'Olivia. Porter des robes dignes d'une Femme mystérieuse et non pas d'une Ingénue virginale.

— Tu pourrais t'enivrer au bal, suggéra Prudence. Toutes les douairières et les mères en mal de mariage en seraient horrifiées. De même que les messieurs guindés, tel le Baron fou.

— Et tu pourrais fumer le cigare sur la terrasse, en compagnie d'une bande de voyous, ajouta Emma. Les hommes seront terriblement déconcertés et choqués qu'une dame s'immisce dans leur ennuyeuse conversation sur les chevaux et tout le tintouin.

— Et au bal, en plus de m'enivrer et de fumer, je pourrais dire le fond de ma pensée au lieu de murmurer des politesses, dit Olivia en songeant à toutes les fois où elle s'était mordu la langue.

— Terminées, les conversations insignifiantes sur la pluie et le beau temps! dit Emma. Ma foi, nous devrions lui prêter main-forte!

— Tu pourrais entrer chez White's, poursuivit Prudence. T'asseoir, poser les pieds sur la table, en exposant tes chevilles, et commander un brandy.

Olivia plissa le nez.

— Devrai-je le boire?

— Oui, dit Prudence. Cul sec, puis claquer le verre sur la table pour souligner la chose.

— Après quoi, je pourrais demander qu'on m'apporte le registre des paris et y rayer nos sobriquets de moins susceptibles de Londres, dit Olivia avec un sourire.

Son estomac se retourna sur lui-même à cette idée. Elle ne ferait *jamais* une telle chose, évidemment. Mais si jamais elle osait?

— Tu dois te rendre, sans chaperon, à un rendez-vous avec un homme, de préférence un homme à la réputation scandaleuse, ajouta Emma.

— Mais tu dois faire en sorte qu'une commère vous voie, dit Prudence. Sinon, c'est inutile.

— Car si tu te retrouves seule avec un voyou, mais que personne ne vous voit, on pourrait se demander si c'est réellement arrivé, n'est-ce pas?

Emma ponctua cette question philosophique d'un haussement de sourcils.

— Profonde question philosophique de la part d'une duchesse, remarqua Prudence.

— En gros, tu dois passer le plus de temps possible en compagnie de voyous et de femmes de petite réputation, ajouta posément Prudence.

Comme si ces messieurs ne préféraient pas se lancer dans une haie pour éviter Olivia. Situation qu'elle se devait de corriger immédiatement.

— Peut-être même tomberas-tu amoureuse de l'un d'eux, dit Emma.

— Et il t'enlèvera et te conduira à Gretna Green avant même que le Baron fou ait le temps de dire ouf! conclut Prudence.

— Tu connais toutes les règles, Olivia, dit Emma. Il te suffit de les enfreindre, les unes après les autres, dès que l'occasion se présente.

Chapitre 3

L'abus [de rouge à joues] devient aussi dangereux que dégoûtant.
— *Le Miroir des Grâces*, manuel de bienséance et
d'élégance du XIXe siècle offert à Olivia
à l'occasion de son douzième anniversaire

Demeure des Archer
Le lendemain

Olivia était assise devant son miroir pendant que sa femme de chambre, Mary, transformait en boucles ses cheveux blond clair. Lord Radcliffe allait venir prendre le thé, et Lady Archer avait donné des ordres stricts afin qu'Olivia s'y présente sous son meilleur jour, ce qui signifiait que celle-ci devrait endurer qu'on boucle ses cheveux au fer chaud, puis qu'on les remonte en chignon orné de rangs de perles et de rubans. Elle devrait porter sa plus jolie robe de jour blanche, se mouvoir avec grâce et prendre grand soin de ne pas se salir. Les jeunes dames doivent toujours avoir une apparence impeccable et irréprochable.

Il n'y avait pas d'alternative.

À moins que ?

Enfreins les règles, les unes après les autres, dès que l'occasion se présente.

Pour Olivia, qui toute sa vie avait obéi respectueusement aux ordres, la perspective d'y contrevenir délibérément était étrange et curieuse. Oh, il lui était arrivé de caresser l'idée, disons, de clouer le bec de Lady Katherine d'une remarque cinglante, de jouer un air grivois au pianoforte pendant un récital, ou de délaisser ses bouquins convenables au profit des romans d'amour qu'Emma lisait sans cesse (et qu'Olivia lui empruntait discrètement, car «les dames ne lisent pas de telles inepties»). Elle aurait aimé relever ses jupes et courir dans Hyde Park au lieu de s'y promener. Se farder les lèvres et porter des robes diaphanes. Flirter avec un voyou, voire être l'objet d'une rumeur.

Olivia avait toujours pensé qu'*un jour…* un jour, elle ferait tout cela, une fois partie de chez ses parents et mariée à cet homme hors du commun qui lui aurait fait découvrir cet aspect d'elle-même et l'encouragerait à faire preuve d'audace.

Elle avait entretenu le rêve de vivre un conte de fées parfait. Son mari serait charmant, saurait toujours quoi dire. Il la couverait d'un regard étincelant d'amour et tenterait constamment de lui dérober un baiser. Ils vivraient dans une grande maison avec une flopée de gamins bruyants, qu'elle ne gronderait jamais même s'ils répandaient de la confiture sur ses jupes ou brisaient un vase. En la voyant vêtue de robes ravissantes et au bras d'un époux aussi extraordinaire, plus personne ne se souviendrait qu'on l'avait surnommée la «Petite Bégueule» ni que M. Middleton s'était jeté dans une haie pour l'éviter.

Mais si elle épousait le Baron fou, qui l'avait choisie *parce qu'elle était la Petite Bégueule* la moins susceptible de Londres de provoquer un scandale, elle serait condamnée à une vie pas très longue mais très convenable. À cette idée, c'est elle qui avait envie de se jeter dans une haie pour éviter le baron.

C'était là un destin horrible, un destin cruellement dépourvu de baisers, de valses et d'aventures. Elle ne serait jamais amoureuse. Ni ne serait aimée profondément et désirée passionnément. À la place, elle dirigerait les domestiques et broderait dans la solitude jusqu'à en avoir les doigts en sang.

— Vous êtes bien silencieuse aujourd'hui, Lady Olivia, dit Mary tout en s'efforçant de ne pas la brûler avec le fer. Êtes-vous nerveuse à l'idée de faire la connaissance de votre promis ?

— Ne le serais-tu pas ? Particulièrement s'il avait la réputation d'être un assassin ? répondit Olivia.

Mais c'était surtout ce qu'elle prévoyait faire qui la rendait nerveuse.

Une chose scandaleuse.

Une chose indigne d'une dame.

Plus vite elle établirait qu'elle n'était *pas* la femme qu'il espérait, plus vite elle pourrait... redevenir une laissée-pour-compte. Ou, à l'instar d'Emma, faire quelque chose d'extravagant pour se décrocher un mari aimant.

— Je suppose, reconnut Mary. Mais ce ne sont peut-être que des racontars. Il est déjà arrivé, vous savez. Il est venu avec son avoué. Ils discutent en ce moment même avec votre père.

Une seule raison justifiait la présence de l'avoué : la rédaction du contrat de mariage. Un tel empressement était absurde, étant donné qu'elle n'avait même pas encore fait la connaissance du baron ! Ils devaient la croire bien docile, très obligeante et assez désespérée pour accepter la première demande venue. Elle devrait donc leur démontrer qu'ils se trompaient. C'en était fini pour elle d'être une Fille Obéissante.

— Tu l'as vu ? demanda Olivia.

— Oui, dit Mary en évitant de croiser le regard d'Olivia dans le miroir.

— Et ?

— Son avoué est plus séduisant que lui, hasarda Mary.

Ce qui était en soi des plus éloquents.

— Je suppose qu'il est affreux. Dis-moi, est-il vieux et gros, a-t-il des yeux de fouine et un air malveillant ?

Si elle avait appris une chose dans les romans, c'était que les vilains avaient toujours des yeux de fouine et un air malveillant.

— Il est temps de lacer votre corset et d'enfiler votre robe, dit vivement Mary, confirmant ainsi à Olivia que le Baron fou était l'homme le plus répugnant et détestable de la chrétienté et qu'elle devait faire tout ce qu'il fallait pour s'exempter de ce mariage.

Si seulement elle avait embrassé le bel inconnu !

— Mary, je me trouve un peu pâle, dit Olivia, qui venait d'avoir une idée.

— C'est votre teint naturel, dit Mary. Ravissant et clair, un teint de porcelaine.

En effet, tout en elle était pâle, et clair, et angélique, et peu mémorable. Elle n'était ni haute en couleur, ni fougueuse, ni désirable.

— Je devrais peut-être mettre un peu de rouge sur mes lèvres, dit Olivia. Ou du khôl sur mes paupières. Tu en as ?

— C'est là une demande inhabituelle, Lady Olivia, dit Mary, mal à l'aise.

Elle jeta un coup d'œil vers la porte de la chambre.

— Je crains que votre mère…

Les dames convenables ne se peignent pas les lèvres et elles ne se fardent pas la figure.

Seul un certain genre de femmes le faisait, et les hommes en quête d'épouses dociles et soumises ne recherchaient pas les femmes de ce Genre.

— Je me charge de ma mère si tu me prêtes du rouge à lèvres. S'il te plaît, Mary. Mon futur bonheur en dépend.

Lorsqu'Olivia descendit les degrés de marbre pour aller saluer ses parents et le Baron fou dans le hall d'entrée, elle était l'image même de la Dame Digne et Parfaite. Du menton vers le bas.

Une généreuse couche de rouge à lèvres et de fard à joues lui donnait l'apparence d'une traînée. D'une traînée ivre. D'une traînée ivre qui se serait maquillée en équilibre instable sur un pied dans la cabine d'un navire secoué par la tempête. Ses lèvres — et un peu la peau autour — étaient d'un rouge criard. Ses joues étaient roses, voire fuchsia. Un peu comme celles de son père lorsqu'il piquait une crise, ou celles d'une jeune fille brûlant d'embarras. Ses yeux étaient soulignés d'un trait de khôl assez large pour lui donner l'aspect d'un raton laveur.

Olivia se sentait parfaitement ridicule, mais parfaitement déterminée dans sa rébellion.

Elle se trouvait abominablement laide.

Il ne restait plus qu'à espérer que le Baron fou pense de même.

Sa mère poussa un cri d'horreur avant de porter sa main gantée à sa bouche et d'étouffer un sanglot sous un mouchoir.

Son père, visiblement mortifié, s'empourpra considérablement. Ses mâchoires se contractèrent, et ses yeux jaillirent de leurs orbites sous la poussée d'un énorme accès de rage contenue.

Olivia ne mécontentait *jamais* ses parents. En fait, c'était la première fois qu'elle s'attirait autre chose que leurs louanges. Elle sentit son estomac se révulser. Il lui fallut jusqu'au dernier gramme de sa détermination pour ne pas remonter à sa chambre en courant, se décrasser la figure et revenir présenter ses excuses les plus sincères. Cette impulsion s'évanouit dès qu'elle posa les yeux sur le détestable personnage.

Le Baron fou — qui était bel et bien un corpulent vieillard à la mine sombrement désapprobatrice — se racla bruyamment la gorge de ses glaires. Olivia ne dissimula pas un frémissement de répulsion. La perspective de partager la couche de cet homme raffermit immensément sa détermination.

Elle n'épouserait *pas* l'homme répugnant qui la regardait avec un tel mépris. Elle ne le laisserait pas poser les mains sur elle. À bien y penser, elle aurait dû en outre s'inonder d'un plein flacon de parfum.

L'autre homme — supposément son avoué — fit un pas en avant, et le cœur d'Olivia cessa de battre sous le choc.

Elle reconnut les fascinants yeux verts, et la bouche qu'elle avait failli embrasser.

La cicatrice qu'elle avait entrevue sous la flamme des bougies était nettement plus sinistre dans la lumière du jour.

Le bel inconnu haussa à peine le sourcil. Olivia crut voir les commissures de ses lèvres frémir — doux Jésus, mais il se moquait d'elle ! Doux Jésus, mais c'était beaucoup plus humiliant que prévu.

L'avoué était peut-être du genre à se laisser corrompre — auquel cas, elle n'aurait qu'à lui remettre son argent de poche pour obtenir de lui qu'il brûle le contrat de mariage. Après quoi, elle espérait ne plus jamais les revoir, ni lui ni le Baron fou.

— Olivia! Remonte à ta chambre immédiatement, siffla sa mère.

— Pourquoi donc? demanda-t-elle, comme si elle n'en avait sincèrement pas la moindre idée.

— Quelle impertinence! hoqueta sa mère.

Olivia ressentit une curieuse excitation. Elle ne s'était jamais montrée impertinente de sa vie.

— Peu importe, ma femme. Procédons aux présentations et prenons ce fichu thé, dit Lord Archer en décochant un regard *furibond* à sa fille.

Ses joues étaient du même rouge que celui de la tunique d'un soldat. Olivia ne leur avait pas vu cette teinte depuis le jour où, sans penser à mal, elle avait servi son précieux cognac français à ses poupées en guise de thé.

— Lord Radcliffe, permettez-moi de vous présenter ma fille, Lady Olivia, gronda Lord Archer. J'ignore ce qui lui a passé par la tête. Ou ce qu'elle a fait à son visage.

Mais ce ne fut pas le vieillard corpulent aux yeux de fouine qui s'avança. Un bref moment, Olivia se sentit soulagée. Juste avant que la vérité ne la frappe de plein fouet.

Lord Radcliffe — l'homme qu'elle croyait être l'avoué, le bel inconnu — posa le regard sur ses yeux de raton laveur et inclina légèrement le torse. Un frisson de frayeur parcourut l'échine d'Olivia.

Elle avait failli embrasser un assassin! Que le ciel soit loué qu'elle ne l'ait pas fait.

— Je suis honoré de faire votre connaissance, Lady Olivia.

Le Baron fou en personne s'inclina sur sa main tendue. Il n'était pas comme elle se l'était imaginé, mais il la terrifiait tout de même. Il fixait sur elle un regard énervant, comme s'il tentait de graver ses traits dans sa mémoire pour s'en souvenir ultérieurement.

La cicatrice, remarqua-t-elle, courait depuis sa tempe jusqu'à sa pommette un peu osseuse, pour se terminer juste sous l'œil. Était-ce sa femme, aujourd'hui décédée, qui lui avait fait cela en tentant, dans un geste violent, de se défendre ? Olivia le présuma.

Sa bouche était pleine. Sensuelle. Le genre de bouche qu'elle aurait rêvé d'embrasser si elle n'avait pas été incurvée dans un sourire discrètement amusé. Il la trouvait ridicule. *Bien !*

Olivia le contempla avec horreur. Le khôl lui piquait les yeux. Ses lèvres avaient le goût amer du fard. Elle aurait dû répondre : « Enchantée de faire votre connaissance, milord », mais les mots se coincèrent dans sa gorge.

Son esprit était vide de toute pensée, sauf une : elle aurait dû mettre encore plus de fards. Ou avoir déjà pris ses jambes à son cou. Les genoux flageolants, elle nota sa haute stature et ses épaules larges. Il serait tout à fait capable de la maîtriser en un clin d'œil si l'envie lui en prenait.

Son instinct de survie lui ordonnait de fuir. Mais Olivia opta plutôt pour ce qui semblait être son unique issue : se comporter de façon si abominable qu'un homme rêvant d'une femme docile regagnerait en courant et en criant le bled perdu dont il venait.

— Olivia.

Sa mère lui donna un coup de coude dans les côtes. Elle était censée répondre au Baron fou.

Olivia avait consacré une somme incalculable d'heures à mettre au point une révérence qui mettait en valeur la grâce de ses mouvements et soulignait tant son port altier que son tempérament déférent. Aujourd'hui, elle se contenta d'un brusque hochement de tête, semblable à celui d'une domestique à qui on vient de demander de renoncer à son après-midi de congé pour aller vider les pots de chambre.

— Je suis sincèrement navrée, milord, s'excusa sa mère auprès du baron, qui hocha à peine la tête. Olivia, poursuivit-elle en se cramponnant anxieusement à son mouchoir brodé, excelle en matière de révérence. Olivia, essaie de nouveau. Efforce-toi de ne pas nous embarrasser.

Fulminant intérieurement, Olivia plongea dans la révérence la plus basse et la plus obséquieuse qui soit, exagérant chaque mouvement depuis le fléchissement excessif des genoux jusqu'à la flèche hautaine des petits doigts écartant ses jupes.

— Très joli, déclara Lord Radcliffe en regardant alternativement la mère et la fille.

Olivia s'abstint de croiser son regard. Elle s'en sentait incapable.

On la présenta ensuite à l'avoué, M. Morris, qui, après les avoir salués, s'en alla avec le contrat de mariage finalisé sous le bras.

— Il ne reste plus qu'à signer, déclara-t-il en guise d'au revoir.

— Le thé. Prenons le thé, dit sa mère en prenant vivement les devants et en invitant tout le monde à prendre la place qui leur était dévolue sur les canapés flanquant la cheminée.

— Olivia, tu le sers?

— Naturellement, mère, dit Olivia d'une voix exagérément suave, parce que c'est ce qu'on attendait d'elle. Je serai ravie de servir le thé à notre estimé invité.

Nul ne connaissait mieux qu'Olivia l'art de servir le thé (art auquel elle s'exerçait chaque jour à quinze heures), raison pour laquelle elle put fort habilement enfreindre toutes les règles de l'étiquette. Elle empoigna l'anse de la théière, mais également le bec verseur. Elle ne demanda pas au Baron fou s'il préférait un sucre ou deux, ni s'il prenait du lait ou buvait son thé nature et amer.

La seule chose qui empêcha Lady Archer d'exploser en une violente tirade fut la règle interdisant aux Dames d'Exploser en de Violentes Tirades, surtout en public.

Toutefois, c'est sans le vouloir qu'Olivia, énervée par la façon dont Lord Radcliffe la fixait de ses yeux verts, versa le thé jusqu'à ce qu'il déborde dans la soucoupe.

Elle venait de prendre affreusement conscience du ridicule de sa figure trop fardée et de ses manières outrageusement déplorables. Et de se souvenir de la chaleur qui l'avait envahie, ce fameux soir, sous son regard. Le lien puissant qu'elle avait ressenti entre eux était encore présent dans sa mémoire. Pis encore, elle se rappelait encore vivement l'espoir qui était né en elle lorsque leurs regards s'étaient croisés.

Et à présent, elle n'était plus qu'embarrassée et terrifiée.

Lorsqu'elle tendit son thé au Baron fou, elle remarqua les méchantes cicatrices sur ses mains et manqua d'échapper la tasse.

— Merci, dit-il.

— Je vous en prie, répondit-elle.

Ils avaient officiellement échangé plus ou moins cinq mots. La nuit de noces pouvait venir.

Olivia prit l'un des biscuits au gingembre disposés sur le plateau. Sa mère affirmait que, par politesse, une dame ne devait en manger qu'un seul, et pas un de plus, de crainte de passer pour une gourmande.

— Comment trouvez-vous Londres, Lord Radcliffe? s'enquit Lord Archer.

— C'est une ville incroyablement animée et intéressante, n'est-il pas? répondit-il avec un sourire fort séduisant, aurait reconnu Olivia si elle y avait été disposée, ce qui n'était pas le cas. J'aime bien l'effervescence de la ville, quoique je préfère le Yorkshire. J'y possède une vaste propriété éloignée des voisins.

Ces mots n'eurent pas l'heur de plaire à Olivia. *Vaste* signifiait que la demeure était loin de tout. *Éloignée des voisins* signifiait que personne ne s'apercevrait qu'elle avait des ennuis. Elle prit un deuxième biscuit. Tant pis pour son rêve de vivre dans une maison entourée de voisins qui viendraient souvent lui rendre visite.

— Votre maison est grande? s'enquit sa mère.

— Elle a cinq niveaux, en comptant le grenier et la cave, répondit-il avec un coup d'œil vers Olivia, qui fronça les sourcils.

Était-il vraiment obligé de mentionner le grenier et la cave? Tout le monde savait que si quelqu'un souhaitait retenir une jeune fille captive, ou s'adonner à des activités infâmes, ce quelqu'un ne choisirait pas pour ce faire le salon, mais un grenier poussiéreux ou un cachot humide creusé dans la cave. Il avait bien dit «cachot», non?

Olivia prit un troisième biscuit.

— La propriété en elle-même est charmante, poursuivit-il en lui lançant un regard embarrassé. Très tranquille, et très isolée. Entourée d'une forêt très dense.

Sous ses fards, Olivia blêmit. *Isolée* signifiait que personne ne l'entendrait crier. Quoiqu'une dame ne crie jamais. Sauf si sa vie est en danger. Ce qui serait son cas.

Seigneur Dieu !

D'un geste brusque elle reposa sa tasse qui claqua sèchement sur la soucoupe. Sa mère fronça les sourcils. Olivia se sentit gagnée par la colère : comment pouvaient-ils envisager de la marier à cet homme ?

— La compagnie est rare, ajouta-t-il avec un léger sourire.

S'agissait-il d'un sourire contrit ou d'un sourire lourd de sinistres sous-entendus ? Elle lui jeta un coup d'œil. Lourd, indéniablement.

Elle se retrouverait seule, complètement seule, avec cet homme ! Olivia cligna des paupières pour refouler ses larmes qui, en se mêlant au khôl, lui brûlèrent les yeux. Elle les tamponna avec l'un de ses mouchoirs brodés, le ruinant à jamais.

— Et comment vont vos activités scientifiques ? s'enquit son père, conscient qu'un changement de sujet s'imposait.

— Elles m'occupent du matin au soir, à vrai dire, répondit Radcliffe. Certains estiment ce travail dangereux, mais pour ma part, je le trouve fascinant et j'aime les défis.

Un travail dangereux ? Seigneur Dieu, que faisait donc cet homme ? Les gentilshommes étaient censés se contenter de jouer aux cartes, d'écrire des poèmes aux dames et de boire du porto. Dans leurs clubs. À Londres.

S'ils s'épousaient — ce qui n'arriverait jamais —, elle se retrouverait seule et misérable, sans même pouvoir compter sur Emma et Prudence pour la réconforter durant ses longues décennies d'exil. Elle perdrait tout à fait l'esprit. Elle errerait dans les couloirs, vêtue tel un fantôme de chemises virginales en marmonnant : «Je ne l'épouserai pas, jamais!» et en s'entretenant avec des amis imaginaires. Tous les journaux de Londres la surnommeraient la «Baronne folle».

— Je suis venu à Londres, entre autres, pour travailler avec Lord Ashbrooke sur l'Engin révolutionnaire, expliqua Radcliffe, et *cela* retint l'attention d'Olivia.

Le mari d'Emma était impliqué dans cette affaire? Olivia allait en discuter avec ses amies. Peut-être demanderait-elle à Emma d'implorer son mari de renvoyer chez lui ce Baron fou et de lui rendre la paix. Dans la bataille mettant en jeu sa liberté et son bonheur futurs, Olivia résolut qu'il lui fallait exploiter toutes les solutions possibles.

— Je crois cependant que ce n'est pas l'unique raison qui vous amène à Londres, Lord Radcliffe, ajouta sa mère d'un ton presque *coquet*.

Olivia roula des yeux parce que les dames ne roulent pas des yeux. Elle avait toujours voulu s'y essayer.

— En effet, j'y suis venu dans l'intention de prendre épouse, dit Radcliffe en jetant un regard insistant à Olivia, dont le pouls s'affola de terreur pure. Il est temps pour moi de me remarier.

Se remarier. Aucun doute possible : une froide allusion à sa première épouse. Qu'il avait assassinée. Supposément.

— Mission accomplie! N'est-il pas vrai, Olivia? demanda sa mère en se tournant vers elle. Il est venu juste pour toi.

Elle aurait dû murmurer « Comme c'est charmant », ou quelque chose en ce sens. Au lieu de quoi, elle répliqua :

— Je ne crois pas avoir eu grand-chose à y voir.

Sa mère pinça les lèvres. Son père s'empourpra de nouveau. Le Baron fou plissa le front.

— Avez-vous réfléchi à la manière dont se déroulera le mariage, Lord Radcliffe ? demanda Lord Archer, bien que la demande en mariage n'eût pas encore été faite.

Olivia craignit un instant que les mots « épousez-moi » fussent les prochains à sortir de la bouche du baron.

Au lieu de quoi, celui-ci répondit :

— Si nous en arrivons là, j'aimerais que vous vous en occupiez toutes deux. Je serai accaparé par mon travail sur l'Engin. À ce que j'en sais, les dames raffolent de ce genre de choses, et il est préférable que les hommes ne s'en mêlent pas. Faites comme il vous plaira, Lady Olivia, ajouta-t-il.

— Vous dites cela *maintenant*, rigola-t-elle.

— Olivia ! s'écria son père.

— Je vous demande pardon ? demanda Radcliffe.

Le pauvre semblait fort perplexe. Était-il idiot en plus d'être fou ? Comment pouvait-il ignorer qu'elle ne voulait pas l'épouser — ni d'ailleurs aucune autre femme de Londres ? Le fait qu'elle l'ait quasiment embrassé dans un couloir obscur ne signifiait en rien qu'elle souhaitait l'épouser, sachant à présent qui il était et connaissant la violence dont il était capable.

— Cela n'a aucun sens, lança sèchement Lady Archer en décochant un regard acéré à sa fille.

— Aucun, en effet, renchérit très sérieusement Olivia, en dépit des regards furibonds de ses parents.

Oh, elle se ferait drôlement savonner les oreilles ! Mais tout plutôt que de passer le reste de sa vie avec cet homme cousu de cicatrices, à l'occupation dangereuse et au passé violent, qui s'amusait à séduire les jeunes filles dans les recoins obscurs des salles de bal.

— Peut-être pourriez-vous me parler un peu de vous, Lady Olivia. Qu'aimez-vous faire ? demanda le Baron fou.

Olivia ouvrit la bouche dans le but de lancer une réplique cinglante, mais rien ne lui vint à l'esprit, si ce n'est le fait déplorable mais vrai qu'elle ignorait ce qu'elle aimait faire. Sa mère aurait eu le cœur brisé d'apprendre que sa fille n'adorait *pas* composer des bouquets ou jouer du pianoforte, ni d'ailleurs aucun de ses autres passe-temps.

— Olivia aime peindre des aquarelles, la devança Lady Archer. Elle brode aussi ; elle excelle dans les travaux d'aiguilles. Elle compose de ravissants bouquets. Elle saura tenir maison à la perfection.

— Tout à fait ce qu'il me faut, dit Lord Radcliffe avec un sourire qui aurait été séduisant s'il n'avait condamné Olivia à consacrer sa trop courte existence à se préoccuper du linge de maison et à planifier des menus avec la cuisinière.

Tout ce que je ne veux pas être.

Tous ses rêves touchant à l'amour et à l'amitié au sein du mariage s'évanouiraient à jamais si elle descendait l'allée centrale au bras de cet homme. Il voyait en elle une femme stupide qui se satisferait de diriger ses domestiques et de croupir dans la solitude la plus totale. Les cicatrices n'avaient rien pour dissiper ses craintes. Ni la façon dont il la regardait. Les fards n'avaient pas suffi. Il lui faudrait faire mieux que cela.

Chapitre 4

Oh, jeunes filles ! Tremblez de frayeur si vous vous retrouvez seule avec le Baron fou !
— LE BARON FOU : LE DESTIN TRAGIQUE D'UNE JEUNE FILLE PURE, DE SON AMOUR MALHEUREUX ET DE SA TRISTE FIN. UNE HISTOIRE VRAIE.

Lorsque Phinneas Cole — connu officiellement sous le nom de « Baron Radcliffe » et communément sous celui de « Baron fou », et préférant pour sa part être appelé « Phinn » — posa pour la première fois les yeux sur Lady Olivia Archer lors d'un bal, il saisit le sens du mot « magnétisme » comme jamais auparavant.

Étant donné qu'il était en quelque sorte un expert en la matière, c'était remarquable.

Il savait quels étaient les principes et les forces à l'œuvre, mais il n'avait jamais compris viscéralement ce pouvoir invisible jusqu'à ce qu'il n'arrive plus à détourner son attention d'Olivia. Il n'avait jamais ressenti cela.

Dès qu'il la vit, s'arracher à sa contemplation tomba dans la catégorie des impossibilités physiques.

Elle était debout, seule, sur le balcon ceinturant la salle de bal, comme si elle s'était sentie solitaire dans la foule. C'était là un sentiment qu'il ne connaissait que trop bien et qu'il ne s'attendait pas à partager avec une femme. Pendant un moment, Phinn resta là, indifférent à la cohue, à la regarder, à l'observer. Elle avait de beaux cheveux blonds et le teint clair. Chacun de ses mouvements — depuis la légère inclinaison de sa tête jusqu'à sa façon de caresser la balustrade de ses doigts — était posé et gracieux.

Il comprit aussitôt qu'elle avait tout ce qu'il espérait d'une épouse.

Phinn traversa résolument la foule et gagna le pied de l'escalier, qui aboutissait dans un sombre couloir. Pour sa seconde épouse, il tenait à faire tout dans les règles, depuis les premières présentations jusqu'à la demande en mariage.

Faire ainsi connaissance — sans avoir été présentés, et en l'absence d'un chaperon — était affreusement inconvenant. Mais il était incapable de s'en aller. Lorsqu'on la jeta dans ses bras, il eut du mal à la lâcher. Phinn la désira, désira se perdre en elle.

Il ne lui en voulut pas de s'affoler et de s'enfuir, mais il aurait souhaité qu'elle reste. Il voulait la connaître. Il la connaîtrait.

Il alla donc s'enquérir à son sujet auprès de son ami, Lord Rogan.

— Cette chipie ? C'est Lady Olivia Archer. Mieux connue sous le nom de la « Petite Bégueule ». Et l'une des moins susceptibles de Londres, mais je ne me souviens pas s'il s'agit de la moins susceptible de mal se comporter ou de provoquer un scandale.

Phinn n'avait pas besoin d'en entendre davantage. Il était venu à Londres afin, d'une part, d'aider le duc d'Ashbrooke à fabriquer son Engin révolutionnaire en vue de l'Exposition universelle et, d'autre part, de se trouver une femme qui tiendrait sa maison et réchaufferait son lit, sans toutefois lui causer des ennuis ou le distraire de son travail.

Apparemment, il l'avait trouvée dès sa première soirée à Londres. Étant donné qu'il avait déniché la femme parfaite, une femme qui le subjuguait de surcroît, pourquoi attendre pour l'épouser ?

Il n'avait pas réussi à organiser les présentations ce soir-là, mais il ne lui avait fallu qu'une brève rencontre avec le père pour obtenir l'autorisation de la courtiser. Phinn était heureux ; il avait craint que la tâche de se trouver une épouse traîne en longueur et accapare une bonne part du temps qu'il jugeait plus utile de consacrer à son travail.

Pourtant, après sa rencontre formelle avec Lady Olivia Archer, ses pires craintes — un second mariage avec une femme follement imprévisible — se trouvèrent confirmées.

À la suite de cette rencontre désastreuse chez les Archer, il rentra chez son ami, Lord Rogan, qui l'hébergeait durant son séjour à Londres.

Ils avaient étudié ensemble à Oxford et noué une amitié aussi sincère qu'improbable en découvrant que leurs personnalités, fort différentes, leur étaient mutuellement utiles. La sociabilité de Rogan empêchait Phinn de se transformer en ermite uniquement intéressé par ses études. Phinn avait veillé à ce que Rogan n'échoue pas ses cours tout en étant l'unique personne vers laquelle Rogan pouvait se tourner lorsque, par exemple, il avait besoin d'une caution pour sortir des griffes du magistrat local, ce qui se produisait régulièrement.

Phinn se laissa choir dans un fauteuil dans le bureau de Rogan.

— Eh bien, ça ne s'est pas passé comme je l'espérais, dit-il en se passant la main dans les cheveux, habitude qu'il avait quand il était énervé.

Malheureusement, cette habitude n'avait rien pour dissiper les rumeurs sur sa prétendue folie. Mais bon, il se contrefichait royalement de ce que le monde pensait de lui.

— Et qu'espérais-tu d'un thé en compagnie de ta promise rougissante et virginale et de ses parents surprotecteurs ? s'enquit Rogan.

— « Surprotectrice » est l'un des qualificatifs convenant à Lady Archer, fit sèchement remarquer Phinn.

Lady Archer était une femme de haute taille, pâle et sévère. Tout en elle était impeccable.

— Le qualificatif de « mégère dominatrice » serait-il plus juste ? demanda Rogan avec un sourire impertinent.

Phinn ignora son ami. Il ne pouvait *approuver* que l'on décrive en termes aussi grossiers une femme qui risquait fort de devenir sa belle-mère. Mais il ne pouvait non plus désapprouver. Impossible de ne pas remarquer qu'elle critiquait constamment le comportement de sa fille. Cependant, il fallait bien admettre que le comportement de sa fille avait été déplorable.

Nulle trace de la jeune fille gracieuse et élégante dont il s'était épris au premier regard. Il l'avait cherchée sous son attitude cavalière, ses grimaces, ses lèvres peintes et ses grossièretés. Où s'était-elle enfuie ?

— Et peut-être que par « rougissante », tu fais référence à l'énorme quantité de rouge sur ses joues ? demanda Phinn.

Il connaissait tout ce qu'il y avait à connaître en matière de physique, mais rien du tout en matière de mode féminine.

— Et ce truc noir autour de ses yeux et cette peinture écarlate sur ses lèvres ? C'est ce que veut la mode à Londres, par les temps qui courent ?

— Chez certaines femmes, sans doute, répliqua Rogan avec un clin d'œil et une insistance sur le mot « certaines » qui ne laissaient planer aucun doute sur sa signification.

— Mais pas chez les dames réservées, respectables et innocentes, clarifia Phinn.

— Pas chez une femme surnommée la « Petite Bégueule », en effet, confirma Rogan.

— Elle était pourtant excessivement fardée, sourcilla Phinn. Excessivement.

— J'aurais aimé voir cela, gloussa Rogan.

— Elle avait l'air d'un clown, reconnut Phinn.

Les fards avaient été si mal appliqués qu'il fallait que ce soit intentionnellement, même si ce que cela laissait entendre sur ses sentiments à son endroit ne lui plaisait guère. Il était surpris de découvrir à quel point cela le préoccupait.

— J'ai failli éclater de rire à la réaction de ses parents. J'ai cru qu'ils allaient avoir une attaque au beau milieu du hall d'entrée. Mais je me suis retenu, de crainte d'essuyer les foudres de Lady Archer.

— Lady Archer est une créature terrifiante. Les jeunes Londoniens savent depuis fort longtemps qu'il faut l'éviter à tout prix. Parlez-en un jour à Middleton, dit Rogan. Votre ravissante fiancée a peut-être agi ainsi dans le dessein maladroit de vous impressionner.

— On pourrait le croire, n'eût été le reste de ses manières, dit Phinn. Encore que mon champ d'expertise soit la mécanique, et non les subtilités de l'étiquette régissant le thé.

J'ignore si elle me méprise, est tout bonnement bizarre ou si je réfléchis trop à la question.

— Te connaissant, je dirais que tu réfléchis trop, dit Rogan. Encore qu'à mon sens, on réfléchit toujours trop. Dis, tu as suivi mon conseil et lui as dit comme ta propriété est vaste ?

— Oui. Et je crois qu'elle s'en soucie comme d'une guigne, dit Phinn, au souvenir de la pâleur d'Olivia lorsqu'il avait mentionné que son manoir de campagne était entouré de vastes terres. En fait, plus j'en parlais, plus elle semblait horrifiée.

— Tu aurais sans doute dû lui parler de l'importance de ton compte bancaire ou de la taille de ton…

— Oui ? demanda Phinn en braquant un regard froid sur son ami.

— Je m'égare, s'excusa Rogan.

— Ce mariage prend précisément le tour que je redoutais, dit Phinn en fronçant les sourcils. Et précisément celui que j'espérais éviter.

— Étouffant, étroit, déprimant, compléta Rogan.

— Déroutant. Confondant. Régi par des forces inconnues n'obéissant à aucune logique, mais à des règles qui m'échappent, corrigea Phinn.

N'y avait-il pas moyen que ce soit simple : un homme et une femme se rencontrent, s'épousent et se prennent d'affection l'un pour l'autre ?

Puis, il songea alors à la curieuse attirance qu'il avait éprouvée à l'endroit d'Olivia.

Il avait cru que ce serait facile avec elle. N'avait-il pas appris qu'elle était surnommée la « moins susceptible de Londres de provoquer un scandale », en était à sa quatrième saison et, par conséquent, avait sans doute très hâte de se marier? Son père avait failli convoquer l'archevêque dès qu'il lui avait fait part de ses intentions.

Quand donc les choses étaient-elles simples?

Un autre homme aurait peut-être été rebuté par le comportement d'Olivia. Mais parce que ce comportement était très contraire à sa réputation de Petite Bégueule, il s'en trouva plutôt intrigué. Phinn avait une grande propension à vouloir résoudre les énigmes, qui s'apparentaient à ses yeux à un problème mathématique complexe.

— Tu regrettes d'avoir consacré tout ce temps à tes travaux au lieu d'avoir parié et fréquenté les femmes? demanda Rogan.

— Oui, reconnut Phinn. En quelque sorte.

— Tu aurais peut-être dû passer davantage de temps à étudier la complexité du comportement féminin au lieu de te consacrer à tes fichus engins et à tes expériences sans queue ni tête, avança Rogan, laissant ainsi entendre que son premier mariage n'aurait peut-être pas été un tel échec. Ce pourrait en être l'occasion. Vois cela comme une expérience.

— En effet, reconnut Phinn.

— Fort bien, sourit Rogan. Je nous fais apporter nos chapeaux et nos manteaux. Nous irons d'abord chez Madame Scarlett.

— Un bordel? Je suis pratiquement fiancé, Rogan, protesta Phinn. Par ailleurs, il n'est que seize heures. En outre, j'ai rendez-vous avec le duc pour discuter de notre projet.

— Tu veux te préparer à ta nuit de noces, oui ou non? demanda Rogan, penchant encore en faveur d'une escapade au bordel.

À seize heures. Au beau milieu de l'après-midi.

— J'ai déjà été marié, Rogan, dit sèchement Phinn.

Il n'était pas sans expérience. Le tempérament passionné de Nadia n'avait pas *toujours* été problématique — uniquement en dehors de la chambre à coucher.

— Et comment cela a-t-il tourné pour toi ? demanda Rogan en haussant un sourcil ironique, car il connaissait fort bien la réponse.

Ce n'était pas la première fois qu'il tentait de dissuader son ami de se marier. Rogan avait déjà associé la vie conjugale à l'enfer. Avec Nadia comme épouse, Phinn ne l'avait pas contredit.

— Mon mariage a été un véritable désastre et un cauchemar sans fin, répliqua Phinn. Tout le monde le sait.

— Pourtant, tu veux remettre cela, dit Rogan.

— Eh bien, on ne m'appelle pas le Baron fou sans raison, fit sèchement remarquer Phinn.

Il était très au fait des rumeurs courant sur son compte. Mais à vrai dire, il ne s'en souciait guère. Là-bas, dans le Yorkshire, ça n'avait aucun intérêt. De plus, les Événements remontaient à plusieurs années, et il supposait qu'on avait oublié.

— Que dois-je faire, Rogan ?

— À quel sujet ? demanda Rogan, et Phinn réprima un soupir d'exaspération devant la capacité de concentration limitée de son ami.

— Lady Olivia. Elle n'est pas tout à fait comme je le croyais.

Phinn l'avait crue douce et charmante. Compte tenu du lien puissant qui s'était établi entre eux ce soir-là, il avait été loin de s'imaginer qu'elle serait à ce point différente lorsqu'ils feraient officiellement connaissance. C'était une énigme — et les énigmes l'intriguaient invariablement.

— Eh bien, Phinn, c'est regrettable, mais les femmes ne se jettent pas dans les bras des hommes... sauf dans ceux de vauriens comme Ashbrooke, Gerard ou Beaumont. Ces salopards ont tout pour eux, maugréa Rogan. Il te faut donc la conquérir. Te faire aimer d'elle.

— J'espérais m'épargner l'étape de la conquête, dit Phinn.

— Selon ce que j'en sais, c'est une étape indispensable vers le mariage, objectif qui semble te tenir à cœur.

— Ce n'est pas que cela me tienne à cœur. C'est uniquement que j'ai besoin d'une épouse.

— En ce cas, fais en sorte qu'elle t'aime, déclara Rogan le plus simplement du monde. Voici ce que tu dois faire : tu dois l'impressionner. Montre-lui que tu es une fichue canaille, un type fougueux et fort. Les femmes aiment les hommes forts.

Pour souligner ses propos, Rogan fléchit les bras, supposément pour faire gonfler ses biceps. Mais Rogan consacrait le plus clair de son temps à boire et à faire la fête, et non, disons, à s'échiner sous le soleil. La démonstration ne fut donc pas très convaincante, mais elle illustra tout de même son point de vue.

— Serais-tu en train de me suggérer de multiplier les tours de force ?

— Montre-lui comme tu es fort et viril. Et musculeux. Les femmes se pâment toujours devant des types aux allures de dieux grecs.

— Vraiment ?

Phinn ignorait que les femmes se « pâmaient » devant de telles choses. Il faut dire que quand il apercevait une bande de femmes en pleine discussion, il se dirigeait dans la direction opposée, comme tout homme doué d'un minimum de bon sens.

— Tu ne les as jamais vues, au British Museum, feindre de s'intéresser aux statues grecques et romaines ? Alors qu'il n'y a rien de plus insipide qu'un gros tas de pierre ? Non. En fait, elles reluquent tous ces muscles et tentent d'entrevoir ce que cache la feuille de vigne.

— Je n'ai pas pour habitude d'observer les jeunes femmes reluquer les statues, répliqua Phinn.

— Tu dois vraiment sortir plus souvent de ton atelier, dit Rogan avec prosaïsme et sans doute avec raison.

— Je souhaite vraiment que ça marche, Rogan.

Sa gouvernante ne cessait de le harceler de prendre une épouse — « une femme bien, cette fois » —, et l'idée de partager ses repas et sa couche avec une femme était séduisante. Surtout si cette femme ne lui créait pas d'ennuis et ne l'empêchait pas de travailler. Et c'était sans compter cette force étrange qui le poussait vers Olivia. Mais il ne pouvait pas l'avouer à Rogan, surtout pas à Rogan, qui se ferait une joie de revenir constamment là-dessus. Il se contenta donc de dire :

— Je déteste l'idée de repartir de zéro.

— Des tours de force, crois-moi, dit Rogan avec assurance. Ou, à tout le moins, éloigne-la de sa mère. Par exemple, fais en sorte de vous ménager un tête-à-tête au bal. Les femmes aiment que les hommes les entraînent dans des coins sombres, retirés. Elles ne sont pas censées, mais elles aiment cela. Crois-moi.

Chapitre 5

Les couples improbables de la semaine : selon certaines rumeurs,
Lady Olivia Archer, mieux connue sous le sobriquet de « la
moins susceptible de Londres de provoquer un scandale », serait
courtisée par nul autre que Lord Radcliffe, mieux connu sous le
nom de « Baron fou » par les jeunes filles frémissantes.
  — UNE DAME DISTINGUÉE, « LES COULISSES DU BEAU MONDE »,
                                                    LONDON WEEKLY

Lorsqu'Olivia arrivait au bal, elle faisait immanquablement trois choses. Dans un premier temps, elle s'arrangeait pour perdre sa mère dans la cohue. Ensuite, elle traversait la foule, la tête haute, feignant de ne pas remarquer que tous les hommes veillaient à s'éclipser à son approche.

Finalement, elle rejoignait Emma et Prudence, non loin du bar à citronnade. Selon toute vraisemblance, Olivia et Prudence y demeureraient, à l'écart, toute la soirée, sauf pour se rendre au cabinet des dames, histoire de mettre un peu d'animation dans la soirée.

Mais les choses étaient différentes ce soir.

Olivia était très consciente que les gens, au lieu de détourner les yeux, l'observaient avec ce qu'on ne peut décrire que comme de la pitié. Les femmes lui adressaient des demi-sourires — avant de se tourner vers leur compagnon en murmurant. Les hommes évitaient toujours de la regarder, mais sans y mettre le même empressement que d'habitude.

Olivia en tira une conclusion évidente : les gens de la haute savaient que le Baron fou courtisait la moins susceptible de Londres de provoquer un scandale. Sa gorge se serra à cette pensée.

Elle venait d'apercevoir Emma et Prudence à dix pas d'elle quand Lord Dudley, malheureusement, surgit devant elle.

Elle fit un pas à droite, pour le contourner, car il était impensable que ce goujat ait l'intention de lui parler à *elle*. Mais Dudley fit aussi un pas à droite et lui barra le chemin.

Elle fit un pas à gauche. Dudley également.

Le vocabulaire délicat de Lady Olivia ne comportait pas de mots susceptibles de le décrire, sauf pour dire qu'il était universellement méprisé à cause de son tempérament cruel et impétueux. Il était néanmoins invité partout en raison de l'influence de son père.

En conséquence, quand Dudley se dressa devant Olivia, avec l'intention évidente de lui parler, elle sentit un nœud se former au creux de son estomac. Cela n'annonçait rien de bon.

Les gens autour d'elle partageaient son opinion, car ils se tournèrent vers eux dans l'espoir d'assister à une scène. Lady Katherine, toujours ravie de voir les autres souffrir, souriait d'un air suffisant. Pour la première fois de ses quatre saisons, Olivia se trouva être le point de mire.

— Lady Olivia, dit Dudley en inclinant profondément le buste. Si j'ai bien compris, des félicitations s'imposeront bientôt.

Olivia ne répondit pas, car elle n'avait rien à dire — bien que ce ne fût pas faute de le vouloir ni de s'y efforcer. Au petit déjeuner du lendemain, elle trouverait une réplique cinglante. Mais pour l'heure… rien.

— J'ai quelque chose qui pourrait vous intéresser, dit Dudley avec un sourire suffisant.

— Ça m'étonnerait, rétorqua-t-elle.

Quelqu'un non loin de là gloussa.

Dudley ne se laissa pas dissuader. Il lui tendit un pamphlet. D'un seul coup d'œil, elle déchiffra le titre, inscrit en gros caractères : *Le Baron fou : le destin tragique d'une jeune fille pure, de son amour malheureux et de sa triste fin. Une histoire vraie.*

Le livre avait été publié six ans auparavant — peu après le Meurtre. Olivia le savait, car l'une de ses camarades de l'Académie avait réussi à s'en procurer un exemplaire. Les filles s'étaient empressées de se l'échanger, se délectant des détails sordides de l'abominable histoire et priant le ciel de ne jamais, jamais, être obligées d'épouser *cet homme*.

— Allez, prenez-le, dit Dudley avec un sourire méchant. Vous saurez ainsi ce que vous réservera votre nuit de noces.

— Je l'ai déjà lu, lui répondit Olivia tout en espérant paraître ennuyée et non pas terrifiée.

Mais Dudley agita le pamphlet vers elle, l'obligeant à le prendre. Après quoi, les lèvres frémissantes à ce cruel rappel de son éventuel mariage à l'homme le plus abominable de la création, elle passa devant Dudley et se dirigea vers les laissées-pour-compte. Elle laissa tomber le pamphlet par terre, pour qu'il y soit piétiné par des centaines de pantoufles de satin.

— De quoi s'agissait-il ? demanda Emma.

En dépit du fait qu'elle était à présent mariée à un duc, Emma continuait de passer une large partie de chaque bal en compagnie de Prudence et d'Olivia.

— Dudley est un monstre, déclara Prudence avec véhémence, ce à quoi les autres jeunes filles acquiescèrent.

— Il tenait à me remettre un exemplaire du pamphlet sur le *Baron fou*.

— Vous vous souvenez quand nous l'avons lu à l'Académie? demanda Prudence. J'en ai fait des cauchemars pendant des semaines. Quelle histoire épouvantable!

— Prudence! s'exclama Emma.

Prudence l'ignora.

— Vous vous souvenez de ce passage où il fait assassiner son frère afin de séduire sa promise? demanda Prudence en se délectant d'horrible façon.

— Pour finir par l'assassiner elle aussi, dit Olivia. Oh, oui, je m'en souviens.

— Ta mère se dirige vers nous à grands pas furieux, remarqua Emma.

Les jeunes filles se retournèrent vers Lady Archer. Celle-ci était pétrie d'intentions louables. Sa grande mission en cette vie était de trouver un bon parti à sa fille, et que Dieu protège ceux qui se dressaient sur son chemin. Si seulement elle avait consacré davantage de temps à broder, à peindre ou à s'occuper d'œuvres de bienfaisance, et moins à s'efforcer de trouver un mari à sa fille.

— Et le Baron fou est avec elle, marmonna Olivia en apercevant celui-ci avec sa mère.

Si elle n'avait pas su qui il était en réalité, elle l'aurait trouvé magnifique dans son habit de soirée. Mais, là, non. Pas du tout.

— Tu n'avais pas dit qu'il était séduisant, Olivia! s'exclama Emma en lui frappant l'épaule de son éventail.

Franchement, son amie s'était ramollie. L'amour l'avait détraquée. Le duc d'Ashbrooke lui avait liquéfié la cervelle.

— Séduisant d'une manière quelque peu terrifiante, murmura Prudence.

Le Baron fou tranchait sombrement avec les autres jeunes gens. Il était plus grand, avait les épaules plus larges. Tous les autres portaient des gilets de couleur vive; le sien était gris foncé.

S'efforçant de le regarder avec les yeux de ses amies, Olivia nota ses traits accusés taillés au burin, qu'un sourire aurait pu adoucir. Ou la disparition de cette balafre dramatique. Il n'était pas séduisant. Il était dangereusement beau, mais la peur voilait à ce point la vision d'Olivia qu'elle ne vit que le *danger*.

— La beauté n'a pas grande valeur chez un meurtrier, les sermonna Olivia. Je n'aurai guère le goût d'admirer ses beaux yeux verts quand ses mains se refermeront autour de mon cou.

— Je veux faire sa connaissance, dit Emma en jetant un coup d'œil empreint de curiosité en sa direction.

— Moi aussi, ajouta Prudence. Je n'ai jamais rencontré un meurtrier. Du moins, pas à ma connaissance.

— Et moi, je dois aller au cabinet des dames, dit Olivia.

Son cœur battait violemment, comme celui d'une malheureuse gazelle consciente qu'un lion s'avance furtivement vers elle.

— Tout de suite.

Elles louvoyèrent adroitement à travers la foule et descendirent le couloir. Après avoir verrouillé la porte,

Olivia poussa un soupir de soulagement et s'étendit sur un canapé.

— As-tu l'intention de l'éviter toute la soirée? demanda Prudence.

— Oui. C'est précisément ce que j'ai l'intention de faire, répliqua Olivia. S'il ne peut pas me parler, il ne peut pas me demander en mariage. S'il ne me demande pas en mariage, je ne serai pas obligée de l'épouser.

— J'avoue que je veux faire sa connaissance, dit Emma. Encore.

— Demande à ton mari de te le présenter, proposa Olivia. J'ignore pourquoi il ne l'a pas déjà fait. À vrai dire, je n'arrive pas à croire que tu ne m'aies pas dit que ton mari était impliqué dans cette catastrophe.

— Honnêtement, je n'en avais pas la moindre idée! protesta Emma. Il m'avait dit qu'une de ses connaissances allait venir du Yorkshire pour l'aider à fabriquer son engin, mais je n'ai pas fait le lien. Apparemment, en plus de terrifier les jeunes filles, le Baron fou est également un ingénieur mécanicien. Ils fabriquent l'engin dans des écuries converties en entrepôt de Devonshire Street. Blake ne l'a pas invité à venir faire un tour à la maison. Du moins, pas quand je m'y trouvais.

— Même Blake croit qu'il représente un danger pour les jeunes femmes, marmonna Olivia.

— Et il se promène en toute liberté ici-même, dans la salle de bal, murmura Prudence d'une voix étranglée destinée à faire dresser les cheveux d'Olivia.

— Tu arriveras peut-être à l'éviter ce soir, dit Emma. Mais toute ta vie?

— Que veux-tu dire ? demanda Olivia. Mon idée de l'éviter est excellente. Je me demande pourquoi je n'y ai pas songé avant.

— Tu sais bien que tes parents vont vous réunir à la moindre occasion, dit Emma, pragmatique.

— Tu dois enfreindre les règles afin de le dissuader, tu te rappelles ? dit Prudence. Ne serait-ce que parce que ça sera beaucoup plus amusant pour nous autres.

— Dommage que nous n'ayons pas apporté de sherry, dit Emma. Nous aurions pu soûler Olivia.

— Il faudra penser à mieux nous organiser la prochaine fois, renchérit Prudence. Il serait toutefois navrant de ne pas profiter de l'occasion dès ce soir.

— Qui avait-il d'autre sur la liste ? demanda Olivia.

Prudence fourragea dans son réticule et en tira une feuille de papier pliée.

— Tu l'as apportée ? demanda Olivia, passablement sidérée.

— J'ai pensé que nous en aurions peut-être besoin, dit Prudence avec un sourire satisfait, car elle avait eu raison.

Emma lui arracha le papier et lut :

— Rechercher la compagnie de vauriens et de voyous notoires.

— Eh bien, impossible de se retourner dans cette salle de bal sans en bousculer un, dit Prudence.

— Certes, mais m'entretenir avec l'un d'eux ne sera pas facile, soupira Olivia au souvenir de M. Middleton se *jetant* littéralement dans une haie pour les éviter, sa mère et elle.

Tout le reste de la soirée, le pauvre avait tiré des brindilles et des feuilles de ses cheveux.

— Nous devrons donc nous montrer inventives, déclara Prudence avec un sourire proprement diabolique. Je crois bien que cette soirée vient de prendre un tour passionnant. Nous avons deux missions à remplir : éviter le Baron fou à tout prix et rechercher la compagnie de jeunes gens de mauvaise réputation. Espérons que ta mère a apporté ses sels.

Rogan avait persuadé Phinn d'assister au bal sous prétexte qu'il aurait ainsi l'occasion de se retrouver en tête-à-tête avec Olivia. Ou, qui sait, de faire la connaissance d'une autre femme qui ne rechignerait pas à épouser un homme tristement célèbre au sombre passé.

Il devint très vite manifeste qu'il s'agissait là de deux projets ambitieux. Les jeunes filles lui jetaient des regards appréciateurs — mais dès qu'elles apercevaient ses cicatrices ou qu'elles l'identifiaient, elles se détournaient. Jugeant la chose éminemment désagréable, Phinn affichait une mine très renfrognée, ce qui ne l'aidait sans doute pas.

Lady Archer représentait un obstacle de taille. Entre ses griffes, il fut présenté à au moins la moitié des personnes présentes — qui toutes réagirent comme si le scandale impliquant Nadia s'était 0produit la semaine précédente et non pas six ans plus tôt. Il remarqua qu'on le considérait nerveusement, comme si l'on s'attendait à ce qu'il commette un crime violent au beau milieu de la salle de bal.

Cette réaction rappela à Phinn pourquoi il avait évité Londres. La machinerie de son atelier du Yorkshire — qu'il avait reconstruit après l'incendie — se contrefichait de sa réputation et ne l'obligeait pas à entretenir des conversations insipides.

S'il n'avait pas tant souhaité retrouver Olivia, il aurait sans doute cédé à sa nature. Sa fameuse nature Radcliffe. *Voilà* qui leur aurait donné matière à cancaner.

Un peu plus tôt, il l'avait entrevue en compagnie de ses amies. Mais lorsque Lady Archer et lui avaient enfin réussi à traverser la foule, elles s'étaient déjà envolées. *Enfuies,* pour être plus précis, ce qu'en bon scientifique il ne put s'empêcher de penser.

Les choses s'étaient passées autrement lors de leur première rencontre. Elle ignorait alors qui il était, et le lien qui s'était établi entre eux avait été trop puissant pour qu'il se laisse décourager par une seule rencontre désastreuse. Le scientifique en lui n'était pas prêt à renoncer et à recommencer à zéro en raison d'une unique expérience ratée. Il allait répéter l'expérience pour vérifier s'ils étaient réellement incompatibles ou s'ils étaient juste partis du mauvais pied.

Si seulement il arrivait à se débarrasser de Lady Archer.

— Vous voyez Olivia ? demanda celle-ci en s'éventant et en s'étirant le cou pour fouiller la foule du regard.

— Je ne la vois pas, mentit-il.

En fait, elle se trouvait au milieu de la foule agglutinée autour du bar à citronnade. Il décida de saisir l'occasion. Il se tourna vers sa future belle-mère et lui demanda :

— Aimeriez-vous aller vous assoir un peu ? J'irai vous chercher un verre de citronnade.

Lady Archer déclara que ce serait charmant.

Phinn se dirigea vers Olivia, sans la quitter des yeux. Elle était ravissante ce soir. Ses cheveux étaient relevés en un chignon dont les bouclettes mettaient en valeur son cou gracile. Elle était telle qu'il l'avait vue le premier soir — tout simplement ravissante et angélique.

Nadia était sombre et méchante. En comparaison, Olivia personnifiait le soleil et le bonheur.

Une jeune fille rousse un peu moins grande et plus ronde se trouvait à côté d'elle. Il vit qu'elles chuchotaient entre elles avec cette frénésie affolante propre aux femmes. De quoi parlaient-elles ? Phinn préférait ne pas le savoir.

— Radcliffe !

Phinn se retourna et reconnut le duc d'Ashbrooke. Le duc avait la réputation d'être un joyeux luron — avant de s'éprendre d'Emma, sa femme. Ce que les gens ignoraient, c'était qu'il était aussi un génie des mathématiques. Il avait conçu l'Engin révolutionnaire — capable de calcul différentiel — et mis au point son fonctionnement. Par l'entremise de la Société royale, il avait demandé à Phinn de l'aider à dessiner les plans et à fabriquer l'engin.

D'où la présence de Phinn à Londres.

— Heureux de vous voir, Radcliffe, dit le duc. J'aimerais vous présenter ma femme, Lady Emma.

Lady Emma était une petite brune qui lui adressa un sourire légèrement de travers.

— Comment allez-vous ? demanda-t-il en lançant un coup d'œil vers Olivia.

— Très bien, merci, répondit Lady Emma. Je suis ravie de faire votre connaissance, d'autant que vous courtisez l'une de mes plus chères amies.

Ce qui eut l'heur de retenir l'attention de Phinn.

— Le monde est petit, n'est-ce pas ? dit Blake, le duc, d'un ton badin.

— C'est vraiment une jeune fille adorable, dit Emma.

— Oui, je le pense également. Elle est aussi très belle, dit Phinn.

La logique du comportement féminin avait beau lui échapper en général, il savait toutefois que ce que l'on disait à l'une serait rapporté aux autres. Il aurait dû donner un nom à ce phénomène. Publier un article sur la question. Ou en tirer parti.

— Nous avons été surpris par la soudaineté de la chose, dit Emma, et Phinn enregistra l'information.

Il en avait trop fait et était allé trop vite. Mais que gagnait-on à attendre ?

— Nous ne vous connaissons pour ainsi dire pas.

— Qu'aimeriez-vous savoir ? demanda Phinn.

Emma jeta un coup d'œil à gauche, puis à droite, et se pencha vers lui.

— L'avez-vous fait ? demanda-t-elle à voix basse.

— Emma ! s'exclama Blake.

— Il a l'intention d'épouser ma meilleure amie, expliqua-t-elle. Je *dois* lui poser la question.

— Les femmes, marmonna Blake en secouant la tête.

Phinn sourit, hésitant à manifester plus clairement son assentiment.

Lord Archer, lui, ne lui avait pas posé la question. Il avait juste dit :

— Je suis persuadé que ces rumeurs concernant votre première femme sont des balivernes.

Après quoi, il s'était mis à parler de la dot généreuse d'Olivia.

— Votre demeure a-t-elle réellement un donjon ? demanda Emma, et Phinn, se demandant où diable elle était allée chercher une idée pareille, la regarda curieusement.

— Et après le mariage, *si* mariage il y a, est-il vrai que vous allez enfermer Olivia dans votre grande et lointaine maison de campagne ?

Phinn tentait toujours de comprendre de quoi diable elle parlait.

— Veuillez pardonner à ma femme ses questions indiscrètes quoique distrayantes, dit le duc.

— Attendons de voir comment se dérouleront les fréquentations, répondit évasivement Phinn.

— En effet, attendons, répliqua Emma sur un ton qui le mit nettement mal à l'aise.

Un brouhaha en provenance du bar à citronnade attira son attention. Il était provoqué par Olivia — et par le fait qu'elle tripotait un homme. Elle avait beau ne pas lui appartenir, Phinn éprouva tout de même un élan de possessivité qui éveilla son tempérament Radcliffe. Il inspira profondément pour se maîtriser.

Il y avait foule autour du bar à citronnade. Olivia et Prudence s'y étaient mêlées, non pas pour se désaltérer, mais pour se rapprocher de Lord Gerard, qui avait défrayé la rubrique mondaine lorsque, à l'occasion d'un accident de voiture aux petites heures du matin, on avait découvert que l'épouse de son ami se trouvait avec lui dans la voiture. Étant donné qu'ils n'avaient rien sur le dos, on se doutait bien de ce qu'ils y faisaient. Naturellement, un duel s'en était ensuivi, et il était plutôt remarquable de sa part d'oser se montrer au bal ce soir.

— Demande-lui, dit Prudence en donnant gentiment un coup de coude à Olivia tout en reluquant les larges épaules de Lord Gerard revêtues d'un veston de fine laine noire.

Les cheveux couleur fauve de Lord Gerard étaient longs et bouclaient autour de son col.

— Non, toi, répliqua Olivia.

Lord Gerard était l'incarnation même de la virilité. L'idée de lui adresser la parole mettait Olivia dans tous ses états. Elle ne s'y était pas préparée et elle avait les paumes moites de nervosité.

— C'est toi qui es censée badiner avec des hommes peu recommandables, chuchota Prudence.

— Badiner? répéta Olivia. Je ne pense pas savoir comment badiner.

— Tu n'as qu'à faire comme Lady Katherine, lui conseilla Prudence.

Olivia tenta de se la représenter : sans doute roucoulerait-elle et lui caresserait-elle le bras tout en lui adressant un regard plein de sous-entendus. Olivia pourrait-elle agir ainsi? Son cœur se mit à battre à tout rompre. Ses nerfs allaient sûrement se détraquer.

— Je croyais qu'il me fallait uniquement me trouver près d'un homme peu recommandable.

— Tu es trop bien pour ton propre bien, déclara Prudence.

Prenant son courage à deux mains, Olivia appuya légèrement le bout de ses doigts gantés sur la manche de Lord Gerard dans le dessein d'attirer son attention. Il se retourna. Lentement. Et baissa les yeux sur elle.

Olivia leva le regard vers le visage qui laissait sur son passage une traînée de soupirs à fendre l'âme. Il la considérait d'un air las. En voyant ses yeux sombres et ses paupières lourdes, Olivia se demanda s'il était fatigué, ennuyé ou s'il dissimulait quelque chose.

Elle n'aurait jamais le courage de lui adresser la parole. Encore moins de roucouler et de le caresser.

— Veuillez m'excuser, dit-elle avec sa politesse habituelle. Auriez-vous l'amabilité, milord, de m'offrir une citronnade ainsi qu'à mon amie...

Elle se mit à bredouiller...

Mais, déjà, quelques personnes s'étaient retournées pour observer le spectacle surprenant de Lord Gerard prêtant attention à l'une des moins susceptibles de Londres. Olivia ne pouvait pas s'enfuir, quel qu'en soit son désir.

La politesse commandait à Lord Gerard d'acquiescer à la demande d'une dame. Même s'il regardait d'un air quelque peu nerveux la dame en question, comme s'il avait craint qu'elle lui donne une leçon de bienséance.

— Vos désirs sont des ordres, murmura-t-il d'une voix dévastatrice.

Olivia songea qu'elle aurait dû oser se comporter ainsi bien avant. Lord Gerard lui parlait et lui offrait à boire !

Il tendit à Olivia et à Prudence un verre de citronnade.

Olivia le remercia d'un joli sourire. Ça, elle savait faire. Quant à lui promettre mille plaisirs coupables d'un regard brûlant, cela attendrait qu'elle s'y soit exercée.

Il lui rendit son sourire d'un air méfiant. Le rendait-elle nerveux ? Pourquoi cette possibilité lui donnait-elle le vertige ?

Elle aurait dû lui lancer une réplique pleine d'esprit ou de coquetterie. Ou lui décocher un clin d'œil, ce que toutefois elle n'arrivait pas à faire sans grimacer. Au lieu de quoi, elle sirota sa citronnade d'une manière aguichante et invitante, du moins l'espéra-t-elle. Encore une chose qu'on aurait dû leur enseigner à l'Académie.

— Merci, dit-elle.

— Je vous en prie, répondit-il.

Les coins de sa bouche s'étaient à peine relevés. Il ne s'amusait pas vraiment. Mais au moins, il ne la repoussait pas carrément.

— Vous passez une soirée agréable ? demanda Olivia.

— Oui. Et vous ?

— Oui, dit Olivia d'une voix un tantinet trop haletante.

Lord Gerard le remarqua, ce qui la fit rougir.

À n'en pas douter, cela pouvait être le début d'un grand amour, à la condition qu'elle dise quelque chose d'intelligent. Alors, intrigué, il hausserait le sourcil, comme toute bonne canaille qui se respecte — selon Emma, qui le tenait des romans qu'elle dévorait. Puis, il l'inviterait à danser, et toutes ses années de leçons de danse serviraient enfin à quelque chose. Ils s'éprendraient l'un de l'autre, très vite, et il oserait lui demander de s'enfuir avec lui à Gretna Green, et...

— Oh ! s'écria Olivia.

Bousculée par *quelqu'un* — Prudence —, elle venait de répandre sa citronnade sur le gilet de soie bleu clair de Lord Gerard. Elle leva vers lui un regard affolé ; son expression était toujours aussi impénétrable, mais son maigre sourire s'était transformé en grimace.

— Je suis terriblement navrée ! s'écria-t-elle, d'autant plus navrée qu'elle venait de ruiner ce qui avait failli être leur grand moment. Je vous prie sincèrement de m'excuser.

— Ce n'est rien, dit-il.

Faux. Il avait été aspergé de citronnade et il devrait soit se retirer, soit supporter de sentir le citron, soit retirer son gilet. Cette *dernière* possibilité lui empourpra violemment les joues.

Tirant un mouchoir de son réticule (« les jeunes dames pensent à tout »), elle s'efforça d'éponger le gilet de Gerard, ce qui l'obligea naturellement à poser les mains sur lui... et sur son gilet qui était, en réalité, son abdomen. Olivia était très consciente de la fermeté dudit abdomen sous ses mains et du fait que c'était la première fois qu'elle touchait un homme de manière aussi intime.

Bien que la situation n'eût rien de très intime — en raison de la présence des nombreux spectateurs, dont certains étaient quelque peu déroutés, et d'autres quelque peu choqués. Elle avait encore les joues brûlantes. À vrai dire, elle était brûlante. Elle se redressa, bizarrement agrippée à son mouchoir, et jeta un coup d'œil à la ronde. Pour une fois, tout le monde la regardait.

Olivia croisa le regard du Baron fou, bien qu'il fût loin. Comment elle avait réussi à le trouver dans la foule était un mystère. Peut-être, supposa-t-elle, existait-il bel et bien un lien entre eux, même si elle savait qu'il n'en était rien.

Pourtant… pourtant… elle sentait l'intensité de ses yeux verts posés sur elle. Intensité qui l'énerva. L'avait-elle fâché? L'avait-elle embarrassé? N'était-ce pas là le but de cet exercice ridicule?

Mais surtout, *pourquoi* avait-elle envie d'aller lui caresser les cheveux et lui présenter ses excuses? Prudence avait raison : elle était trop bien pour son propre bien.

Phinn se dirigea vers Olivia, mais Rogan, qui daignait faire une apparition dans la salle de bal après avoir passé des heures dans le salon de jeu où il s'était éclipsé dès leur arrivée, l'arrêta. Phinn balaya la pièce du regard dans l'espoir de retrouver la trace d'Olivia.

En la voyant tripoter ce type, il avait découvert qu'il se sentait déjà possessif à son endroit, ce qui était fâcheux. Et tout à fait illogique. Du coup, il avait compris que son attirance pour elle n'était pas uniquement fondée sur sa joliesse et sa réputation irréprochable. C'était plus profond, plus viscéral. Il voulait qu'elle le tripote *lui*.

— Ah, te voilà ! lança Rogan.

— Tu as eu de la chance ? Ou tu as perdu plus d'argent que tu ne peux te le permettre ? s'enquit Phinn tout en continuant à chercher Olivia du regard.

— J'ai perdu. Hélas ! dit Rogan avec dépit. Nous n'avons pas tous, comme toi, le don singulier de prévoir quelle main sera gagnante et de demeurer impénétrable.

— C'est mathématique. Une question de probabilités, et cetera, et cetera, lui expliqua une fois de plus Phinn. J'ai passé des heures à t'enseigner comment faire.

Mais Rogan préférait blablater sur la chance et l'excitation du jeu.

— Je n'entends rien aux mathématiques, dit Rogan d'une voix joyeuse et forte. Et toi, tu as de la chance, tu as réussi à enlever ta dulcinée ?

— Chut, l'exhorta Phinn en voyant quelques-uns de leurs voisins se retourner, la mine alarmée.

Bon sang de bon Dieu, à présent les journaux iraient publier qu'il nourrissait l'intention d'enlever sa malheureuse fiancée.

— Je ne veux pas l'enlever. Je veux juste passer un moment en tête-à-tête avec elle, dit Phinn en se passant la main dans les cheveux. J'ai réussi à me défaire de Lady Archer, poursuivit-il en baissant la voix.

— Bon début, approuva Rogan.

— Après quoi, je suis tombé sur Ashbrooke et sa femme, dit Phinn, qui se demandait encore si Lady Emma l'avait irrité ou amusé.

D'une façon, cela plaidait en faveur d'Olivia que ses amies l'aiment assez pour oser lui poser le genre de questions que Lady Emma lui avait posées. Mais quelle était donc cette histoire à propos d'un donjon ?

— Eh bien, tu fréquentes du beau monde, rétorqua Rogan.

— Pendant ce temps, poursuivit Phinn, Olivia a tripoté un type au bar à citronnade.

Rogan s'étrangla avec son whisky, et Phinn faillit le frapper entre les omoplates. Vigoureusement.

— À présent…

Phinn laissa sa phrase en suspens en entrevoyant la ravissante chevelure blonde d'Olivia.

Elle se dirigeait vers la terrasse. S'il réussissait à l'y retrouver, ce serait parfait. Ils pourraient alors discuter sans être interrompus par la cohue.

— Lady Archer ! Bonsoir, dit Rogan.

— Bonsoir, répondit-elle en les regardant alternativement.

— Je vous présente Lord Rogan, l'un de mes plus vieux amis, dit Phinn. Il était justement en train de me dire qu'il avait envie de danser une valse, et je crois en entendre une qui commence.

— En fait, c'est un quadrille, le corrigea Lady Archer.

— J'ai passé trop de temps à la campagne, dit Phinn, la mine contrite.

S'il avait une épouse comme Olivia, il connaîtrait ces choses-là. Ou elle les connaîtrait pour lui.

— Peut-être aimeriez-vous danser ensemble et discuter du mariage.

Lord Rogan, qui préférait fréquenter les demi-mondaines et les femmes monnayant leurs faveurs, se vit

contraint de sourire et d'inviter Lady Archer à danser.
Phinn s'en alla.

Prudence entraîna Olivia loin de Lord Gerard, et de son gilet
trempé, en quête d'un nouvel esclandre. Olivia devait flirter
avec des voyous, au pluriel.

— Que s'est-il passé ? demanda Olivia, effarée.

Avec un sourire, Prudence le lui expliqua :

— Ce qui s'est passé, c'est que tu as enfreint au moins
sept règles de bienséance. Tu as adressé la parole à un
homme auquel tu n'avais pas été présentée. Tu as formulé
une demande, au lieu d'attendre gentiment que quelqu'un
remarque enfin que tu étais déshydratée et avais besoin
d'un rafraîchissement. Puis, tu as tripoté le ventre de Lord
Gerard !

Prudence se tut avant de conclure par :

— Mais je t'en prie.

— Je suppose que c'est toi qui m'as bousculée de manière
à ce que je perde l'équilibre et renverse mon verre, remarqua
Olivia.

Elles s'étaient arrêtées près d'une colonne pour bavarder. Devant elles, de nombreux couples dansaient, et parmi
eux — Prudence s'étrangla — était-ce bien Lady Archer dansant un quadrille avec un jeune homme ? Non, impossible.
Mais ce l'était. Il était préférable de ne pas en faire de cas.
Olivia et Prudence s'attardèrent près des portes menant à la
terrasse tandis que Prudence résumait la situation.

— On t'a vu flirter avec un voyou et pas uniquement
être debout à ses côtés, dit-elle. Tout le monde en jasera. Il est
même possible que le Baron fou t'ait vue et qu'il pense désormais que tu n'es pas la créature docile et chaste qu'il espérait.

— Merci ? dit Olivia, bien qu'à l'oreille de Prudence le mot sonna comme une question.

— C'est tout naturel, sourit Prudence. À quoi servent les amies, sinon à vous aider à faire dérailler un mariage indésirable en multipliant les scandales au cours d'une seule soirée ?

Mais Prudence savait qu'il y avait autre chose en jeu. Lorsqu'Olivia serait mariée, ce qui était inévitable, Prudence deviendrait officiellement la dernière diplômée de l'Académie à ne pas avoir trouvé preneur. Le bal anniversaire devait avoir lieu dans un peu plus de un mois, et elle n'avait même pas *un* prétendant. Pas un seul. Elle avait besoin qu'Olivia reste à ses côtés non seulement pendant ce fichu bal, mais aussi par la suite.

Elles pourraient louer un cottage à Brighton et partager leur célibat au bord de la mer…

Si Olivia avait *aimé* le Baron fou, jamais elle ne s'en serait mêlée, que ce soit en lui donnant un coup de coude, en la bousculant ou en élaborant des plans sans queue ni tête. Mais elle savait qu'Olivia ne souhaitait pas l'épouser et que, contrairement à elle, elle n'avait pas l'esprit mal tourné, par conséquent, il était de son noble devoir d'amie de lui porter secours.

— Olivia, je ne pense qu'à ton bien.

— Je sais. Et je ferais de même pour toi, sourit Olivia en lui pressant affectueusement la main.

Prudence retint son souffle. Elle devait graver cet instant dans sa mémoire tandis que la vie était encore amusante et agréable. Avant qu'Olivia ne finisse inévitablement par se marier et qu'elle, Prudence, se retrouve toute seule. C'était là un moment doux-amer, un moment de bonheur dont on sait qu'il ne durera pas.

Prudence se contraignit à oublier ces sottises et à se concentrer sur le but de la soirée, flirter avec des voyous. Au pluriel.

— Alors, souviens-t-en, dit-elle avec un sourire malicieux.

— Quoi? Pourquoi? demanda Olivia, qui, à présent, semblait nerveuse.

— Pour que tu ne m'en veuilles pas d'avoir fait ceci, dit Prudence en la poussant gentiment — d'accord, fermement — entre les bras d'un charmant vaurien.

Olivia poussa un cri en se sentant basculer vers l'avant entre les bras de... À qui donc appartenaient ces bras? Elle leva les yeux sur une large poitrine sanglée dans un gilet de soie bleu ciel. Un rire éclata dans ses oreilles. Elle regarda plus haut, vers les yeux bruns rieurs d'un gentilhomme aux cheveux sombres assez séduisant de sa personne.

La voix d'un inconnu l'éclaira :

— Mais que viens-tu donc d'attraper là, Beaumont?

Oh, Dieu du ciel, c'était *Lord Beaumont*. Elle pensait qu'il ne se donnait pas la peine d'assister aux bals de la haute, étant donné qu'il préférait nettement participer à des soirées moins guindées en compagnie de femmes moins farouches. On disait — chuchotait, en fait — qu'il couchait chaque soir avec une femme différente depuis ses quinze ans. Prudence en avait déjà calculé la somme, mais, là, tout de suite, Olivia ne se rappelait plus du total outrageusement élevé. Elle ne se rappelait plus de rien. C'était Beaumont, et elle était dans ses bras.

— Je suis terriblement navrée, dit Olivia en retrouvant l'équilibre.

— Ça va ? demanda-t-il en lui retenant légèrement les bras comme s'il eût craint qu'elle ne s'écroule de nouveau.

Il l'observa attentivement de ses yeux sombres. Qui devaient en avoir vu des belles ! Il abaissa son regard sur sa bouche — combien de femmes avait-il embrassées ?

— Oui. Merci. Terriblement navrée, bredouilla encore une fois Olivia.

Dieu, si sa mère la surprenait en train de parler à ce type, Olivia n'aurait plus le droit de sortir de sa chambre pendant des semaines. En fait, si quiconque les surprenait, la chose se retrouverait inévitablement dans la rubrique mondaine.

Quand le Baron fou apprendrait qu'elle frayait avec des pervers aussi dangereux, il ne voudrait plus jamais l'épouser.

Il était à noter, toutefois, que Lord Beaumont n'avait pas immédiatement tourné les talons.

— Il y a foule, ce soir, dit-il. Lady Jenning a bien fait les choses.

— Ou elle en a trop fait. Il y a beaucoup trop de monde, remarqua Olivia.

— En effet, c'en est même dangereux pour les jeunes filles, murmura Beaumont.

Olivia lui jeta un regard méfiant : flirtait-il ou se moquait-il d'elle ?

— Le danger donne du piquant à une soirée, répliqua Olivia.

— Certes.

Il abaissa les yeux sur ses seins. Elle sentit une rougeur se répandre sur ses joues. N'avait-elle pas rêvé qu'un homme la regarde avec désir ?

— N'auriez-vous pas besoin de prendre un peu l'air ? Mademoiselle ?

Les jeunes dames ne vont pas sur la terrasse avec un voyou.
Surtout pas avec Beaumont!

Sauf qu'elle *s'efforçait* justement d'enfreindre les règles. Et, bonté divine, ce qu'il était beau. Et puisqu'il avait embrassé tant de femmes, une de plus, une de moins, quelle différence? Pourquoi pas elle?

De toute façon, Prudence les suivrait certainement quoique discrètement, n'est-ce pas? Même si, pour l'heure, elle semblait s'être volatilisée.

— Ce serait fort agréable, merci, répondit-elle.

Alors, aussi incroyable cela soit-il, Lord Beaumont l'escorta jusqu'à la terrasse. Olivia sentit son cœur se mettre à battre vivement, étourdiment. Était-ce toujours aussi facile d'obtenir l'attention d'un charmant voyou? Si elle avait su! Si Prudence l'avait poussée — littéralement poussée — dans les bras d'un homme des années plus tôt. Elle aurait pu être en train de célébrer son anniversaire de mariage, au lieu d'avoir peur d'être assassinée le soir de ses noces.

C'était peut-être ainsi que sa belle histoire commencerait enfin! Un valet passerait peut-être par là avec du champagne, et Beaumont en prendrait deux verres et lui en offrirait un. Ils parleraient du ciel et des étoiles, du bal et de tout ce dont on parle quand on tombe amoureux. Naturellement, ils découvriraient qu'ils avaient les mêmes goûts et étaient des âmes sœurs en dépit de la réputation déplorable de Lord Beaumont. Il lui chuchoterait qu'elle était belle. Puis, il l'embrasserait sous la lune.

C'était ainsi que c'était censé se passer.

Ce qui se passa en réalité : Lord Beaumont aperçut l'un de ses amis. Son bras se détendit comme il s'écartait d'Olivia et se tournait vers son vieux camarade. Ils oublièrent très vite qu'elle était là, il lui lâcha tout à fait le bras et ils s'en allèrent. Olivia chercha Prudence du regard, mais celle-ci demeura invisible. Elle se retrouva seule sur la terrasse. Et c'est alors que le Baron fou la rejoignit.

Depuis des générations, le tempérament Radcliffe était un véritable fléau pour les hommes de la lignée. Normalement, ils étaient assez sympathiques, les affronts et les frustrations leur glissaient dessus comme de l'eau sur le dos d'un canard. Mais soudain — sans qu'il soit possible de prévoir quand — le vase débordait, et ils entraient dans une violente colère. Phinn avait souvent tenté de calculer le degré de pression, de contrainte, de frustration qu'il pouvait tolérer avant qu'il soit préférable pour tout le monde qu'il déguerpisse. C'était là un calcul dont il n'était pas encore venu à bout.

Les incessantes contrariétés de la soirée — Olivia avec ce type, la mère d'Olivia, Rogan — n'auraient pas suffi en elles-mêmes à le pousser à bout. Mais à mesure que la soirée avançait, sa résistance s'effritait.

Mais alors, il aperçut Olivia dans les bras, encore une fois, d'un homme.

Mais alors, il vit l'homme regarder d'un air lascif les seins d'Olivia.

Elle ne lui appartenait pas, mais il se sentait possessif à son endroit — comme si elle avait déjà été sa femme.

Heureusement, il avait vu Prudence pousser Olivia. Certes, cela absolvait Olivia, mais il se demandait pourquoi son amie avait agi ainsi. La réponse allait de soi, et Phinn ne pensait pas l'aimer.

Peu importait. Peu importait puisqu'il avait enfin trouvé Olivia, seule sur la terrasse. Sous le clair de lune, sa peau était lumineuse, ses grands yeux étaient sombres. Elle semblait un peu perdue. Il ressentit le désir de la prendre dans ses bras, de la serrer contre lui, de lui chuchoter des choses terriblement romantiques.

Mais toutes ces années passées à ne *pas* séduire l'une ou l'autre des femmes ayant croisé sa route le rattrapèrent soudain.

Aussi se contenta-t-il de dire :

— Lady Olivia. Bonsoir.

Elle se tourna lentement vers lui. Elle jeta d'abord un œil à droite, puis à gauche, puis derrière elle. Ayant ainsi vérifié qu'il n'y avait personne d'autre avec qui elle aurait pu bavarder, elle reporta les yeux sur lui à contrecœur.

— Bonsoir, Lord Radcliffe, dit-elle avec indifférence.

Cela aurait dû le décourager. Étrangement, il se sentit plus déterminé que jamais à la conquérir.

— Je vous en prie, appelez-moi Phinn.

— Oh, je ne puis…, protesta-t-elle.

Il fit un pas vers elle, mû par le besoin de se rapprocher d'elle, de combler le fossé qui les séparait.

— Phinneas est un prénom ridicule, dit-il.

Ce l'était, impossible de le nier.

— Et Radcliffe est trop formel.

— En effet, dit-elle gauchement.

Elle ne voulait pas lui parler, moins encore l'épouser. C'était très clair. Mais était-ce à cause de sa réputation ou à cause de lui ? Phinn soupçonnait que c'était à cause de sa réputation — n'avait-elle pas failli l'embrasser avant de connaître son identité ? Il voulait revivre cet instant.

Il ne pouvait pas rompre leurs fiançailles — les rumeurs allaient déjà bon train, et ils en pâtiraient l'un comme l'autre si la situation dégénérait. Phinn ne se faisait pas de souci pour lui, mais le bien-être d'Olivia lui tenait à cœur.

C'était le fond de la question : le cœur. Il ne voulait rien de plus qu'une épouse agréable, calme, qui lui tiendrait compagnie et peut-être lui offrirait son cœur.

Il avait cru qu'Olivia était cette femme.

Mais si elle ne l'était pas ? La femme devant lui — celle qui l'avait précédé de deux pas toute la soirée — n'était ni docile ni complaisante, comme il l'avait espéré. Pourtant, elle continuait de le dérouter et de l'intriguer. Il n'était pas convaincu qu'elle n'était pas faite pour lui.

— J'espérais avoir l'occasion d'être seul avec vous ce soir, dit-il doucement.

— Oh ?

Elle écarquilla les yeux.

— Naturellement. Pourquoi ne le souhaiterais-je pas ? demanda-t-il, étonné qu'elle semble surprise.

Elle ne croyait tout de même pas qu'il allait s'en prendre à elle sur la terrasse, pendant un bal, en présence d'une foule de spectateurs ?

— Pourtant, vous n'avez guère montré d'intérêt pour moi jusqu'à présent, dit-elle en retrouvant l'usage de la parole.

— Nous venons à peine de faire connaissance, répliqua-t-il.

À vrai dire, ils ne se connaissaient que depuis la veille ; quant à leur première rencontre, elle avait été beaucoup trop brève.

— Précisément, dit posément Olivia.

Phinn inclina la tête sur l'épaule, la regarda curieusement et tenta de saisir le sens de ce qu'elle venait de dire. Les femmes. LES FEMMES. Elles défiaient toute logique et toute raison. Il se passa la main dans les cheveux et se rappela pourquoi il avait attendu si longtemps pour se remarier et pourquoi la suggestion de Lord Archer qu'ils s'épousent sans plus attendre et qu'ils en finissent enfin était pleine de bon sens.

Mais alors, il se rappela la première fois qu'il avait vu Olivia, debout sur le balcon surplombant la salle de bal, si belle et si au-dessus de la mêlée. Il n'avait pas non plus oublié le contact de son corps entre ses bras.

— Nous pourrions peut-être repartir de zéro. Apprendre à nous connaître. Nous sommes seuls, et c'est assez tranquille ici pour que nous puissions bavarder...

Il dit cela parce que Rogan, qui apparemment comprenait les femmes, le lui avait suggéré.

Olivia frissonna.

— Mais vous devez avoir froid, dit-il, même si la nuit était chaude. Aimeriez-vous que nous allions nous promener un peu dans la salle de bal ?

— Je dois aller retrouver mes amies, dit Olivia.

Ses amies, songea-t-il, qui l'avaient jetée dans les bras d'imbéciles et qui l'interrogeaient, lui, au sujet de meurtre et de donjon au beau milieu d'une salle de bal. Il lui faudrait faire la conquête de ses amies s'il souhaitait obtenir la main d'Olivia.

— Permettez-moi de vous escorter, dit-il fermement.

Elle *songea* à refuser — il le vit dans son regard —, au lieu de quoi, elle murmura avec un petit sourire :

— Bien sûr.

Olivia accepta à contrecœur la proposition du Baron fou, et uniquement parce que la salle de bal lui semblait préférable à la terrasse peu fréquentée ou au jardin pour ainsi dire désert.

Ils se prirent par le bras, et elle appuya légèrement le bout des doigts sur l'avant-bras du baron. Il était ferme. Musclé. Elle pouvait le sentir à travers ses gants et son veston. Elle croyait qu'il faisait uniquement joujou avec des machins scientifiques. Sa curiosité fut piquée…

La curiosité de toutes les personnes présentes dans la salle de bal était également piquée.

Ils la regardaient encore. Tous. Tous les messieurs et toutes les dames invités au bal jetaient un long regard sur ce spectacle choquant de la moins susceptible de Londres au bras d'un homme au passé si scandaleux qu'il ne s'était pas montré à Londres depuis six ans.

Elle leva les yeux vers lui.

Phinn. Il semblait tout à fait indifférent aux regards. *Comment* faisait-il? Était-il à ce point insensible qu'il se contre-fichait de ce que la bonne société pensait de lui? Ou, comme elle, avait-il appris à prétendre qu'il n'en avait cure? Se pouvait-il qu'ils aient des traits en commun?

Il baissa les yeux vers elle. Croisa son regard. Elle se détourna en rougissant d'embarras.

— Je me suis laissé dire que vous cultiviez plusieurs passe-temps, dit-il. Accepteriez-vous de m'en parler?

Olivia se sentit gagnée par la colère. *J'ai entendu parler de vos marottes.* Lui avait-on dit qu'elle était réputée pour discourir sans fin sur les sujets les plus ennuyeux qui soit? Se moquait-il d'elle? Mais un nouveau regard à la dérobée lui révéla que le Baron fou était tout à fait sincère.

Elle y vit l'occasion d'utiliser une méthode qui avait fait ses preuves pour décourager les hommes.

— Oh, mes passe-temps sont ceux auxquels les femmes s'adonnent habituellement, dit-elle.

Autrement dit, il pourrait aisément se trouver une autre femme ayant les mêmes passe-temps.

— La broderie, le piano, l'aquarelle.

Elle lui jeta un coup d'œil, espérant voir un regard vitreux et une expression polie et vaguement intéressée. Mais non.

— Que peignez-vous ? demanda-t-il.

— Principalement des natures mortes. Une combinaison sans fin de fleurs, de fruits et de bibelots, dit-elle avec ennui.

Il y avait en effet longtemps qu'elle était lasse de peindre des objets inanimés.

— En réalité, j'aimerais peindre des nus masculins.

À côté d'elle, le Baron fou toussota. Olivia ne tenta même pas de réprimer son sourire. Dieu que c'était bon d'enfin le dire tout haut !

— Navrée, milord. Vous aurais-je choqué ? demanda-t-elle d'une voix suave.

— Je m'attendais à ce que vous disiez des paysages, dit-il d'une voix crispée.

— Vous allez m'affirmer, je suppose, que les paysages du Yorkshire sont magnifiques et dignes d'être peints.

— En effet, dit-il avec simplicité. Je ne suis pas doué pour la peinture, mais j'apprécie que d'autres le soient.

— Eh bien, je suis certaine que si vous vous y exerciez durant deux heures tous les lundis et les jeudis depuis l'âge de six ans, vous aussi y excelleriez, répliqua sèchement Olivia.

— C'est peut-être pourquoi je suis doué pour le dessin industriel, dit Phinn, indifférent à la sècheresse de sa réplique. J'en fais depuis ma tendre enfance et j'y consacre encore aujourd'hui une bonne part de mon temps.

Olivia se souvint d'un passage du pamphlet. Apparemment, le Baron fou passait ses jours et ses nuits dans une grange sur sa propriété à fabriquer d'étranges machines et des instruments de torture.

— Que construisez-vous ? osa-t-elle demander, curieuse d'entendre comment il allait lui expliquer qu'il fabriquait des engins dangereux et déments.

— Pour l'heure, j'aide le duc d'Ashbrooke à fabriquer l'Engin de calcul différentiel qu'il a conçu. Si nous y parvenons, cet engin sera révolutionnaire.

— Cela doit vous accaparer.

Franchement, elle n'en revenait pas qu'Emma et son mari aient fait venir un homme aussi dangereux à Londres. Peut-être serait-il trop occupé pour lui faire la cour, ce qui lui laisserait le temps de se trouver un autre homme avec qui s'enfuir.

— En effet. Mais vos propres occupations vous accaparent également, dit-il.

Olivia sourit faiblement. L'espoir qu'elle entretenait d'épouser un homme qui serait son compagnon et lui tiendrait compagnie s'amenuisait comme peau de chagrin. Tout en cet éventuel et sinistre mariage était à l'opposé de ce dont elle avait rêvé.

Phinn s'arrêta devant une petite alcôve faite de deux colonnes et d'un canapé logé dans un renfoncement obscur. Un recoin sombre, retiré, intime et romantique convenant parfaitement à un tête-à-tête amoureux. Ou à une activité plus sinistre.

Le cœur d'Olivia s'affola.

Elle ne put se retenir : elle plongea son regard dans les yeux verts, même si elle savait que leur intensité lui faisait ressentir des *sensations* très inconvenantes. Mais il y avait si longtemps qu'on ne la regardait plus. Et voilà que, surgissant du néant, il avait été séduit par elle depuis l'autre bout de la salle de bal. Pourquoi fallait-il que le seul bel inconnu à l'avoir remarquée ne soit nul autre que le Baron fou ?

Le regard d'Olivia dériva vers l'inquiétante cicatrice. Que lui était-il arrivé ? Elle avait très envie de le lui demander, mais pas vraiment envie de le savoir. Dommage qu'il eût été si dangereux. Il n'allait tout de même pas l'assassiner ici, dans la salle de bal ? Non, il y avait beaucoup trop de témoins.

— Lady Olivia, je ne veux pas vous effrayer. Uniquement vous connaître. Lors de notre première rencontre, je me suis senti attiré par vous, dit-il d'une voix rauque qui la fit frissonner.

— Moi de même, avoua-t-elle. Cependant...

Il avança d'un pas, et elle prit conscience de sa large stature. Elle rougit, au souvenir de sa poitrine ferme lorsqu'elle était tombée dans ses bras et de son baiser sur sa main. Et s'il se montrait plus audacieux ce soir ? Son cœur se mit à battre à tout rompre à cette idée — mais était-ce de désir ou de peur ?

N'eût été son sinistre passé...

— Je dois vraiment aller retrouver mes amies, dit Olivia d'une voix légèrement haletante.

D'ailleurs, moins on parlerait d'elle et du Baron fou, meilleures seraient ses chances d'échapper à ces fréquentations avant qu'il ne soit trop tard.

— Naturellement, dit obligeamment Phinn.

Un vrai gentilhomme. N'était-ce pas curieux, compte tenu de son passé d'assassin ? Elle prit conscience qu'il avait compris qu'elle tentait de se défaire de lui. S'entêterait-il à la courtiser ou y renoncerait-il ?

Ils avaient fait tout juste quelques pas lorsqu'un gentilhomme surgit devant eux. Il était presque aussi grand que Phinn, mais en moins bonne forme. Il avait des cheveux blonds en désordre et il sourit en les voyant.

— Tiens, tiens, l'heureux couple, dit-il en s'esclaffant.

— Va-t'en, Rogan, dit Phinn d'un ton exaspéré.

Olivia fut intriguée. Ce bon à rien jovial ne lui semblait pas le genre de compagnon que rechercherait un sombre et solitaire assassin.

— Tu ne vas pas me présenter à cette charmante demoiselle ? demanda Rogan en donnant un coup de coude dans les côtes de Phinn.

— Lady Olivia, permettez-moi de vous présenter mon ami, Lord Rogan. Ne tenez pas compte de ce qu'il dira.

Lord Rogan se contenta de sourire avec espièglerie et de dire :

— Phinn vous tient en haute estime.

— Sauf de ceci. De cela, je vous prie de tenir compte, maugréa Phinn.

— Enchantée, dit Olivia comme Lord Rogan s'inclinait pour lui faire un baisemain et ensuite lui décocher un clin d'œil.

Finalement, les hommes commençaient à la remarquer ! Malheureusement, celui-ci était l'ami de l'homme qui la courtisait.

— J'étais justement en train de ramener Lady Olivia à ses amies, dit Phinn en tentant de s'éloigner avec Olivia. Elle est impatiente de les retrouver.

— Je vous accompagne. J'aimerais bien faire leur connaissance, dit Rogan en leur emboîtant le pas. Avant le petit déjeuner de noces.

Ils traversèrent la salle de bal en louvoyant parmi la foule, vers le coin des laissées-pour-compte, où Olivia avait repéré Prudence et Emma, fidèles à leur habitude. Encore quelques pas, et elle serait saine et sauve, et libre, mais soudain…

Elle glissa sur quelque chose. Ses pieds chaussés de pantoufles délicates se dérobèrent sous elle. Elle battit furieusement des bras dans l'espoir vain de retrouver son équilibre. Elle était consciente d'être ridicule et aussi de tomber en arrière… tomber… tomber

Mais elle ne tomba pas. Deux bras robustes se refermèrent sur elle, des mains se plaquèrent sur son ventre, qu'aucun homme n'avait encore touché. Elle s'abattit contre une poitrine vigoureuse et ferme derrière elle. Cette poitrine et ces bras étaient plus musclés et son étreinte, plus assurée que celle de Beaumont. Un petit rire s'échappa de ses lèvres lorsqu'elle se rendit compte qu'il était tout de même merveilleusement étrange que la Petite Bégueule connaisse l'étreinte de deux hommes différents au cours d'une même soirée.

Lorsqu'elle s'était donné pour mission de flirter avec des hommes peu recommandables, son intention n'était pas d'aboutir là, entre les bras du Baron fou. Curieusement, ce n'était pas horrible. Pas horrible du tout.

— Un tour de force, mon vieux, je te l'avais bien dit! dit joyeusement Rogan comme les curieux les regardaient.

— Un tour de force? répéta Olivia, avant de faire le rapprochement. Laisseriez-vous entendre que je suis affreusement lourde? demanda-t-elle.

Elle se débattit gauchement pour se libérer de l'étreinte du baron. Le charme, si charme il y avait eu, était certainement rompu.

— Je ne crois pas représenter un tour de force! protesta-t-elle.

— Non! Je vous ai dit de ne pas tenir compte de ce qu'il dirait, s'écria Phinn en lançant un regard furieux à son ami, qui s'efforça de paraître chagriné.

— Phinn ne cesse de répéter que vous êtes belle, dit Rogan.

Olivia se radoucit quelque peu. *Il la trouvait belle!* Mais alors, pourquoi ne l'avait-on pas remarqué avant?

— Sauf de ceci, grommela Phinn. Vous pouvez tenir compte de ceci.

Olivia considéra alternativement les deux hommes. Ils étaient fous, l'un comme l'autre.

Phinn se pencha alors pour ramasser le feuillet sur lequel elle avait glissé. Un parquet ciré, des pantoufles de satin et une feuille de papier ne faisaient pas bon ménage. Pourquoi y avait-il une feuille de papier sur le plancher de la salle de bal? Avait-on échangé des billets doux, fixé un rendez-vous secret? Olivia revit alors Dudley lui remettre, avec un sourire suffisant…

— *Le Baron Fou : le destin tragique d'une jeune fille pure, de son amour malheureux et de sa triste fin. Une histoire vraie*, lut à voix haute Rogan en regardant par-dessus l'épaule de Phinn.

Phinn se redressa de toute sa taille. Épaules larges. Mâchoires contractées. Le cœur d'Olivia se mit à battre à tout rompre. La fureur dans le regard de Phinn lui donnait envie de fuir dans la direction opposée. En même temps, et curieusement, elle avait aussi envie de lui arracher ce bout de papier et de le déchirer en mille morceaux. Comme si cela avait pu le consoler.

Phinn inspira profondément. Elle l'entendit, car un silence total régnait dans la salle de bal. Il semblait en quelque sorte plus grand, plus fort, plus mauvais. Son regard avait un éclat distant qui la terrifia plus que tout le reste — comme si, sous le coup d'un étrange mauvais sort, il devenait sourd à toute voix, à toute prière.

Phinn tourna abruptement les talons et sortit à grands pas de la salle de bal. Personne ne l'arrêta.

Chapitre 6

— Tu vois, Rogan, je pense qu'elle croit réellement ces sornettes, dit Phinn en agitant l'exemplaire du *Baron fou*.

C'était là un exemple de la pire espèce de pamphlet à un sou avec lequel on s'amusait à répandre des sornettes inutilement alarmistes à coup de sombres et sanglantes inventions. Étant donné que cette sordide histoire s'était produite il y avait six ans de cela, Phinn avait cru que le pamphlet ne servait plus désormais qu'à emballer du poisson ou à tapisser des malles. Qui diable avait cru bon de conserver de telles balivernes ?

— Tout le monde y croit, mon vieux, dit Rogan, béatement vautré dans un fauteuil avec un verre de brandy dans une main et un cigare allumé dans l'autre.

— Eh bien, cela explique pourquoi Olivia est constamment angoissée en ma présence, dit sèchement Phinn.

— C'est soit cela, soit qu'une jeune fille aussi innocente qu'elle ne peut se retenir de trembler en présence d'un archétype de virilité tel que toi, le taquina Rogan.

— J'aimerais bien, mais je crois que ce maudit pamphlet et ces rumeurs absurdes constituent une explication plus plausible, répliqua Phinn en pressant son verre de whisky sur sa cicatrice.

— Naturellement, un sobriquet tel que celui de « Baron fou » ne s'oublie pas facilement.

Phinn lança à son ami un regard méfiant.

— Et quand avais-tu prévu me dire tout cela ?

— Je croyais que tu le savais, dit Rogan en tirant sur son cigare. Étant donné que tout le monde le sait.

Phinn choisit d'ignorer cette logique bancale.

— Ce pamphlet explique beaucoup de choses. Par exemple, pourquoi elle s'est efforcée de m'éviter toute la soirée, notamment lorsque j'ai voulu que nous restions seuls. Suivant les conseils de *quelqu'un*.

— Je suppose que les femmes ne souhaitent pas se retrouver seules en compagnie d'un assassin reconnu, dit Rogan d'un ton narquois.

Phinn ravala un grognement exaspéré. Mais Rogan n'avait-il jamais eu la réputation d'être capable de réfléchir ? Non.

— Même pas à un bal, à portée de hurlement de centaines de personnes.

— « Présumé » assassin, corrigea Phinn.

Il n'avait jamais été accusé ni jugé. Le juge avait conclu qu'il n'était pas responsable, même si Phinn savait, lui, qu'il était coupable et que son âme portait une tache noire que rien n'effacerait jamais.

— Pour l'amour de Dieu, tu ne m'aides pas.

— D'accord, d'accord, dit Rogan en agitant avec désinvolture son cigare et en répandant de la cendre sur tout. À présent, tu dois la rassurer et la convaincre que tu n'es pas enclin à te montrer violent à l'endroit des femmes, en dépit des nombreuses publications affirmant le contraire.

— Nombreuses ? Il y en a d'autres ?

— Tu es une légende, Phinn, dit Rogan en levant son verre pour lui porter un toast.

Phinn vida son verre d'un trait et se concentra sur la brûlure de l'alcool et non sur les nombreuses publications en circulation dans le pays exposant dans le détail ses présumées prouesses d'assassin.

— Ne pourrais-je pas juste lui dire que je ne l'ai pas fait ? « Olivia, je me suis rendu compte que vous me croyez être un meurtrier. Je puis vous assurer que tel n'est pas le cas. Épousez-moi. »

— Tu aurais intérêt à d'abord l'amadouer un peu, dit Rogan. Elle est sans doute trop effrayée pour t'écouter. Débite-lui de jolis compliments.

— Cela semble si simple, à t'entendre. Lui adresser des compliments, la rassurer sur mon innocence, et vivre heureux à jamais.

Cependant, à ce jour, rien n'avait été facile avec Olivia.

— Heureusement pour toi, dit Rogan, ce sera d'autant plus facile que j'ai compilé une collection de compliments infaillibles. Les dames y sont immanquablement sensibles. Lady Olivia se jettera à ton cou.

Phinn regarda Rogan d'un air dubitatif. Quelques heures plus tôt, celui-ci avait étourdiment associé Olivia à un tour de force. Toutefois, tandis que Phinn s'employait à percer les mystères de divers phénomènes scientifiques et à utiliser ses connaissances pour fabriquer des machines innovantes, Rogan, pour sa part, courait le guilledou. Évidemment, compte tenu du type de femmes qu'il fréquentait, on était en droit de se questionner sur la pertinence de son expertise. Mais Phinn n'avait de son côté aucune idée sur la manière de conquérir cette belle jeune fille aussi troublante qu'affolante.

Quel mal pouvait-il y avoir à faire des compliments ?

Le lendemain
Au salon, demeure des Archer

Même si la construction de l'Engin avait pris du retard, Phinn se rendit chez les Archer, armé de compliments, et déterminé à faire la conquête de Lady Olivia et à l'épouser.

Ce serait sa dernière tentative, et si elle s'entêtait à le repousser — eh bien, il lui faudrait dénicher une autre femme susceptible de lui faire une épouse douce et gentille.

Évidemment, chaque fois qu'il songeait à cesser de la courtiser, l'image d'Olivia telle qu'elle lui était apparue à leur première rencontre revenait le hanter : charmante, belle et au-dessus de la mêlée. Sans compter ce qu'il ressentait quand elle était entre ses bras. Il avait eu du mal à trouver le sommeil la veille, trop occupé à se rappeler le contact de son corps contre sa poitrine et sous ses mains, et à songer qu'il serait beaucoup plus agréable de toucher sa peau nue.

Si vraiment elle ne voulait pas de lui, fort bien. Mais jamais une femme ne l'avait fasciné autant qu'elle, aussi n'était-il pas encore tout à fait prêt à retourner s'enfermer dans le Yorkshire.

Le fait qu'elle vienne prendre le thé sans s'être enduit la figure de fards lui parut de bon augure. Mais le fait qu'ils se trouvent coincés au salon avec ses parents en guise de chaperons contraria ses espoirs.

Pendant un quart d'heure, ils parlèrent du temps qu'il faisait (chaud et beau, sauf quand il pleuvait et faisait froid), et Lady Archer leur exposa en long et en large ses plans en vue du mariage, sans tenir compte le moins du monde du fait que Phinn n'avait pas encore demandé la main d'Olivia ni que celle-ci n'avait pas manifesté le moindre désir de la lui accorder.

Phinn et Olivia échangèrent des regards inquiets, qui donnèrent naissance à de timides sourires. Elle était si jolie lorsqu'elle souriait. La faire sourire + lui adresser des compliments = faire sa conquête.

Lord Archer buvait son thé, jetait de fréquents coups d'œil vers l'horloge, et par ailleurs ne semblait guère intéressé.

Lorsqu'il en eut assez, Phinn cloua le bec de Lady Archer en reportant toute son attention sur Olivia. Il sourit. Elle le regarda curieusement.

— Lady Olivia, votre père serait-il un voleur, par hasard ? s'enquit Phinn.

Il se rendit aussitôt compte de sa bévue. Lord Archer s'étrangla, toussa et recracha sa gorgée de thé.

— Je vous demande pardon ! hoqueta Lady Archer en pressant son mouchoir sur sa poitrine comme sur une blessure.

— Je devrais vous souffleter ! beugla Lord Archer.

Sa figure avait pris une teinte rouge alarmante, qui n'était pas sans rappeler celle du vin.

Pestant intérieurement contre Rogan, Phinn s'empressa d'achever son, euh, compliment. Les yeux fixés sur Olivia, il ajouta :

— Car il a sûrement dérobé des étoiles au firmament pour que vos yeux brillent ainsi.

Puis, il se promit de faire payer Rogan pour s'être payé sa tête en lui fournissant ces compliments stupides.

— Quoi ?

Visiblement, Olivia était perplexe. Mais soudain, il vit qu'elle venait de saisir.

— Oh ! s'écria-t-elle avec un léger sourire.

Puis, elle regarda ses parents, visiblement au bord de l'apoplexie, et son front se déplissa et son sourire s'élargit. Apparemment, incommoder Lord et Lady Archer était un moyen plus sûr de lui plaire que de lui adresser des compliments.

— Oui, c'est un compliment, dit Phinn. Vous avez de beaux yeux, Lady Olivia.

— Elle les tient de moi, dit Lady Archer, suffisamment rassérénée pour battre des cils.

Phinn sourit en voyant Olivia rouler des yeux.

Lord Archer parut saisir à son tour le compliment. Après avoir lancé un coup d'œil mécontent à Phinn, puis à sa fille, il déclara :

— Venez, Lady Archer, sortons un moment.

— N'est-il pas inconvenant de me laisser sans chaperon ? demanda Olivia.

Elle écarquilla les yeux en le voyant froncer les sourcils avec ennui. Il allait régler une fois pour toutes la question de son passé de présumé assassin. Dès aujourd'hui.

— Nous ne devrions pas les laisser seuls, murmura Lady Archer.

Il y avait lieu de se demander pourquoi elle redoutait de les laisser seuls alors qu'elle était si pressée de les voir mariés. Il y avait aussi lieu de féliciter Lord Archer de le faire clairement comprendre à sa femme.

— Si ce maudit mariage finit par avoir lieu, ils resteront seuls ensemble pour le reste de leur vie, dit-il d'un ton bourru. Ils seraient tout aussi bien de s'y mettre dès maintenant.

— Mais laisse la porte du salon ouverte, Olivia, dit Lady Archer.

Olivia ne lui répondit pas, car elle venait de mordre dans une pâtisserie, ce que sa mère lui reprocha aussitôt en lui rappelant que les dames réfrènent leur appétit. Ce à quoi Olivia riposta en prenant une généreuse bouchée.

Constatant que le compliment fourni par Rogan avait tout de même porté fruit, Phinn envisagea d'en essayer un autre. Avait-il le sentiment d'être un parfait idiot en débitant de pareilles absurdités ? Tout à fait. Mais cela en valait-il la peine pour arracher un sourire à Olivia ? Oui. Mille fois oui.

— Puis-je vous demander de m'indiquer le chemin ? demanda-t-il à Olivia lorsque ses parents furent sortis de la pièce.

— Le chemin ? dit-elle en inclinant la tête sur l'épaule d'un air perplexe.

— Jusqu'à votre cœur. Le chemin qui mène à votre cœur, dit-il.

Elle éclata alors de rire. Riait-elle de la plaisanterie ou de lui, il n'aurait su dire et il s'en contrefichait. Il l'avait rendue heureuse l'espace d'une seconde. Durant cette seconde, alors que tout allait pour le mieux dans le meilleur des mondes, il comprit qu'il ne pouvait renoncer à Olivia. Pas encore. Pas sans livrer bataille.

À contrecœur, mais convaincu que c'était la chose à faire, Phinn aborda le fameux sujet.

— Lady Olivia, je me suis rendu compte que certains persistent à m'appeler le « Baron fou ».

— Tout le monde, dit-elle en mordant de nouveau dans la pâtisserie.

— Je vous demande pardon ?

— Vous avez dit « certains », mais c'est tout le monde, répliqua-t-elle, confirmant ainsi ce que prétendait Rogan.

Manifestement, il aurait dû s'intéresser davantage à la rubrique mondaine au lieu de lire des périodiques scientifiques.

— J'avais espéré qu'après tout ce temps, on aurait oublié ce sobriquet, dit-il. Cela fait six ans.

Olivia haussa les épaules.

— On me surnomme la « Petite Bégueule » depuis quatre ans, et la « moins susceptible de Londres de provoquer un scandale » depuis trois, répliqua-t-elle. J'ai perdu tout espoir que l'on oublie un jour ces deux sobriquets.

— Je sais. J'apprécie ce que ces sobriquets révèlent à votre sujet.

Mais ce n'était sans doute pas la chose à dire, car elle sourit faiblement. Et soupira. Et s'offrit une nouvelle pâtisserie.

— Comme je présume que ce n'est sans doute pas le cas en ce qui a trait à mon propre sobriquet, commença-t-il, je tiens à ce que vous sachiez n'avoir aucune raison de me craindre. Je ne vous ferai jamais de mal.

— Je suppose que vous allez maintenant déclarer n'avoir pas assassiné votre épouse ? s'enquit Olivia.

C'était là le hic. Il ne pouvait l'*affirmer* sans avoir l'impression de mentir.

— Quelque chose de cet ordre, répondit-il.

Olivia écarquilla les yeux. *Mauvaise* réponse.

— Si vous tenez à dissiper mon désarroi et, pour tout dire, ma profonde terreur à l'idée d'être courtisée par un présumé assassin, il serait sans doute plus efficace que vous protestiez de votre innocence avec un peu plus de conviction, dit-elle franchement.

— Je ne le puis, dit Phinn avec douceur mais cependant une certaine angoisse. J'aimerais le pouvoir, mais je ne le puis en toute conscience.

Pour seule réponse, Olivia s'empara d'une autre pâtisserie et y mordit. Elle le regarda avec l'air d'attendre la suite. Ah, bien, le moment était venu de lui raconter cette sordide histoire. Mais comment lui parler de ce sinistre et dramatique personnage qu'était Nadia? Ce n'était pas là une histoire que l'on racontait en sirotant du thé dans un salon.

— Je ne l'ai pas tuée, mais je suis responsable de sa mort.

Ce drame affreux formait un nœud si complexe qu'il n'était pas encore arrivé à le démêler. Il n'avait pas encore trouvé de réponses à toutes ces questions commençant par « et si ». Le maudit pamphlet était certes cousu de mensonges, d'énormités et de grossières inexactitudes, mais il renfermait tout de même une bonne part de vérité. Sur sa femme. Son propre tempérament. Ses machines.

— C'était un accident? demanda-t-elle.

Il hésita. Ni lui ni Nadia n'avait *voulu* sa mort. Officiellement, cela avait été un accident — dont il se tenait responsable. Encore que Nadia fût une femme intelligente, sournoise. Elle ne faisait rien par hasard.

Olivia termina sa pâtisserie et en reprit une autre. Elle le regarda, attendant la suite.

— Ce n'était pas exactement un accident, reconnut-il.

— Auriez-vous l'obligeance de vous expliquer?

— C'est un sujet qui m'est pénible. Je tente d'ordinaire de l'éviter. J'avais espéré ne pas devoir en parler, mais, Lady Olivia, j'aimerais apaiser vos craintes quant à notre future union. Étant donné votre tempérament, je suis certain qu'elle sera paisible.

— Mon tempérament ?

Olivia semblait inquiète, voire furieuse, même s'il n'avait que souhaité lui faire un compliment de plus. Naturellement, elle ne savait rien du tempérament de Nadia. Ni de celui de Phinn.

— Seriez-vous en train de me dire que si je me conduis bien et que j'évite de vous *importuner*, je n'ai pas à craindre pour ma vie ?

Il comprenait qu'elle puisse en tirer cette conclusion, mais…

— Permettez-moi de vous expliquer, Lady Olivia. Vous êtes très différente de ma première épouse. Vous êtes la moins susceptible de Londres de provoquer un scandale, alors qu'elle était…

Il n'existait aucun qualificatif poli pour décrire Nadia. De toute façon, Olivia ne lui accorda pas le loisir d'en chercher un.

— Et si je ne suis pas l'épouse complaisante, docile et respectueuse que vous recherchez, que se passera-t-il ? demanda-t-elle en croisant les bras, mettant ainsi délicieusement en valeur ses seins.

Phinn dut faire appel à toute sa volonté pour en détourner le regard et brider son imagination pour se concentrer sur la femme en colère qui se trouvait devant lui.

— Olivia, je croyais tout bonnement que nous pourrions nous entendre, dit Phinn, agacé par le raisonnement tortueux d'Olivia.

106

— En vous fondant pour cela sur ma réputation et sur des racontars, lança-t-elle avec colère. Vous ne me connaissez pas.

— Tout comme vous vous fondez sur ma réputation et des racontars pour conclure que nous ne pouvons nous entendre, riposta-t-il en haussant le sourcil, ce qui eut l'heur de la faire grimacer, sans doute parce qu'il disait vrai. Vous ne me connaissez pas non plus.

— Que faire, alors ? demanda Olivia.

— Apprendre à nous connaître, dit Phinn.

— Et si nous découvrons n'être pas faits l'un pour l'autre ?

Elle haussa le sourcil d'un air de défi. Le cœur de Phinn s'emballa. Le moment était grave. Soit il la perdait à jamais. Soit il conservait une chance de faire sa conquête.

— Il serait affreux que nous nous épousions si nous n'étions pas faits l'un pour l'autre, répondit-il prudemment.

C'était là une situation dont il n'avait que trop souffert.

— Je suis agréablement surprise que vous partagiez mon point de vue, répliqua Olivia. Je ne peux imaginer un plus grand malheur.

— Pourtant, il serait encore plus malheureux de passer à côté de…, poursuivit-il avant d'ajouter à voix basse, car il n'était pas homme à dire volontiers pareille chose,… l'amour.

— L'amour ? dit-elle, une lueur d'étonnement dans les yeux.

— Serait-il préférable que je vous parle de mon revenu annuel de dix mille livres et de votre dot ? demanda sèchement Phinn.

Il ne connaissait pas grand-chose à l'art de séduire une femme, mais il savait toutefois qu'il était préférable de parler d'amour que de considérations économiques et pratiques.

— Cela vous convaincrait-il ?

— Cela convaincrait mon père, remarqua-t-elle aigrement.

Ce à quoi il répondit :

— Mais ce n'est pas votre père que j'épouse, n'est-ce pas ?

— En effet, ce serait moi, déclara-t-elle. La Petite Bégueule. La moins susceptible de Londres de provoquer un scandale.

— Vous dites cela comme si cela pouvait avoir un effet dissuasif. Mais j'aime que vous soyez ainsi.

— Et si je provoquais un scandale ?

Elle haussa le sourcil. Elle le défiait. Phinn soutint son regard.

— Je crois que vous sous-estimez ma capacité à supporter une femme impétueuse et rétive, dit-il, l'incitant ainsi en quelque sorte à ne pas se gêner.

Il avait survécu à Nadia. Jamais en cent ans Olivia n'arriverait à la surpasser. Mais elle l'ignorait. Que pouvait-elle faire de si terrible, d'ailleurs ?

En face de lui, Olivia était assise, vêtue d'une modeste robe de jour impeccablement repassée. Son dos était raide comme un piquet, sa posture parfaite. Elle sirotait gracieusement son thé. Il ne la voyait pas provoquer un scandale.

— Je crois que je pourrais vous étonner, dit-elle. Voire vous effrayer assez pour vous faire fuir.

Les mots s'échappèrent des lèvres de Phinn avant qu'il en ait soupesé les avantages, les inconvénients et les conséquences.

— Êtes-vous prête à parier ?

Chapitre 7

Eût-on la fraîcheur d'Hébé et la grâce de Vénus, on les verrait
bientôt disparaître dans l'abus des jouissances de la table et des
insomnies qu'elles entraînent.
— Le Miroir des Grâces

British Museum

Trois jeunes filles en quête de distractions erraient dans la salle des antiquités du British Museum. Elles s'attardaient devant les faïences, notamment devant celles ornées de curieux dessins mettant en scène des hommes et des femmes nus courant en tous sens. Elles chuchotaient entre elles, comme l'exigeaient le lieu et le sujet de leur conversation.

— Je suis plus convaincue que jamais que le Baron fou a bel et bien assassiné sa femme, confia Olivia à Prudence et à Emma.

Elle s'était répété leur entretien à maintes reprises. Il n'avait pas protesté de son innocence — pas d'une manière susceptible de la rassurer suffisamment pour qu'elle ferme les yeux en sa présence, moins encore pour qu'elle l'épouse.

— Il semblait tout à fait déterminé à t'entraîner dans un coin sombre, l'autre soir, au bal, dit Prudence. Sans doute dans un but inavouable.

— Il y a plus, ajouta dramatiquement Olivia. Nous avons discuté des allégations de meurtre.

— Non! s'écria Prudence en écarquillant les yeux.

— L'honnêteté. C'est toujours la meilleure ligne de conduite, répliqua Emma.

— Dit la femme dont les fiançailles étaient une imposture, remarqua Prudence.

— Je l'ai épousé, donc ça ne compte pas, dit Emma en haussant les épaules. Par ailleurs, c'était *ton* idée.

— C'est Olivia qui a rédigé la lettre, riposta Prudence.

— Holà! dit Olivia en agitant la main devant ses amis pour mettre un terme à leurs chamailleries. *Il a dit qu'il était responsable de sa mort*, murmura-t-elle fébrilement.

À son grand plaisir, tant Prudence qu'Emma faillirent s'étrangler et poussèrent des cris d'exclamation, s'attirant ainsi plus d'un regard curieux de la part des autres visiteurs.

— Il a ajouté qu'en raison de ma nature docile et respectueuse, il était certain que nous nous entendrions fort bien puisque, vraisemblablement, je ne provoquerais pas chez lui un accès de rage meurtrière.

— Il ne sait pas ce que tu lui réserves, n'est-ce pas? demanda Emma en secouant la tête, saisie de pitié pour le Baron fou.

— Il s'attend à des ennuis, confia Olivia, un sourire aux lèvres.

Elle lui avait laissé entendre qu'elle ne ferait pas honneur à sa réputation de moins susceptible de Londres.

— Et il m'a laissé entendre qu'il me mettait au défi de le faire.

— Le Baron et toi engagés dans une lutte à finir mettant en jeu ta vie, dit Prudence. J'en ai le cœur qui bat à tout rompre.

— Mon cœur aussi bat à tout rompre en sa présence, avoua Olivia.

Lorsqu'il était aux alentours, elle devenait très consciente de ses yeux verts posés sur elle, comme une proie qui se sent traquée. Un martyre. Devoir attendre. Que quelque chose se produise. Une chose atroce. Vraisemblablement.

— Es-tu certaine qu'il ne te plaît pas ? demanda Emma en inclinant la tête sur l'épaule, la mine curieuse. Il est *très* séduisant, Olivia. J'aime bien ses yeux et ses cheveux en désordre. Je trouve que cela lui donne un air canaille.

Olivia savait qu'elle aussi l'aurait trouvé séduisant si les choses avaient été différentes. Par exemple, s'il ne lui avait pas pour ainsi dire avoué, tout en sirotant son thé, avoir assassiné sa femme.

— De plus, j'ai du mal à respirer, dit-elle.

En fait, depuis quelques jours, matin, midi et soir, elle avait le souffle court.

— Tu dis qu'il te coupe le souffle ? dit Emma. Franchement, Olivia…

— Ton corset est lacé trop serré. Ou peut-être que tu…

Prudence laissa sa phrase en suspens et détourna le regard avec embarras. Emma et elle échangèrent un regard nerveux.

— Ou quoi, Prudence ?

— Peut-être remplis-tu davantage tes robes, dit-elle, mal à l'aise.

Olivia ouvrit la bouche pour protester. Mais elle prit le temps de réfléchir. Elle baissa les yeux sur sa silhouette. Était-elle plus pleine ? Toutes ces pâtisseries dont elle ne se privait plus, tous ces plats dont elle se resservait à table — en dépit des commentaires désapprobateurs de sa mère — devaient nécessairement aller se loger quelque part. Apparemment, ils étaient aller se loger dans ses seins et un peu partout dans son corps désormais plus rond.

— C'est possible, étant donné que je ne m'oblige plus à grignoter des portions dignes d'une dame. Me gaver de gâteaux et de biscuits à l'heure du thé est l'un des aspects les plus agréables d'enfreindre les règles, reconnut-elle en lissant ses jupes. Toutefois, je suis convaincue que mes symptômes découlent du fait qu'on me laisse constamment seule avec un homme reconnu pour être violent. Il va finir par m'étrangler et abandonner mon cadavre dans un coin noir de la salle de bal. Peut-être même dans mon propre salon! Je crains pour ma vie. À cette seule idée, mon cœur se met à battre à tout rompre.

— Mais pourquoi t'assassinerait-il *avant* le mariage? demanda pensivement Prudence comme elles quittaient la galerie des faïences pour entrer dans une vaste salle bordée de vénérables statues de marbre.

— Prudence! s'exclama Emma. Ce n'est guère réconfortant!

— Mais logique. Tu es tout à fait en sécurité avec lui, au moins jusqu'au mariage, dit Prudence. Si son seul but était d'assassiner des jeunes filles, pourquoi se donnerait-il la peine de leur faire la cour?

— Pourtant, il ne me semble pas si affreux que cela, dit Emma. Nous avons eu une charmante conversation au bal. Je l'ai interrogé sur le meurtre, et il a répondu à mes questions. Il m'a affirmé ne pas avoir de donjon. Je ne crois pas que Blake travaillerait avec lui s'il s'était rendu coupable d'un pareil crime.

— Il est séduisant, reconnut Prudence. Pour un meurtrier.

— Il semble un peu timide, dit Emma. Sans doute parce qu'il ne fréquente pas beaucoup le monde.

— Vous connaissez l'adage. Il faut se méfier de l'eau qui dort, dit gravement Olivia.

— En effet, acquiesça solennellement Prudence.

— Oh, pour l'amour du ciel, Prudence ! Tu effraies Olivia.

Le cri d'indignation d'Emma se répercuta dans la pièce. Quelques visiteurs se retournèrent pour les observer.

— Prudence ne m'effraie pas davantage que je ne le suis déjà. Il a quasiment avoué son crime. Et il veut m'épouser uniquement parce que je suis le genre de petite dame parfaite qui ne l'importunera pas. Le genre de femme qui ne lui tiendra pas tête, soupira Olivia. Et, poursuivit-elle en fronçant les sourcils, ses amis et lui ne cessent de plaisanter à propos de sa force.

— Il est donc très capable de t'enlever, d'abuser de toi, et de..., dit Prudence.

Sans achever sa phrase, elle fit mine de s'étrangler elle-même. Le spectacle n'était pas réjouissant, et Olivia frissonna. Une mère non loin de là obligea son gamin à se détourner.

— S'il est très fort, il doit être très musclé. Comme ça, dit Emma en désignant d'un geste les statues.

Statues. Représentant des hommes. Nus.

Les jeunes dames ne regardent pas des hommes nus.

Olivia sentit ses joues s'empourprer et elle réprima le réflexe de détourner les yeux. La plupart des hommes de sa connaissance ne semblaient pas dissimuler des corps comme ceux-ci sous leur veste, leur gilet, leur chemise et leur cravate. Même ceux dans les bras desquels elle était tombée au bal ne leur arrivaient pas à la cheville. Le Baron fou toutefois… D'après ce qu'elle avait palpé, il se pouvait fort bien qu'il arbore une poitrine et un abdomen aussi ciselés sous ses vêtements. Évidemment, elle ne le saurait jamais.

— Crois-tu qu'il ressemble à cela? demanda Prudence d'une voix haletante.

— Je ne me suis jamais posé la question, dit Olivia en rougissant.

Les jeunes dames ne mentent pas. Mais les jeunes dames ne cultivent pas des pensées aussi indécentes.

— Oh, je crois que si, sourit Emma en voyant Olivia rougir.

— Tu l'as peut-être remarqué quand tu es tombé dans ses bras au bal, insista Prudence. Et à présent, tu te demandes si…

— Tu le découvriras au cours de votre nuit de noces, dit Emma, toujours avec un petit sourire entendu.

— La nuit de noces. J'ai toujours cru que j'aurais hâte, dit Olivia d'un air morose.

Elle finirait peut-être par épouser le Baron fou, et il avait peut-être des muscles semblables à ceux-ci. Elle se retrouverait seule, à sa merci, incapable de se défendre contre un homme aussi fort. Elle inspira profondément pour se calmer.

— Tu n'es pas obligée d'attendre jusqu'à la nuit de noces, déclara Emma.

Prudence lui jeta un coup d'œil sidéré.

— Tu pourrais…

— Tout à fait improbable, étant donné que je suis déterminée à ne pas l'encourager, dit Olivia. En fait, il m'a pratiquement mise au défi de lui prouver que nous ne sommes pas faits l'un pour l'autre. Pour tout dire, nous avons même parié.

Là, il l'avait étonnée, avec cette proposition. Et aussi avec ce petit sourire taquin, qui ne lui donnait *pas du tout* l'air d'être un assassin. Elle ne pouvait s'empêcher de se poser des questions : s'il avait catégoriquement réfuté ses accusations ? S'il lui avait tout expliqué ? S'il était innocent ? Mais s'il l'était, il l'aurait dit, ce qu'il n'avait pas fait.

— Vous avez parié ? demanda Prudence.

— Intéressant revirement de situation, commenta Emma.

— Par conséquent, je dois faire un coup d'éclat, et le temps presse, dit Olivia. Ma mère espère que les bans seront publiés dimanche. Que dois-je faire pour lui prouver que je suis la plus susceptible de Londres de provoquer un scandale ?

— Tu le sais très bien, dit Emma. Adopter une conduite scandaleuse. Inconvenante.

— Te montrer nue, lança Prudence. Et je ne parle pas ici de laisser tes gants chez toi ni d'exhiber ta cheville gainée d'un bas devant les jeunes gens.

— Je te demande pardon ?

Emma et Olivia considérèrent leur amie avec curiosité en réponse à cette suggestion démente.

— Lady Clarke a déjà porté une robe qui révélait plus qu'elle ne les couvrait sa poitrine et son dos. On en a parlé pendant des semaines. Il paraît que Lady Thurston humecte ses robes ; tous les jeunes gens se précipitent vers elle tandis que les dames respectables ne l'invitent jamais à prendre le thé.

— Me montrer nue, Prudence ? grimaça Olivia, qui se voyait déjà traverser la salle de bal dans *son plus simple appareil*.

— Nous pourrions nous inspirer de ces statues, dit Prudence en désignant les statues en question.

— Il est hors de question que je déambule dans une salle de bal avec pour seul et unique vêtement une toge drapée autour de mon corps nu.

— Tu pourrais cependant en montrer un peu plus, dit Prudence en regardant ostensiblement la robe de jour excessivement modeste et décente d'Olivia. Montre tes chevilles. Tire ton corsage vers le bas. Trouve le moyen de te procurer une robe diaphane et humectes-en la jupe.

— Tu pourrais faire sensation, remarqua pensivement Emma. Et peut-être attirer un nouveau prétendant.

— Qui t'emmènera à Gretna ou obtiendra une dérogation, ajouta Prudence.

À cette suggestion, Olivia imagina tout de suite la désolation de Phinn. Voire, sa profonde *déception* envers elle. Il se passerait sans doute la main dans les cheveux, les décoiffant, et la regarderait de ses yeux verts et lui demanderait, peiné, *pourquoi* elle avait fait une chose pareille ? Il maudirait le jour où ils avaient fait ce pari.

Qu'est-ce que cela pouvait lui faire, ce qu'il éprouverait ?

Si elle voulait connaître l'amour et vivre heureuse à jamais, elle devait cesser d'attendre que cela lui tombe du ciel. Elle devait faire en sorte de provoquer elle-même les événements. Puisqu'elle ne voulait plus être la moins susceptible de Londres de provoquer un scandale — et se contenter d'un mari ad hoc —, il lui fallait exhiber un peu de peau.

— J'aime cette idée, dit-elle d'un ton résolu. Cela découragera peut-être Phinn et me vaudra un nouveau prétendant. Mais comment vais-je réussir à sortir de la maison vêtue comme une dévergondée sans que ma mère ne pique une crise d'hystérie?

Les trois jeunes filles gardèrent longuement le silence. Peut-être étaient-elles distraites par la proximité de ces hautes statues aux muscles affriolants. D'ailleurs, que cachaient au juste ces feuilles de vigne?

Prudence prit finalement la parole.

— C'est l'occasion ou jamais d'utiliser à bon escient tes talents de couturière.

Plus tard ce même soir

Rogan réussit à entraîner Phinn chez Brooke's, où l'on offrait une panoplie de divertissements à ces messieurs. Rogan semblait être si à son aise en ces lieux et y connaître un si grand nombre de clients, que Phinn en conçut quelque inquiétude pour l'héritage de son ami

— Tu as parié avec ta fiancée que vous étiez faits l'un pour l'autre? gémit Rogan tandis qu'ils flânaient dans le club.

— Sur le coup, l'idée m'a paru excellente, reconnut Phinn.

En fait, elle l'avait littéralement électrisé. Il s'était senti une fois de plus fortement attiré vers elle, comme entraîné par une force invisible, comparable à celle de la gravité.

Il savait tout ce qu'il y avait à savoir sur la gravité : notamment qu'il était vain de s'y opposer.

— Autrement dit, tu l'as encouragée à trouver le moyen de rompre vos fiançailles, dit Rogan. J'ai besoin d'un verre.

— Je crois également lui avoir dit que j'étais responsable de la mort de Nadia, ajouta Phinn en se retournant pour mieux observer la mine effarée de Rogan.

Il ne put s'empêcher de sourire.

— Il n'y a rien de drôle à raconter être un meurtrier à une femme que tu espères séduire, dit Rogan.

En effet. Ce ne l'était pas.

— Sur le coup, cela m'a semblé aller de soi. J'ai tenté d'expliquer que la mort de Nadia était un accident et qu'Olivia, étant d'un tempérament très différent, n'avait rien à craindre. Toutefois, je pense n'avoir réussi qu'à l'offenser et à la convaincre que je suis un tueur impitoyable.

— J'ai vraiment besoin d'un verre, dit Rogan en cherchant du regard un valet muni d'une bouteille de brandy. Essaies-tu de te mettre dans une situation impossible ? Ne veux-tu pas l'épouser ?

— Je veux bel et bien l'épouser. Peut-être davantage encore que lorsque je l'ai vue pour la première fois.

Dans un premier temps, il l'avait tout simplement trouvée belle. Il se dégageait d'elle une telle innocence, et dans sa robe blanche, elle était l'incarnation même de la douceur et de la pureté. Elle était tout le contraire de Nadia. Olivia était calme, raffinée, très bien élevée. Nadia était une furie aux cheveux sombres, qui, au lieu de parler, préférait sangloter, hurler, implorer, exiger. Il avait instinctivement grand besoin d'Olivia.

Ou, plutôt, de l'Olivia de leur première rencontre et de celle dont on lui avait parlé.

— Enfin, on dirait bien que tu essaies de lui fournir toutes les raisons du monde de déguerpir, dit Rogan. Tu l'as pratiquement mise au défi de se conduire de manière scandaleuse. Heureusement, je ne crois pas que la Petite Bégueule en soit capable.

Phinn n'en était pas aussi certain. Il avait remarqué la flamme brillante dans son regard. Le sourire d'excitation sur ses lèvres. Elle ne réussirait peut-être pas, mais que le Ciel les protège tous, elle allait sûrement essayer.

— Peut-on me reprocher d'avoir envie de voir ce qu'elle fera?

— Non. J'avoue être également curieux. Cela risque de donner du piquant à une saison par ailleurs très ennuyeuse, répondit Rogan. Mais tu n'es pas au bout de tes peines, mon vieux.

— Qu'aurais-je dû lui dire au sujet de Nadia? Lui mentir?

— Oui! déclara Rogan.

Phinn se renfrogna.

— Je ne veux pas que notre mariage s'appuie sur des faussetés, dit-il. Ce serait courir à l'échec. Comme ériger un édifice sur des fondations branlantes, ou ignorer la petite erreur mathématique qui faussera tous les calculs qui s'ensuivront.

— Au point où tu en es, tu auras de la chance si tu te maries, point, maugréa Rogan. Surtout si tu t'entêtes à discourir de mathématiques et de trucs semblables.

— Inutile d'en faire toute une histoire. Je vais juste m'entêter à… faire sa conquête.

Comment, cela il l'ignorait. Il aurait sans doute le temps de fabriquer une machine qui s'en chargerait avant de comprendre ce que Lady Olivia voulait.

— Et je vais continuer de t'y aider, soupira Rogan. Car il est évident que tu as besoin de mon aide.

— Merci.

— C'est à ça que les amis servent, dit Rogan.

Puis, ayant apparemment réfléchi à la question, il sourit et dit:

— Je vais sans doute arroser d'alcool la citronnade chez les Almack. Après quelques verres, elle sera sans défense et…

— Ne termine *pas* cette phrase. Ne le dis pas. Par Dieu, ne fais jamais ce que tu es sur le point de suggérer que je fasse.

— C'est bon. Si je comprends bien, tu entends séduire une femme sans te montrer ne serait-ce qu'un tout petit peu canaille ?

— Que me faudrait-il faire pour cela ? demanda Phinn.

Toute sa vie durant, il s'était efforcé d'être calme, inébranlable et fiable. Comme une machine. Comme un gentilhomme. Plus précisément : contrairement à son père, à sa mère et à son frère, qui tous avaient été enclins à un comportement hystérique, exagérément dramatique et irrationnel.

— Tu dois flirter avec tout le monde. Carrément devant Olivia, dit Rogan avec un sourire suffisant, persuadé d'être un génie.

Phinn, qui n'avait toutefois rien de mieux à suggérer, le corrigea :

— Lady Olivia, pour toi.

Mais sans tenir compte de l'interruption, son ami développa son idée.

— Les femmes raffolent des hommes qui se font désirer, dit Rogan. Et rien ne les stimule davantage qu'une compétition entre poulettes.

— Les autres femmes ne seront-elles pas, à l'instar d'Olivia, rebutées par ma réputation ?

— Pas celles auxquelles je pense. Du moment que tu ne sois pas trop laid et que tu arrives à bavarder en leur faisant espérer *autre chose*, elles t'accorderont *toute* l'attention souhaitée.

Chapitre 8

*Que la robe du matin ne soit pas raccourcie jusqu'à l'affectation ;
qu'elle ne décèle pas l'intention de montrer un joli pied, une
jambe gracieusement tournée ; tout ce qui est apprêté est opposé
à la grâce qui a toujours la décence pour compagne.*
— LE MIROIR DES GRÂCES

Chez Almack's, salle de bal publique

Prudence parvint sans mal à verser de l'alcool dans
la citronnade. Car qui prêtait attention à Prudence
la Prude ? Personne. La plupart des jeunes filles auraient
eu beaucoup de peine à trouver une bouteille de gin, plus
encore à s'en emparer. Pas Prudence. Leur cuisinière était
portée sur la boisson, et cela avait été un jeu d'enfant pour
Prudence de lui en chiper une petite quantité. Elle avait
découvert qu'une flasque se glissait sans encombre dans un
réticule. Très commode.

Par conséquent, Prudence se glissa d'un pas dansant
dans la salle de réception.

Façon de parler. Prudence ne dansait jamais. On ne l'in-
vitait jamais à danser, ce qui lui allait très bien.

Donc, elle entra en marchant, et en espérant que, comme
d'habitude, personne ne la remarquerait.

Dès que l'occasion se présenta, ce qui se produisit très vite, Prudence versa l'alcool dans la citronnade.

Pourquoi, pourquoi, mais *pourquoi donc*, faisait-elle cela ?

Pour aider sa très chère amie, bien entendu. Ses fiançailles au Baron fou perturbaient profondément Olivia. Même si Prudence applaudissait ses efforts pour mal se conduire, elle savait reconnaître qu'une situation était désespérée et agir en conséquence, quitte à s'excuser profusément par la suite. Olivia était trop bonne. Au fond d'elle-même, dans son cœur, elle était bonne. Il était dans sa nature de se montrer polie, gracieuse et gentille. Prudence connaissait Olivia depuis plusieurs années et jamais elle ne l'avait vue s'en prendre à Lady Katherine, même si cela aurait été amplement justifié. Ni critiquer sa mère, dont l'attitude autoritaire était la raison pour laquelle les jeunes gens la fuyaient.

Pour toutes ces excellentes raisons, Prudence manquait de confiance en son amie.

En attendant que ladite amie arrive, Prudence alla honorer les laissées-pour-compte de sa présence. Emma était déjà arrivée, mais elle dansait avec son duc. Bientôt, elle allait céder à sa nouvelle et agaçante manie de présenter à ses amies des jeunes hommes célibataires. Situation embarrassante pour les deux partis.

Quand Olivia arriva enfin, Prudence comprit au premier coup d'œil qu'elle avait eu raison d'arroser la citronnade. Olivia en aurait besoin.

Olivia portait la robe la plus modeste, la plus sobre, la moins provocante de sa garde-robe, ce qui n'était pas peu dire. Une robe de mousseline et de soie blanche. Un large ruché de dentelle ornait l'ourlet. Au lieu d'un corsage décolleté — et aguicheur — comme le voulait la mode, elle avait opté pour un fichu de dentelle blanche qui lui voilait la poitrine jusqu'au menton.

— Tu es ravissante, dit Prudence d'une voix morne. L'image même d'une modeste jeune vierge. Et nos plans ?

Elle remarqua alors le regard espiègle de son amie. Elle reprit espoir. Un peu.

— Temporairement reportés, dit Olivia d'une voix traînante. Si, d'ici la fin de la soirée, je n'ai pas donné des vapeurs à ma mère, j'estimerai avoir raté mon coup.

— Ta mère n'est pas difficile à offusquer. J'espère que ce n'est pas uniquement à cela que tu estimeras avoir réussi.

— Tu as raison. J'ajouterai donc que j'ai bon espoir de lire dans la prochaine édition du *London Weekly* que j'ai ruiné ma réputation.

— Que prévois-tu faire ? demanda Prudence, excitée.

— Disons que les points retenant ce fichu et ce volant ne sont pas les plus solides que j'ai cousus. Il se peut en outre que j'aie raccourci l'ourlet de ma robe et échancré le corsage. Les coutures ont tenu le temps que je sorte de la maison et obtienne l'approbation de ma mère. Mais je m'attends à ce qu'elles lâchent d'un moment à l'autre et me libèrent ainsi de toute cette affreuse dentelle. Par ailleurs, je ne crois pas que mon chignon tiendra longtemps. J'ai retiré la moitié des épingles que ma femme de chambre a utilisées. Avant la fin de la soirée, j'aurai l'air d'une dévergondée.

— Je l'espère. Je l'espère de tout cœur, murmura Prudence. Je meurs de soif. Si nous allions boire une citronnade ?

— Attends !

Olivia s'arrêta net et retint Prudence par le bras. Elles tentaient d'atteindre le bar à citronnade en louvoyant dans la foule.

Prudence suivit son regard et dit :

— Ah ! Je vois.

Le Baron fou était là. *Phinn.*

Olivia ne voulait pas qu'il la voie ainsi : une jeune fille discrète, convenable et respectueuse dont il voulait faire sa femme discrète, convenable et respectueuse. Pas alors qu'elle s'était juré de lui prouver le contraire.

Voici comment elle voyait les choses : dans le courant de la soirée, elle se débarrasserait de ce foutu fichu et de cet affreux volant, se retrouverait entourée d'un essaim d'admirateurs, ce que Phinn observerait de loin. À la voir rire aux éclats au milieu de ces hommes qui se battraient pour lui baiser la main, il se rendrait compte qu'elle n'était pas la femme de ses rêves et, par conséquent, ne valait pas la peine d'être courtisée.

— Quelle jolie robe, Lady Olivia.

C'était Lady Katherine qui, flanquée de ses amies, la considérait d'un air désobligeant. À la vue de son élégante robe de soie bleue semée de perles de verre, Olivia se sentit épouvantablement démodée, en plus du reste comme d'habitude en présence de Katherine : c'est-à-dire misérable, ordinaire et quelque peu ridicule.

— Déjà vêtue comme une vieille fille, à ce que je vois, lui dit Katherine avec un sourire cruel. Serait-ce que même le Baron fou ne veut pas de toi ?

Ces mots blessèrent profondément Olivia. Notamment parce que c'était peut-être vrai. Mais au lieu de courber l'échine, Olivia releva le menton et trouva enfin le courage de tenir tête à Lady Katherine.

— Oh, regardez ! s'exclama-t-elle en pointant le doigt vers l'autre bout de la salle. Il y a là quelqu'un que cela intéresse.

Dans son dos, Prudence s'esclaffa. Les amies de Lady Katherine réprimèrent un fou rire.

Lady Katherine la regarda. Olivia lui rendit son regard. Difficile de savoir laquelle des deux était le plus étonnée de l'éclat d'Olivia. Mais lorsque Katherine, la mine renfrognée, tourna les talons, Olivia se sentit triomphante.

— Tu lui as cloué le bec! s'exclama Prudence. On supporte sa mesquinerie depuis des années, et enfin, quelqu'un lui a rivé son clou. Je suis très fière de toi.

— C'est curieux ce qui sort de ma bouche quand j'arrête d'être polie, répondit Olivia, quelque peu sidérée.

Elle aurait peut-être dû agir ainsi bien avant?

— Et dire que la soirée vient à peine de commencer, dit Prudence. À présent, on va au bar?

Olivia jeta un regard dans cette direction et s'arrêta.

— Non, il est toujours là.

— Serait-il en train d'offrir un verre de citronnade à Lady Ross? demanda Prudence en inclinant curieusement la tête sur l'épaule.

— Seigneur, on le dirait bien, répliqua Olivia, comme si elle n'en croyait pas ses yeux.

N'était-il pas censé être l'homme le plus craint et le plus méprisé de la Haute?

Pourtant, Phinn et son ami Rogan étaient bel et bien engagés dans une conversation apparemment charmante avec Lady Ross, une veuve séduisante qui s'entendait à ravir avec tous ces messieurs. Elle aimait parier, au jeu comme aux courses, et avait, disait-on, un sens de l'humour grivois qui enchantait les hommes.

De quoi discutaient-ils avec un tel entrain? Olivia, dont les connaissances en cette matière étaient des plus limitées, n'arrivait pas à s'en faire une idée. Elle maudit une fois de plus sa parfaite éducation de jeune fille bien.

— Qui est son ami ? demanda Prudence.

— Lord Rogan, répondit-elle. Je crois que c'est un pauvre con.

— Olivia !

— Je sais, sourit Olivia. Les jeunes dames n'utilisent pas un tel langage.

— Encore un peu, et mon cœur éclaterait de fierté, la taquina Prudence.

Le sourire d'Olivia s'évanouit à la vue d'un spectacle inconcevable.

— Est-ce qu'elle *rit* ? Pourquoi sourit-il ? demanda-t-elle, stupéfaite. Est-ce qu'il *flirte* avec elle ?

Mais la question qu'elle n'osait pas poser était : « Pourquoi est-ce que cela m'agace ? » Car elle devait admettre que cela l'agaçait. Elle n'arrivait pas à détourner les yeux de la vision sidérante du Baron fou bavardant joyeusement avec une femme. Jamais elle n'aurait cru cela possible. À ses yeux, il était un homme solitaire et sinistre dont toutes les femmes s'écartaient en poussant des cris de frayeur, et voilà que…

Phinn croisa son regard. D'abord brièvement, puis plus longuement. Il posa les yeux sur elle et l'examina des pieds à la tête d'un air farouche, presque possessif. Il allait sans dire que jamais un homme ne l'avait regardée ainsi. Elle s'étonna de trouver cela aussi agréable. Elle remarqua qu'il étudiait sa robe, encore plus modeste que celles qu'elle portait d'ordinaire. Puis, il haussa un sourcil, l'air de lui demander : « C'est ce que vous pouvez faire de mieux ? »

Olivia lui adressa un sourire, qu'elle espérait être provocant, lui assurant qu'il n'avait encore rien vu.

— Il ne peut pas être en train de flirter avec elle, dit Prudence. Ne nous fions pas aux apparences. Approchons-nous et tentons d'entendre ce qu'ils se disent.

Comme elles se frayaient un chemin dans la cohue, ce qui se passa ensuite stupéfia Olivia. Le Baron fou et Lady Ross s'éloignèrent bras dessus, bras dessous, mais non sans que le regard du baron croise une fois de plus celui d'Olivia. *Et il lui décocha un clin d'œil !*

Olivia en eut le souffle coupé. Qu'est-ce que cela voulait dire ? Que se passait-il ? La dentelle voilant son corsage commença à lui irriter la peau, et elle eut envie de l'arracher, là, tout de suite. Mais Prudence la traîna littéralement vers le bar puisqu'enfin Phinn et Lady Ross ne s'y trouvaient plus.

Rogan ne tenta même pas de suivre la conversation animée qu'entretenaient Phinn et Lady Ross. Il faut dire qu'il ne suivait pas la plupart des conversations. Il préféra profiter du fait que, plongés dans une discussion passionnante sur les mathématiques ou un truc de ce genre, ils ne s'occupaient pas de lui. Une mission plus délicate réclamait son attention.

Son ami Phinn était un type épatant, du moins lorsqu'il ne s'étendait pas à n'en plus finir sur ses lubies scientifiques, travers auquel il cédait volontiers jusqu'à ce qu'on lui plonge la tête dans la cuvette de la toilette. D'accord, ce n'était plus arrivé depuis leur première année à Eton, mais de temps à autre, Rogan envisageait de le refaire. Il se désintéressait totalement des conversations sérieuses et n'y prêtait guère attention, surtout au bal. Étant donné que cette soirée était dévolue au bavardage avec Ces Dames, il pensa qu'un petit extra pourrait faciliter les choses.

Donc, pour le plus grand bénéfice de toutes les personnes présentes ce soir-là chez Almack's, et notamment de Phinn et d'Olivia, Rogan vida le contenu de sa flasque dans le bol de citronnade.

Honnêtement, cela aurait dû être fait bien avant aujourd'hui. Rogan, un sourire espiègle aux lèvres, se représenta toutes ces mères collet-monté en mal de mariage un peu pompettes.

Il jeta des coups d'œil à la ronde pour s'assurer qu'on ne l'avait pas vu. Phinn, toutefois, choisit ce moment-là pour le regarder et, voyant qu'il s'attardait près du bar à citronnade, il fronça les sourcils. Rogan lui adressa son sourire le plus benêt. Puis, il se versa un verre de citronnade et gagna la salle de jeux.

— Une citronnade? demanda Prudence en lui en offrant un verre lorsqu'elles atteignirent finalement le bar.

— Pardon? dit Olivia, qui tentait encore de repérer Phinn dans la foule.

Il l'avait étonnée, voilà tout. Elle avait cru qu'il rechercherait sa compagnie et qu'elle devrait le fuir toute la soirée. Lorsqu'elle aurait transformé sa robe, elle passerait sans doute le reste de la soirée à danser avec d'autres hommes. Peut-être même qu'à la fin de la soirée, elle aurait un nouveau prétendant et se retrouverait mariée à un autre que Phinn d'ici la fin de la semaine.

Comme Prudence l'avait dit, la soirée était encore jeune.

Prudence interrompit ses rêvasseries en lui tendant un verre de citronnade plein à ras bord.

— Oh, oui. Merci, dit Olivia.

Elle le vida d'un trait, notant au passage que le goût était plus âpre que d'habitude. Peut-être avait-on mal mesuré le sucre.

Prudence sourit.

— Un autre?

Olivia lui remit son verre, que Prudence remplit aussitôt. Qu'Olivia vida d'une longue gorgée indigne d'une dame. Il était temps de montrer aux bonnes gens la nouvelle et scandaleuse Lady Olivia Archer.

Un peu plus tard

Le sang palpitant dans ses veines, Olivia traversa la salle avec Prudence, en quête d'un scandale. Elle chercha du regard le Baron fou — inutile de se conduire en dévergondée s'il ne la voyait pas. Elle l'aperçut, debout près d'une colonne, en train de bavarder cette fois avec Lady Hatfield, le regard posé, Olivia en aurait juré, non pas sur sa figure, mais un peu plus bas. Les yeux d'Olivia se rétrécirent. Il était censé lui faire la cour à *elle*.

Bien. Il l'avait mise au défi de se conduire outrageusement. Et elle voulait se débarrasser de lui. Logiquement, elle n'aurait pas dû être jalouse qu'il s'entretienne langoureusement avec une autre femme. Pourtant...

C'est qu'elle tenait réellement à être mariée avant le bal de Lady Penelope. Manifestement, il lui faudrait s'attirer les égards d'un autre homme — pour jouer au même petit jeu que Phinn —, mais aucun ne daignait la regarder. Le fichu trop modeste ne jouait pas en sa faveur. Elle devait s'en défaire.

Elle aurait dû se rendre au cabinet des dames et l'y retirer discrètement. Mais ce soir, elle avait pour mission d'enfreindre toutes les règles. Par ailleurs, elle se sentait plus audacieuse que d'habitude.

— Pourquoi t'arrêtes-tu ? demanda Prudence. On dirait que tu t'apprêtes à faire quelque chose d'interdit.

— C'est parce que je m'apprête à faire quelque chose d'interdit, dit Olivia.

Elle saisit la dentelle à pleine main et tira sèchement. Le fichu céda aussitôt, exposant aux regards une large part de son dos et de sa poitrine. Olivia inspira profondément — enfin libre ! —, c'est-à-dire aussi profondément qu'il lui était possible malgré son corset lacé bien serré ce soir.

Puis, elle lança la dentelle dans les airs.

Une rumeur s'éleva de la foule toute proche à la vue du fichu blanc flottant au-dessus des têtes. Les chuchotements, les murmures et les regards en coin se multiplièrent aussitôt.

— *A-t-elle… ?*

— *La Petite Bégueule a fait quoi ?*

Voilà, ça y était. La moins susceptible de Londres de provoquer un scandale était officiellement en train d'en provoquer un. Les jeunes dames n'arrachaient pas leurs vêtements en public. S'il y en avait une qui le savait, c'était bien elle.

— Vous avez bien vu, déclara Olivia. La Petite Bégueule vient tout juste d'arracher son fichu. Il m'étranglait.

Les femmes caquetèrent leur désapprobation. Les jeunes filles prirent une mine offusquée. L'enviaient-elles ? se demanda Olivia. Et les hommes… la reluquèrent. D'un air qui n'avait rien d'horrifié. Olivia sentit son cœur s'emballer et sa température grimper sous le regard des hommes qui la remarquaient, qui la *reluquaient*.

On ne l'avait jamais reluquée avant, et la chose était étrangement déconcertante.

— Vous sentez-vous plus libre ainsi, Lady Olivia? demanda Prudence.

— Oui, miss Payton, répondit Olivia. Nous y allons? Qui sait dans quel pétrin je vais me mettre d'ici la fin de la soirée.

Olivia et Prudence s'éloignèrent, bras dessus, bras dessous. La rumeur s'était répandue comme une traînée de poudre. Les gens se tournaient pour la regarder, ils la fixaient et chuchotaient entre eux. M. Middleton lui-même la reluqua longuement comme elle passait devant lui.

— Je me sens drôle, Prudence.

— C'est peut-être à cause du gin que j'ai versé dans la citronnade, répondit Prudence.

— C'est une explication, dit Olivia, qui eut l'impression que les effets de la citronnade trafiquée s'accentuaient.

— Je suis certaine qu'ils se demandent si je suis folle, remarqua Olivia à voix basse.

— Ce qui compte, c'est que le Baron fou se le demande, répliqua Prudence.

Olivia leva la tête et le chercha du regard. Avait-il été témoin de son geste d'éclat?

Leurs regards se croisèrent. Brûlant. Il l'avait été.

C'était indéniable, surtout quand il baissa les yeux sur les seins d'Olivia, dont la rondeur était à présent visible au-dessus du décolleté. Une émotion violente secouait Phinn — elle le voyait sur son visage. Mais était-ce de la fureur? Selon la rumeur, il avait un fichu tempérament. Ou était-ce du désir?

Étrangement, le cœur d'Olivia s'emballa à l'idée qu'il puisse la désirer.

Alors même qu'elle était censée l'offusquer.

— Ça va, Olivia ?

— Très bien.

Olivia inspira profondément. Elle se sentait *très bien*. Elle venait de provoquer un petit scandale, ce qui peut-être allait faire oublier son surnom de «Petite Bégueule». Elle craignait toutefois qu'il soit remplacé par celui de «Grande Folle».

En attendant, elle avait réussi, sans le vouloir, à se rendre désirable aux yeux mêmes de l'homme qu'elle s'efforçait de dégoûter.

Elle regarda l'horloge. Dans très peu de temps, sa mère serait informée, aurait une attaque, s'évanouirait, serait réanimée et s'empresserait de rentrer chez elle. Puis, elle balaya la salle du regard jusqu'à ce que ses yeux se posent sur Phinn. Il se trouvait toujours avec Rogan, mais à présent, il s'entretenait avec une autre femme — Lady Elliot, une veuve d'âge mûr et une dame exemplaire, si on oubliait le fait qu'elle avait la réputation d'être une intellectuelle s'intéressant particulièrement aux questions scientifiques, ce qui signifiait que Phinn et elle en auraient long à se dire.

Bien. N'empêche qu'elle fit la grimace. Même si les dames ne grimacent pas.

— Olivia ? dit Prudence en coupant court à ses réflexions.

— Quoi ? murmura Olivia.

Lady Elliot, vraiment ? Pourquoi ne la regardait-il plus ?

— Tu es dans la lune, dit posément Prudence.

Pas tout à fait, car en réalité, elle attendait qu'il lève les yeux et remarque qu'elle se comportait de manière scandaleuse. Et se rende ainsi compte que Lady Elliot lui convenait beaucoup mieux qu'elle. Mais il ne levait pas les yeux. Pas sur elle. Il ne la regardait plus.

Olivia était sous l'emprise d'un cocktail très dangereux : gin et jalousie. Si quelqu'un avait tenté de le lui faire comprendre, elle aurait éclaté de rire. Elle, jalouse que le Baron fou s'intéresse à Lady Elliot ?

Déjà, elle ne le contentait plus. Ne lui convenait plus. Il fallait qu'il s'en rende enfin compte, sinon Dieu sait ce qu'elle ferait une fois cloîtrée au fin fond de la campagne. La détermination d'Olivia s'en trouva raffermie. Elle jeta un coup d'œil à la ronde, en quête d'un nouveau méfait.

Peu habituée aux effets de l'alcool, Olivia avait l'impression que la salle de bal, et les gens qui s'y trouvaient, baignaient dans un léger brouillard. Et que le plancher était inégal, ce qui était des plus curieux.

Elle croisa par hasard le regard de Lord Harvey, un jeune étalon probablement contraint d'assister au bal par sa mère désireuse qu'il se marie, mais qui aurait sans doute préféré passer la soirée en compagnie de chanteuses d'opéra à parier des sommes folles aux cartes. Tout à fait le genre d'homme que ses parents méprisaient.

Une idée machiavélique lui traversa l'esprit.

Vacillant à peine, elle s'inclina devant Lord Harvey et lui demanda :

— Milord, m'accorderiez-vous cette danse ?

Les dames ne parlent *jamais* à un homme auquel elles n'ont pas été présentées, et elles n'invitent *jamais* un inconnu à danser. Mais l'idée parut excellente à Olivia, qui, ce soir, se sentait plus audacieuse, effrontée et courageuse.

Près d'elle, Prudence grogna et marmonna :

— Bonté divine.

Olivia allongea la main. Lord Harvey n'eut d'autre choix que de sourire poliment et de l'escorter jusqu'à la piste de danse — tout en jetant un regard perplexe à ses compagnons hilares.

Par chance, les premières mesures d'une valse se firent entendre.

Les lèvres d'Olivia s'arquèrent dans un sourire. C'était l'occasion d'enfin montrer à la haute société qu'elle était une danseuse accomplie et pleine de grâce. Ne prenait-elle pas des cours de danse privés trois fois par semaine depuis ses douze ans ? *Et jamais on ne l'avait invitée à danser.*

Pardi, elle était probablement capable de danser sur un navire sans manquer le pas, ni perdre son maintien ni trébucher. Sur un navire en mer. Au cœur d'une violente tempête avec des vagues de trente mètres. Toutefois, il devint vite évident qu'elle dansait moins bien sous l'influence de l'alcool. Le plancher était curieusement irrégulier.

Lord Harvey lui tenait délicatement la main, et sa paume effleurait à peine le milieu de son dos. Il y avait un bon écart de taille entre eux, ce qui les empêchait encore davantage de danser du même pas.

Compte tenu des circonstances étranges à l'origine de cette danse — et du fait non négligeable qu'ils ne se connaissaient pas —, Olivia ne savait pas où poser les yeux. Sur sa cravate ? Non, trop ennuyeux. Elle leva les yeux vers lui et vit qu'il serrait les mâchoires. Il jetait des regards de-ci, de-là, mais ne la regardait pas.

Elle sentit ses joues s'empourprer d'humiliation.

Leur rougeur s'accentua lorsqu'elle regarda autour d'elle. Elle vit qu'on la regardait. Elle vit des hommes murmurer des commentaires discrets, mais manifestement inconvenants à en juger par leur sourire en coin. Olivia prit soudainement conscience de la vaste étendue de peau qu'elle offrait aux regards.

La haute société se régalait collectivement du spectacle d'Olivia, quelque peu dévêtue, qui dansait fort mal. Elle releva bien haut la tête et adopta un port aussi altier qu'il lui était possible. Les dames ouvrirent leurs éventails d'un claquement sec et se cachèrent derrière pour échanger des remarques qu'Olivia s'imagina être mesquines. Elle commença à éprouver un sentiment désagréable fait de honte et de remords, puis elle se ressaisit. Les gens de la haute s'étaient toujours montrés sarcastiques envers elle, quand toutefois il leur arrivait de penser à elle.

Parce qu'ils dansaient en s'efforçant de s'ignorer l'un l'autre, Lord Harvey et elle ne savaient plus quand tourner ou virevolter. Il leur arriva plus d'une fois d'entrer en collision avec un autre couple — Lord et Lady Farnsworth en parurent particulièrement mécontents. L'un comme l'autre.

Bizarrement, Olivia voyait tout en double à présent. À force de virevolter et de tournoyer, elle avait la tête qui tournait et, pour tout dire, mal au cœur.

Les jeunes dames ne rendent pas le contenu de leur estomac durant une valse, dans une salle de bal.

Elle entrevit Phinn, avec Rogan et une nouvelle femme. Olivia reconnut Lady Bellande, une veuve joyeuse notoire. Elle flirtait sans vergogne avec tous les hommes célibataires — et même avec les autres. Et voici qu'elle avait jeté son dévolu sur Phinn.

L'expression de celui-ci était impénétrable. Lord Harvey la fit tournoyer allègrement. Phinn était-il furieux ? Jaloux ? Embarrassé ? Ils tournoyèrent encore et encore. Peut-être n'éprouvait-il rien, parce qu'il était un assassin et qu'il prévoyait la tuer durant leur nuit de noces ou peu après?

Là-dessus, elle trébucha et piqua du nez dans la cravate de Lord Harvey. Elle sentait le linge frais et la bergamote. Pourquoi le savait-elle? Elle n'avait pas particulièrement envie de le savoir.

— Veuillez m'excuser, coupa une voix masculine.

Olivia leva les yeux sur le seul et unique duc d'Ashbrooke, le mari d'Emma. Enfin, sur deux ducs. Elle avait beaucoup de mal à y voir clairement. Et il fallait absolument que quelqu'un rabote ce plancher inégal.

Ashbrooke était de haute taille, terriblement séduisant et incroyablement imposant. Le soleil se levait et se couchait à son commandement. Lord Harvey lui céda la place.

Ashbrooke enveloppa Olivia de ses bras.

— Si vous tentez de provoquer un scandale, vous faites un sacré bon boulot, remarqua-t-il.

Mais avec un grand sourire.

— Hourra, répondit-elle posément, et le sourire d'Ashbrooke s'élargit.

Contrairement à Lord Harvey, Ashbrooke dansait comme un dieu. Son étreinte avait juste ce qu'il fallait de fermeté et de possessivité. Avec le duc comme partenaire, Olivia aurait pu avaler encore trois verres de cette vilaine citronnade et danser sur un navire en mer, durant une violente tempête avec des vagues de trente mètres sans manquer un seul pas.

Ils dansaient en parfait accord avec la musique.

Le cœur d'Olivia se brisa en quelque sorte de bonheur à l'idée qu'Emma puisse compter sur l'amour indéfectible et éternel de cet homme. Et elle était ravie qu'il ait la bonté d'étendre son affection aux amies de sa femme. Et à sa grande honte, elle était jalouse. Oh, elle ne lui enviait pas Ashbrooke, mais elle enviait leur amour.

C'était ce qu'elle souhaitait. C'était ce qu'elle n'aurait jamais avec le Baron fou. Pas avec un homme qui consacrerait tout son temps à travailler sur des engins bizarres, l'abandonnerait seule à tenir la maison et à broder. Avant de l'assassiner.

Elle repéra le Baron fou dans la foule. Cette fois, il n'était pas en compagnie d'une femme. Il était seul et avait la mine sombre. L'observait. Avec sa mine renfrognée et sa cicatrice, il avait l'air beaucoup trop dangereux.

Tout en dansant — sans trop tournoyer, car son partenaire était Ashbrooke et qu'il avait probablement l'habitude de danser avec des femmes légèrement ivres —, Olivia regarda alternativement sa cravate et les gens présents dans la salle.

La plupart d'entre eux ne leur accordaient plus la moindre attention. Ils étaient retournés à leurs affaires. Le Baron fou continuait de broyer du noir, même si Olivia ne se donnait plus en spectacle. Tout le monde savait qu'Ashbrooke était le mari de la meilleure amie d'Olivia, par conséquent qu'ils dansent ensemble ne prêtait pas flanc aux racontars. Ce n'était en rien remarquable.

L'orchestre termina la valse sur une envolée de notes grandiloquentes.

— Merci, dit Olivia, pas tout à fait assez ivre pour ne pas reconnaître un véritable gentilhomme.

— Ce fut un plaisir.

Puis il se pencha vers elle et ajouta :

— Il n'est pas si mal, vous savez.

Appuyé à la balustrade, le Baron fou attendait Olivia sur la terrasse, sa silhouette exceptionnellement séduisante se découpant sur la nuit. Épaules larges. Membres déliés. Traits accusés. Des yeux qui l'avaient remarquée quand tout le monde l'ignorait. Et une cicatrice qui ne lui permettrait jamais d'oublier les accusations dont il avait été l'objet, et qu'il n'avait pas niées.

Ashbrooke lui remit Olivia, puis alla retrouver sa femme, abandonnant Olivia à l'homme qu'elle s'efforçait d'éviter… et à l'homme qui ne cessait de l'obséder.

Cette fois encore, elle sentit un courant passer entre eux, comme le premier soir. Elle sentit son regard sur elle, *partout* sur elle. Quelques souples mèches échappées de son chignon lui balayaient les épaules. Elle devait avoir l'air ridicule. Elle croisa son regard sombre et se sentit terrifiée.

Nerveuse, elle attendit qu'il prenne la parole. La conscience de s'être donnée en spectacle et l'angoisse qui s'en était ensuivie éveillaient en elle des émotions inconnues. Elle n'avait jamais créé d'ennuis, ni oublié de faire ses devoirs, ni fait quelque chose de *mal*.

Elle avait tout bonnement voulu agir autrement ; elle n'avait pas pris le temps de mesurer les conséquences.

— Vous n'étiez pas obligée d'en faire autant, dit-il avec une douceur qui l'étonna.

Elle s'était attendue à ce qu'il soit furieux. Une petite part d'elle avait même craint qu'il la frappe devant tout le monde.

— Mais je l'ai fait, dit-elle doucement. Pour moi.

Puis, elle chancela. Apparemment, le sol dallé de la terrasse était aussi inégal que celui de la salle de bal.

— Olivia, vous vous sentez bien ? demanda Phinn.

Il la regardait avec inquiétude. Ou était-ce l'alcool qui lui brouillait la vue ? Il semblait à Olivia que Phinn était un peu flou.

— Très bien, répondit-elle.

Car les dames vont toujours *très bien*.

Mais elle ne se sentait pas bien. Il n'était pas furieux contre elle, en dépit du fait qu'elle s'était abominablement comportée. Elle s'était littéralement donnée en spectacle en arrachant son fichu et en invitant un inconnu à danser, deux choses qui ne se Font Pas.

Il était censé être furieux, parce qu'elle n'était pas celle qu'il voulait qu'elle soit, et parce qu'elle l'avait embarrassé en se mettant elle-même dans l'embarras. Il aurait dû la repous-ser, lui faire une scène, voire pire, parce qu'il était le Baron fou et que c'était ainsi qu'il réagissait si l'on se fiait aux pam-phlets et aux racontars.

Phinn fit alors une chose surprenante : il allongea la main et replaça une mèche de cheveux qui était retombée sur la joue d'Olivia. Ce qui aurait pu être un geste romantique.

Si Olivia n'avait pas tressailli.

— Oh, Olivia, murmura-t-il. Je suis terriblement désolé.

Elle ne saisit pas tout à fait de quoi il se repentait.

— Je ne pensais pas que Rogan allait bel et bien verser de l'alcool dans la citronnade, dit-il d'une voix grave. Je le lui avais pourtant fermement interdit. Et à cause de cela, vous allez être l'objet de commérages.

Elle chancela de nouveau. Prudence et Rogan avaient allongé la citronnade ? Cela expliquait pourquoi tout allait de travers. Jusque-là, elle s'était sentie courageuse, mais sou-dain, elle se sentit défaillante. Alors qu'elle titubait vers la

balustrade pour s'y appuyer, Phinn cria son nom et se précipita pour la rattraper.

Elle s'écroula entre ses bras, et il posa par mégarde le
pied sur le volant lâchement cousu. Le ruché de dentelle à
peine faufilé à la soie et à la mousseline fragiles de la jupe
n'était pas de taille à résister au pied robuste d'un homme.
La chose entière se détacha et demeura coincée sous la botte
de Phinn, avec pour résultat que les chevilles et les jambes
d'Olivia se trouvèrent exposées aux regards.

Une horreur. Une pure horreur.

Phinn se confondit en excuses et se jeta à genoux, dans le
vain espoir de remettre le volant en place, encore qu'il n'eût
rien d'une couturière. Puis, quelque chose se produisit.

Olivia baissa les yeux et vit la façon dont il fixait ses
chevilles. Il leva alors lentement le regard vers elle. Les
yeux de Phinn s'étaient considérablement assombris. Et,
Dieu, cette façon qu'il avait de la regarder... elle le *sentit*.
Son regard chaud comme une caresse. Une chaleur qui
se répandit depuis son ventre jusque dans ses membres,
puis qui lui monta à la tête. Elle eut l'impression d'étouffer
dans sa robe — ressentit le besoin d'arracher ce qui en restait. Elle eut aussi le vertige et crut qu'elle allait s'évanouir.
Dans ses bras.

En un instant, sa peur fut balayée par un sentiment semblable à du désir.

C'est pourquoi les jeunes dames ne doivent pas boire d'alcool.

Soudain — et le moment était mal choisi et fichtrement
embarrassant —, Phinn n'eut plus qu'une seule envie, celle
de toucher Olivia. L'envie de refermer les mains sur ses chevilles et de les faire glisser vers le haut, de plus en plus haut,

et de lui faire découvrir ce qu'était le plaisir. Mais considérant qu'elle avait peur lorsqu'elle se retrouvait seule avec lui, et tressaillait alors qu'il n'avait que l'intention de la toucher doucement, elle ne pourrait certes pas s'abandonner assez à ses caresses pour en tirer du plaisir.

Alors, décidemment. Ce n'était *pas* le moment d'avoir de telles idées.

Il se demanda lequel d'entre eux s'était le plus couvert de ridicule ce soir. Olivia, propulsée par cette sotte idée qu'avait eue Rogan d'alcooliser la citronnade, ou lui, à genoux devant une femme dont la robe était en loques.

Mais alors, leurs regards se croisèrent. Les yeux d'Olivia dans les siens eurent sur lui un puissant effet aphrodisiaque. Il détestait qu'elle le craigne. Il détestait que leurs fréquentations soient un chapelet de désastres. Mais ses regrets étaient nettement moins puissants que le désir pressant de la toucher, de la posséder, de l'aimer.

Pendant un moment — ce moment mal choisi mais étrangement délicieux —, il eut l'impression qu'elle partageait son désir.

Mais soudain, une femme poussa des cris de détresse.

— Olivia ! Dieu du ciel, Olivia, que t'est-il arrivé ?

C'était Lady Archer, dans toute sa gloire énervée et énervante.

L'espace d'une seconde, brève mais exquise, Phinn eut la conviction qu'Olivia et lui avaient la même pensée : « Ouste ! » Il le vit, là, dans ses yeux. Mais ce poison que Rogan avait versé dans la citronnade reprit le dessus, et Olivia chancela de nouveau.

— Oh, mon Dieu ! hoqueta Lady Archer.

— Lady Archer, bonsoir, dit Phinn.

— Bonsoir. Olivia, nous devons vite te ramener à la maison avant qu'on te voie.

Phinn et Olivia échangèrent un regard embarrassé. À vrai dire, tout le monde avait déjà vu la moins susceptible de Londres de provoquer un scandale faire précisément cela, d'abord en arrachant une partie de sa robe, puis en invitant un homme à danser.

— Permettez que je vous raccompagne, proposa-t-il.

Parce que, bien que n'ayant pas une vaste expérience en matière de dames ivres, il se doutait qu'une femme dans cet état aurait besoin d'aide pour se rendre de la terrasse à sa voiture puis à sa demeure. De plus, il tenait à ce que chacun constate que le Baron fou se rangeait du côté de sa future femme, peu importe son comportement scandaleux de la soirée. C'était le moins qu'il puisse faire, étant donné qu'il l'avait en quelque sorte poussée à se conduire ainsi.

Ce soir, elle se fichait de sa réputation comme d'une guigne. Mais, demain, ce serait sans doute une autre histoire.

Chapitre 9

La jeune fille la moins susceptible de Londres de provoquer un scandale en a étonné plus d'un hier soir. Son comportement scandaleux était-il uniquement dû au fait qu'on ait alcoolisé la citronnade de chez Almack's ? Ou la Petite Bégueule aurait-elle perdu la raison ? L'auteure avoue être fascinée par l'ingénue rebelle. Que nous réserve-t-elle ?

— UNE DAME DISTINGUÉE, « LES COULISSES DU BEAU MONDE »,
LONDON WEEKLY

Phinn éprouva un élan de sympathie à l'idée des réprimandes qu'avait dû recevoir Olivia le lendemain matin — et de l'affreux mal de tête dont elle avait dû souffrir. Il se rappela ce jour où son frère George et lui s'étaient affreusement soûlés avec le cognac de leur père. Il y avait eu le sermon — puis la lanière de cuir. Mais ils les avaient subis ensemble, en frères.

Il y avait longtemps. C'était avant que Nadia les sépare.

Il s'était rendu à l'entrepôt de Devonshire Street, où tout obéissait à la logique, où il connaissait et comprenait toute chose, et où il n'était pas le Baron fou, mais un ingénieur chevronné. Mais il avait du mal à se concentrer sur les plans de l'Engin ; ses pensées dérivaient sans cesse vers Olivia.

Peut-être devrait-il la laisser partir. Il savait que son comportement de la veille avait été influencé par l'alcool et provoqué par son pari stupide, mais il savait aussi qu'elle voulait en finir.

Comme Nadia.

Toutefois, il fut distrait de ces pensées lorsqu'Ashbrooke jeta le journal du matin sur son bureau. Phinn parcourut la rubrique mondaine en grimaçant.

> Pour la première fois de l'histoire de Londres, Almack's était l'endroit où il fallait être. Un coquin a versé de l'alcool dans la citronnade, ce qui a donné lieu à toutes sortes de comportements tant amusants que choquants — notamment de la part de Lady Olivia Archer. À la surprise de tous, la Petite Bégueule a déchiré sa robe, et plusieurs se sont interrogés sur sa raison. Mais personne n'a été plus surpris que Lord Harvey, qui a dû accepter l'invitation à danser de la jeune dame.
>
> Ces messieurs de chez White's songent à corriger leur fameux registre des paris. Lady Olivia conservera-t-elle son titre de moins susceptible de Londres de provoquer un scandale ou sera-telle rebaptisée la moins tolérante de Londres à la citronnade alcoolisée ou la plus divertissante de Londres sous l'influence de l'alcool ?
>
> Les dames patronnesses d'Almack's ont fait savoir qu'à l'avenir toutes les consommations seront servies par des valets afin que ne se reproduisent pas « les incidents déplorables de la veille ». Pour notre part, nous les prions de reconsidérer leur décision, surtout si elles souhaitent attirer les jeunes hommes célibataires qui seraient alors plus enclins à fréquenter l'endroit de leur plein gré…

Phinn connaissait peut-être moins bien les règles sociales que les lois de la physique, mais même lui savait que le fait qu'on s'interroge sur l'équilibre mental d'une personne dans la rubrique mondaine n'augurait rien de bon en termes de perspectives maritales pour ladite personne. C'était sa faute. Il devait s'excuser.

Comme cela avait été le cas avec Nadia, il lui était possible d'étouffer le scandale. Il lui suffisait de l'épouser.

Il y avait toutefois un hic : il était certain qu'Olivia repousserait sa demande, surtout si celle-ci était motivée par le désir de Phinn de sauver Olivia d'elle-même. Jusqu'à ce qu'il ait trouvé le moyen de lui présenter ses excuses et de demander sa main d'une façon vaguement romantique, il n'osait pas courir le risque d'essuyer sa colère.

Il s'efforça de se concentrer sur son travail et était enfin parvenu à s'abîmer dans le dessin d'une pièce cruciale de l'engin quand le duc approcha.

— Ça avance ?

— Très bien. J'essaie de trouver le moyen que toutes les vis soient taillées à l'identique, répondit-il.

C'étaient des petits détails, comme l'absence de vis standard, qui retardaient les travaux.

— De mieux en mieux. Il ne nous reste plus que quelques milliers de pièces à dessiner et à fabriquer.

C'était là la difficulté de cette machine complexe de deux mètres cinquante de haut, deux mètres deux de long et d'un mètre de large. Elle comportait vingt-cinq mille pièces, dont plusieurs identiques. L'engin serait plus gros et plus complexe que toute autre machine fabriquée à ce jour.

— C'est une bonne chose que vous ayez réuni autant d'argent, lança Phinn d'un ton malicieux.

— Si vous saviez ce que j'ai dû faire pour cela, dit Ashbrooke avec un soupir dramatique.

Phinn connaissait l'histoire et la trouvait remarquable. Digne d'un roman[1].

— C'était pour la bonne cause, répliqua Phinn.

— Cet engin va tout révolutionner, depuis la comptabilité jusqu'à la navigation, enchaîna Ashbrooke. Simplement parce qu'il sera précis. Il est tragique que tant de gens soient morts à la suite de calculs erronés et des erreurs contenues dans le Registre des barèmes.

Phinn détourna le regard pour cacher au duc à quel point ces mots le bouleversaient. Il sentit ses mâchoires se contracter et son estomac se nouer comme chaque fois qu'il pensait à Nadia et à la façon dont elle était morte. Ses machines, ses fautes, l'avaient tuée. Il était coupable, parce qu'il était froid et calculateur comme une machine — du moins jusqu'à ce que son tempérament prenne le dessus.

Nadia et lui étaient condamnés depuis le début. À l'instant où il lui avait glissé l'anneau au doigt, il l'avait su, avec la même absolue conviction qu'il se savait capable de calculer l'effet de la gravité. Il n'avait toutefois pas prévu l'issue tragique.

Je suis navré, Nadia.

C'était là une phrase qu'il se répétait souvent.

— L'Engin de calcul différentiel n'est que la première étape, poursuivit Ashbrooke. En éliminant le risque d'erreur humaine, nous nous assurerons que nos calculs seront justes. Et quand nous l'aurons achevé, et qu'il aura remporté un succès éclatant à la suite de sa présentation à l'Exposition universelle, j'ai dans l'idée de fabriquer un engin de calcul analytique capable d'effectuer des calculs encore plus complexes.

---

1. *L'espiègle ingénue.*

— Une chose à la fois, monsieur le duc, sourit Phinn avant de reprendre son crayon et son travail.

Il eut à peine le temps de tirer un trait d'une grande précision qu'Ashbrooke l'interrompit de nouveau.

— Et comment ça va avec Olivia ?

— Très mal, répondit sombrement Phinn.

Ils avaient certes connu de bons moments de-ci de-là — mais à ce rythme, il leur faudrait sept ans pour arriver à passer ensemble une journée complète dans un minimum de courtoisie. Eh oui, il avait fait le calcul.

— Je vous remercie d'avoir dansé avec elle et lui avoir ainsi épargné d'autres ennuis.

Phinn ne savait pas danser la valse parce qu'il consacrait tout son temps à ses entreprises scientifiques au lieu d'apprendre les pas des diverses danses. Son frère George était celui qui connaissait toutes les danses et tous les moyens de séduire une femme.

Par ailleurs, il n'y avait rien de mieux qu'une marque d'approbation de la part du duc d'Ashbrooke, le chéri de la Haute, pour réparer les dommages qu'avaient pu causer les singeries éthyliques d'Emma.

— Mon plaisir, répondit le duc. De toute façon, Emma m'aurait décapité si je ne l'avais pas fait. Quoi qu'il en soit, Lady Olivia est une jeune fille charmante.

— Oui ? demanda Phinn. La première fois que je l'ai vue, je l'ai trouvée ravissante, charmante, posée et douce. Mais à présent…

Le duc eut un sourire narquois.

— Quand elle n'essaie pas délibérément de provoquer un scandale dans le but de vous décourager, elle est effectivement tout cela.

— Il se peut que je l'aie encouragée en ce sens, marmonna Phinn.

— Pourquoi donc feriez-vous une chose pareille, puisque cela va à l'encontre de votre projet?

— Elle est déterminée à me prouver que nous sommes incompatibles. Je suis déterminé à lui prouver le contraire.

— C'est ridicule. Il tombe sous le sens que vous êtes faits l'un pour l'autre. Elle vous fournira une bonne raison de travailler un peu moins, et vous lui fournirez le romantisme dont les femmes raffolent. De toute manière, vous n'avez pas le choix. Compte tenu de ce que racontent les journaux.

— J'en suis conscient, dit Phinn, qui regrettait amèrement d'avoir provoqué Olivia.

Il n'avait pas prévu que cela risquait d'avoir l'effet contraire : c'est-à-dire de les contraindre à s'épouser.

— Pourtant, vous êtes ici. À dessiner la vis parfaite, remarqua Ashbrooke.

— C'est que je ne sais pas comment m'y prendre avec Lady Olivia.

— Avec ces ingénues, les apparences sont trompeuses, remarqua Ashbrooke. De prime abord, on croit qu'à titre de moins susceptibles de Londres, elles ne seront que trop heureuses de se jeter dans nos bras. Puis, en moins de deux, c'est vous qui tombez amoureux et tentez de les séduire.

— Je ne vous le fais pas dire, murmura Phinn.

La beauté un peu froide sur laquelle il avait posé les yeux s'était métamorphosée en créature enchanteresse et affolante. Elle était précisément ce qu'il ne voulait pas d'une épouse, pourtant il *la* voulait.

Ce qui était foutument préférable, puisque selon toute apparence, ils avaient de plus en plus besoin l'un de l'autre.

— Qu'allez-vous faire ? demanda Ashbrooke en marchant d'un pas tranquille vers le buffet, où il gardait une réserve de brandy et des verres en vue précisément du genre de conversation qui donnait à un homme l'envie de boire un verre.

— L'épouser. D'une façon ou d'une autre. Elle verra que c'est à présent ce que nous avons de mieux à faire. Ensuite, nous en tirerons le meilleur parti possible.

— Certes, mais que ferez-vous pour l'amener à vous dire oui ?

Phinn haussa les épaules.

— Rogan m'a donné quelques conseils. La couvrir de compliments, la rendre jalouse, ce genre de choses.

— Et ça marche ? demanda Ashbrooke en remettant à Phinn un verre de brandy.

Phinn en avala une gorgée tout en repensant au bal. Il avait aimé bavarder avec Lady Ross, Lady Elliot et les autres dames. Il n'avait toutefois pas éprouvé avec elles la même force d'attraction — semblable à celle de la gravité — qu'avec Olivia.

Qui plus est, il avait aimé sentir sur lui le regard d'Olivia. Chaque fois qu'il l'avait cherchée des yeux dans la foule, il l'avait surprise qui l'observait, ce qui était un net progrès si l'on songeait au bal précédent où elle avait fait de son mieux pour l'éviter. Elle continuait encore de multiplier les coups d'éclat dans le but de le décourager, mais c'était une amélioration.

Mais les autres conseils de Rogan n'avaient pas porté fruit. En fait, ça avait été un échec.

— Disons que je suis ouvert aux suggestions.

Phinn haussa les épaules et sirota son brandy.

— Vous ne pourriez choisir meilleur conseiller, Radcliffe, dit le duc avec un grand sourire. En plus d'être un grand mathématicien et un inventeur, je suis aussi un sacré séducteur. Du moins, je l'étais avant mon mariage.

— Que me conseillez-vous?

— Le truc avec les femmes, c'est qu'elles aiment être transportées, dit posément Ashbrooke.

— Un tour de force, dit Phinn en hochant la tête. C'est ce que m'a conseillé Rogan.

Le duc lui jeta un regard effaré.

— Ne dites *jamais* que transporter une femme est un tour de force.

— Bien, dit Phinn.

Il avala une longue gorgée de brandy. Quels autres conseils idiots de Rogan avait-il suivis aveuglément? Une fois de plus, il regretta amèrement toutes les heures qu'il avait consacrées à la science. Il aurait dû en consacrer un peu plus à étudier l'art de séduire les femmes.

— Jamais, au grand jamais, insista le duc.

— Jamais, répéta Phinn.

— Je voulais dire transportées émotivement. Elles aiment qu'un homme soit assuré, ait confiance en lui, déclara Ashbrooke. Dominant, si vous préférez. Un homme qui prend fermement les choses en main tout en choyant sa femme de telle sorte qu'elle n'a plus qu'à vous aimer.

— C'est ce que vous avez fait?

À en juger par son expression, Ashbrooke semblait repenser avec ravissement à l'époque où il avait courtisé son ingénue. Phinn avala une gorgée de brandy sans même oser espérer qu'il puisse l'imiter un jour.

— Emma était déterminée à résister à tout effort pour la charmer. Mais je savais qu'elle était la femme de mes rêves, et elle a fini par comprendre que j'étais l'homme de ses rêves.

— C'est tout à fait charmant, Ashbrooke, mais j'aimerais quelque chose de plus précis.

— D'abord et avant tout, vous devez l'éloigner des regards curieux et de sa mère excessivement protectrice. Les laissées-pour-compte sont extrêmement conscientes du jugement qu'on porte sur elles. De ce fait, elles sont méfiantes, ce qui est plutôt malcommode lorsqu'on tente de se montrer romantique.

— Les moins susceptibles de Londres, remarqua Phinn.

Ce sobriquet les avait donc marquées. Avait-il fini par se prendre pour le Baron fou et se comporter à l'avenant ? S'agissait-il d'une prédiction qui s'était réalisée d'elle-même ? Se pouvait-il qu'Olivia se rebelle contre ce qu'on pensait d'elle et non contre lui ?

— Précisément, acquiesça Ashbrooke.

Il avala une gorgée et enchaîna :

— Voici ce que vous devriez faire : un déjeuner romantique. Et prévoyez tout dans les moindres détails — le déjeuner, le vin, etc. — de manière qu'elle n'ait à se soucier de rien, hormis de tomber amoureuse de vous. Il ne faut pas qu'elle commence à se demander comment vous avez pu oublier les coupes ou les serviettes.

— Je vois, murmura Phinn.

S'il parvenait à la transporter en se montrant romantique, elle oublierait peut-être ses craintes et, du coup, sa détermination à lui prouver qu'elle n'était pas une Petite Bégueule.

— Lorsqu'elles se mettent à réfléchir, leurs réflexions empruntent un chemin si complexe et si tortueux qu'aucun homme ne peut en suivre les tours et les détours jusqu'à la conclusion déconcertante. Tenter d'y voir clair, c'est s'enfoncer dans des sables mouvants.

Le duc conclut son discours en vidant d'un trait son verre de brandy et en le posant sur la table. Phinn écarta ses dessins.

— Je pourrais peut-être inviter Olivia à un déjeuner sur l'herbe, avança-t-il.

— Excellente idée, approuva Ashbrooke avec enthousiasme. Je connais l'endroit idéal. Dans un coin retiré de Hyde Park se trouvent les vestiges d'un ancien pavillon. Emmenez-la à cet endroit.

— Ça pourrait marcher, dit Phinn. En quelques occasions, j'ai eu l'impression que tout espoir n'était pas vain. Passer un charmant après-midi ensemble nous offrirait peut-être l'occasion de découvrir que nous pourrions être heureux.

Considérant leurs réputations, ils constituaient sans doute l'un pour l'autre le seul parti possible et, partant, leur seule chance d'être heureux.

— Un dernier conseil, dit Ashbrooke en baissant la voix. Si vous devez être chaperonnés, insistez pour que ce soit par une domestique et soudoyez-la afin qu'elle détourne le regard. Veillez à ce que Lady Archer ne vous accompagne pas. Je pense qu'il est inutile de vous expliquer pourquoi.

Chapitre 10

Mettre ou ne pas mettre de bonnet. Telle est la question.
— Principal souci de Lady Olivia

Dans l'anticipation de son rendez-vous avec Phinn, Olivia avait passé une bonne heure à s'interroger sur son bonnet. D'après le très usé (mais guère aimé) *Miroir des Grâces* : «N'exposez jamais votre tête en plein air sans la garantir de ses impressions; un voile sert à la fois de vêtement et de parure.»

Le bonnet était en effet susceptible de lui protéger la tête. Il était orné d'un ruban jaune canari et d'un assortiment de fleurs jaunes et blanches en soie. Pour lui donner un peu d'élégance, on avait ajouté de grandes plumes blanches jaillissant en tous sens et de la dentelle. L'ensemble était hideux.

D'ordinaire, elle évitait de le porter à cause justement de ses monstrueuses ornementations. Mais aujourd'hui, elle y songeait en raison de son rebord exceptionnellement large qui couperait court à toute tentative de baiser si jamais le Baron fou en caressait le projet.

Elle ne voulait pas l'embrasser.

Olivia se toucha les lèvres du bout des doigts, lèvres qui malheureusement n'avaient jamais été embrassées.

Ou peut-être voulait-elle l'embrasser? Possible, si elle n'avait pas été aussi terrifiée.

Sans le vouloir, elle revit les lèvres fermes et sensuelles de Phinn. Et son regard brûlant, qui avait le don de lui faire ressentir des choses. Une telle chaleur. Du désir... ou de la terreur?

Le bonnet. Elle devait se concentrer sur le bonnet. Tout compte fait, elle n'en porterait peut-être pas, ce qui serait scandaleux, tout comme le seraient les taches de rousseur et le coup de soleil qui en résulteraient. Ce serait agréable pour une fois de sortir dehors sans se couvrir la tête d'un vêtement et d'une parure.

Il y avait aussi ces rubans de satin — très longs et très larges, ils lui frôlaient la taille. Pardi, si l'envie lui en prenait, le Baron fou n'aurait aucun mal à l'étrangler avec. Il pourrait même la pendre à la branche d'un arbre.

Olivia suffoqua et pâlit à cette pensée lugubre. Son cœur s'emballa, et ses paumes devinrent moites. La violerait-il avant de l'assassiner? Ou perdrait-il la tête sous le coup d'une fureur monstrueuse et, insensible à la décence et à la raison, tirerait sur les rubans jusqu'à ce qu'elle suffoque? On se souviendrait d'elle comme de la fille ayant été tuée par les rubans de son bonnet.

D'un autre côté, si elle devait prendre la fuite dans la végétation sauvage de Hyde Park par un jour d'été, elle pourrait agiter les rubans jaune vif pour attirer l'attention tout en hurlant à pleins poumons. En fait, à bien y réfléchir, le bonnet pourrait fort bien lui servir d'arme.

Une domestique entra discrètement dans la chambre, et Olivia, plongée dans des pensées terrifiantes, faillit hurler.

— Lady Olivia, Lord Radcliffe demande avec insistance à ce que vous descendiez maintenant.

— Merci, Nancy.

Avec insistance, n'est-ce pas ? Olivia se rembrunit. Était-elle censée lui obéir au doigt et à l'œil ? Ne lui avait-elle pas démontré qu'elle n'était pas la créature docile que tous la croyaient être ?

Parlant d'arme, ne devrait-elle pas remplir son réticule de pierres ? Mais elle n'avait pas le temps de se rendre au jardin. Elle n'avait que des ciseaux de broderie. Elle les jeta dans son réticule. À la dernière minute, elle appliqua un peu de rouge sur ses lèvres.

Puis, elle se coiffa du bonnet et alla affronter son sort.

Suivant le conseil du duc d'Ashbrooke, Phinn avait vu à tous les détails du pique-nique romantique. Il s'était rendu au parc repérer le pavillon. Celui-ci était bel et bien niché dans un coin fort reculé, et il avait eu un mal du diable à le trouver. Mais il était isolé, magnifique et parfait.

Il avait établi le menu avec le chef de Rogan et choisi personnellement les valets qui les accompagneraient. Il portait l'une des vestes toutes neuves que le tailleur venait tout juste de lui livrer. Il avait loué une voiture avec des chevaux assortis.

Ne lui manquait plus que sa fiancée.

— Olivia sera là dans un moment, Lord Radcliffe, lui répéta avec assurance la terrifiante Lady Archer.

Ils étaient assis au salon et parlaient de la pluie et du beau temps depuis un bon quart d'heure.

Il ne partageait pas son assurance. En fait, il avait l'assurance qu'Olivia saisirait le moindre prétexte pour retarder son arrivée. Si elle avait été soudainement frappée d'une maladie grave, rare et très contagieuse, il n'en aurait pas été autrement surpris.

Phinn, se permettant de prendre ses aises, s'appuya au dossier du canapé. Curieusement, qu'elle le défie ne le rendait que plus intrigué et plus déterminé à la conquérir. En d'autres circonstances — notamment, en l'absence de Lady Archer —, il se serait peut-être laissé aller à rêver du moment où elle abdiquerait enfin et au plaisir qu'ils partageraient alors.

Mais d'abord ce fichu déjeuner. Heureusement, il pouvait compter sur les conseils d'Ashbrooke. L'homme était une véritable légende. Comment aurait-il pu se tromper ?

Il allait se montrer résolu et assuré. Il prendrait les commandes. Le Seigneur du château. Il veillerait à ce que tout soit parfait. Olivia n'aurait plus qu'à se laisser séduire.

À la condition que la fichue tête de mule daigne se montrer le bout du nez.

Phinn s'adressa à l'une des domestiques.

— Veuillez dire à Lady Olivia qu'il est temps de partir. S'il vous plaît.

— Oui, bien sûr, dit humblement la domestique avant de disparaître.

Un moment plus tard, Olivia arriva, vêtue d'une robe de jour rayée de bleu et blanc des plus respectables. Il se surprit à regretter la robe scandaleuse et provocante qu'elle portait le soir du fameux bal. Elle était aussi coiffée d'un énorme bonnet propre à décourager toute envie de l'embrasser, tout comme d'ailleurs le rouge à lèvres qui lui fardait de nouveau et fort malencontreusement les lèvres. Bonté divine, en étaient-ils revenus là ?

Qu'importe... il avait très envie de l'embrasser. Essuyer ce truc avec ses pouces et prendre sa bouche dans cette sorte de baiser qui vous faisait perdre la tête.

Lady Archer entreprit aussitôt de s'affairer, réarrangeant le nœud de l'énorme bonnet comme si Olivia avait été encore une enfant, parvenant à agacer tant sa fille que Phinn. Ne voyait-elle donc pas qu'Olivia était devenue une femme, une vraie femme?

— Apporte tes gants, Olivia. Et peut-être une ombrelle, car il serait regrettable que tu sois couverte de taches de rousseur à l'occasion de ton mariage.

Olivia prit une mine exprimant ce qu'elle en pensait, mais accepta tout de même l'ombrelle que lui tendait sa mère et la serra contre sa poitrine.

— Allons-y, dit Phinn.

— Je vais chercher mon bonnet, dit joyeusement Lady Archer.

Le cœur de Phinn se serra. Lady Olivia le regarda d'un air torturé.

Montrez-vous déterminé et ferme.

Débarrassez-vous de Lady Archer.

— À vrai dire, Lady Archer, Lady Olivia et moi aimerions passer un peu de temps en tête-à-tête afin de mieux nous connaître. Nous déjeunerons avec vous une autre fois, mais aujourd'hui, Lady Olivia et moi irons seuls.

— Mais c'est inconvenant, dit Lady Archer. Les racontars vont déjà bon train.

Phinn était conscient de la chagriner. Mais quoi. Un homme ne pouvait séduire une jeune fille sous le regard de ses parents. Et ceux-ci s'étaient déjà trop mêlés de ce qui ne les regardait pas.

— Une domestique nous accompagnera. Mais j'aimerais m'entretenir avec Lady Olivia. En tête-à-tête.

Il entendit un hoquet s'échapper de dessous le bonnet. Il était conscient qu'elle s'était retournée pour le regarder. Craignait-elle toujours qu'il l'assassine ? Ou était-elle choquée qu'il tienne tête à sa mère ?

— Bonne journée, Lady Archer, dit Phinn en la saluant d'un hochement de tête. Nous serons de retour vers la fin de l'après-midi.

Phinn tendit la main à Olivia pour l'aider à grimper dans le phaéton haut perché. Impossible pour elle d'y arriver sans aide. Elle envisagea brièvement de prendre ses jambes à son cou. Mais elle n'avait nulle part où se cacher et elle n'irait pas très loin avec ses jupes qui s'entortilleraient autour de ses chevilles et son bonnet qui lui obscurcirait la vue.

Elle allongea sa main gantée à contrecœur et la posa sur celle de Phinn. Il avait la poigne ferme — mais très loin de l'étau mortel qu'elle redoutait. Pendant un moment, il ne fut qu'un gentilhomme séduisant aidant une dame à monter dans une voiture. Ce moment aurait dû être charmant.

Mais pourquoi ne l'était-il pas ?

Puis, elle se rappela qu'elle s'était coiffée de son bonnet le plus affreux et fardé les lèvres. C'était drôle, tout de même, qu'elle s'acharne à inventer mille moyens de le dégoûter si profondément qu'il rompe le contrat de mariage, et qu'elle se sente en même temps sotte d'agir ainsi. Se pouvait-il qu'elle ne soit pas taillée pour être inconvenante ? Se pouvait-il qu'elle mérite le surnom de « Petite Bégueule » et qu'elle soit en train de se rebeller contre un sort inéluctable ?

Elle soupira, ses rêves d'une cour délicieuse et d'une idylle enlevante s'estompant à vue d'œil...

Phinn prit les rennes, et ils atteignirent promptement les abords du parc. Le cœur d'Olivia s'emballa. La voiture s'engagea sur Rotten Row, et Olivia se recroquevilla sur la banquette, mortifiée qu'on l'aperçoive avec ce bonnet ridicule sur le crâne et les lèvres barbouillées de rouge.

Alors même qu'elle pensait qu'il n'y avait rien de plus affreux que d'être vue dans cette tenue ridicule en compagnie du Baron fou, la voiture bifurqua vers un sentier peu fréquenté qu'elle ne reconnut pas.

— Où allons-nous ? demanda-t-elle d'une voix tremblotante.

— Déjeuner dans le parc, répondit Phinn, les yeux fixés sur la route.

— Heureusement que j'ai mon ombrelle, répliqua Olivia. Je rougis affreusement sous le soleil.

Et l'ombrelle pourrait lui servir d'arme au besoin...

Si seulement elle avait pu compter sur une ombrelle dissimulant une lame que l'on fait jaillir en pressant un bouton secret au lieu de cette chose ravissante, délicate et purement décorative. Une ombrelle qui n'arriverait même pas à la protéger de la pluie, moins encore des avances intempestives d'un meurtrier.

— Ne vous faites pas de souci. J'ai choisi un endroit ombragé et retiré, dit Phinn en lui décochant un coup d'œil et un sourire.

S'agissait-il d'un sourire énigmatique ? D'un sourire bienveillant ou d'un sourire malveillant ?

— Je préfèrerais un endroit plus fréquenté, dit-elle.

Il n'oserait pas s'en prendre à elle en public.

Mais peut-être n'en avait-il pas l'intention, objecta sa conscience. L'autre soir, au bal, elle les avait mis tous deux dans l'embarras. Il aurait eu toutes les raisons du monde d'être furieux contre elle, étant donné qu'elle les avait ridiculisés en s'habillant comme une dévergondée, en s'enivrant et en se jetant pratiquement au cou de Lord Harvey (geste dont elle se sentait encore honteuse). Lorsque Phinn avait tendu la main vers elle pour repousser une mèche de ses cheveux, elle avait tressailli tant elle avait craint qu'il la frappe.

Mais son geste était tendre, il avait simplement voulu remettre en place une mèche de cheveux. Comme un amoureux. Olivia lui lança un coup d'œil et, pour la première fois, osa les imaginer, Phinn et elle, en train de faire l'amour. Assise à ses côtés dans l'étroit phaéton, elle pouvait sentir la cuisse musclée de Phinn touchant la sienne et la robustesse de son bras. Des bras qui l'étreindraient — ou qui l'étrangleraient? Elle leva les yeux vers sa bouche — une bouche pleine, sensuelle —, ferma les paupières et imagina les lèvres de Phinn sur les siennes.

La voiture franchit une ornière, et Olivia fut abruptement tirée de sa rêverie. Une rêverie sidérante, indécente, *indigne* d'une dame, rêverie dont elle sortit dans à peu près le même état que lorsque Phinn s'était agenouillé devant elle, plus dévêtue que vêtue dans sa robe déchirée, et lui avait jeté Ce Regard. Bref, une chaleur étrange se répandit dans ses membres. Elle se surprit à chercher son souffle, consciente une fois de plus que sa robe l'étranglait. Elle souhaita pouvoir l'enlever, de même que le bonnet dont les rubans lui irritaient le cou. S'ils s'épousaient, il lui retirerait sa robe. Il retirerait sa veste et tout le reste. Elle se retrouverait seule, vulnérable, à sa merci.

— Cela vous plaira, j'en suis certain, dit Phinn.

— Pardon? demanda Olivia, inquiète qu'il ait lu dans ses pensées.

— Le déjeuner. Je suis certain que cela vous plaira, dit Phinn.

Il tourna la tête vers elle et la regarda avec curiosité.

— Pourquoi? À quoi pensiez-vous?

— C'est sans importance, dit Olivia en se recroquevillant sur son siège.

Avait-il remarqué qu'elle rougissait? Si oui, pourrait-elle prétendre que le soleil était trop chaud? Pas avec cet affreux bonnet et ce stupide rouge à lèvres. Elle soupira. Se contenta de soupirer.

— Je vous en prie, ne vous inquiétez pas, dit Phinn. J'ai tout prévu. Vous n'aurez à vous soucier de rien.

Elle supposa qu'il avait voulu la rassurer. Il souriait gentiment. Mais cela eut pour unique effet de lui rappeler qu'il voulait une épouse soumise. Une femme ennuyeuse, docile, qui ne se servirait de son cerveau que pour obéir aux consignes de son mari. Il allait sans dire que même si elle ne savait pas clairement ce qu'elle voulait, elle savait toutefois ce qu'elle ne voulait pas. Elle n'était pas une gamine, ni un petit soldat, ni une domestique. Elle était une femme qui voulait aimer et être aimée.

Sur ces entrefaites, la voiture quitta carrément le sentier. Ce n'était pas non plus ce qu'elle voulait, songea-t-elle en se retenant au garde-corps d'une main et en agrippant son ombrelle de l'autre. Les chevaux avancèrent au trot sur l'herbe, puis s'engagèrent sur un nouveau sentier broussailleux.

— Où allons-nous? demanda-t-elle.

— Ashbrooke m'a parlé des vestiges d'un vieux pavillon, dit Phinn. J'ai pensé que nous pourrions y aller.

Olivia connaissait l'existence de ce pavillon. Le duc l'avait fait construire — illégalement et à grands frais — par amour pour Emma. Olivia se réjouissait pour son amie. Sincèrement. Si quelqu'un méritait un pareil amour et un tel bonheur, c'était bien Emma.

Mais, elle, Olivia? Ne méritait-elle pas également de vivre un grand amour?

Phinn jura dans sa barbe.

— Vous êtes certain de savoir comment vous y rendre? demanda Olivia, bien qu'une jeune dame ne doive pas critiquer un homme. Parce que vous semblez égaré.

Phinn se tourna vers elle. Il posa ses yeux verts sur elle. Haussa un sourcil. Lui retourna la question.

— Parce que *vous* connaissez le chemin?

Ce qui la prit de court.

— Non, reconnut-elle dans un souffle.

En fait, elle n'aurait même pas pu regagner Rotten Row.

— Ah, le voici, dit Phinn avec un soupir de soulagement.

En effet. L'étrange pavillon était fait de pierres qu'on avait délibérément patinées. Une épaisse glycine s'enroulait autour des colonnes. La coupole du toit bloquait les rayons du soleil. Olivia n'aurait besoin ni de son ombrelle ni de son bonnet.

Un valet était déjà venu dresser la table et apporter les fauteuils. Après avoir aidé Olivia à descendre de voiture, Phinn s'empara du panier solidement arrimé à l'arrière du phaéton.

— C'est lourd? Cela semble lourd, dit Olivia.

Le panier était énorme. Il devait contenir un festin, ce qui était pour le mieux, car Olivia avait faim. Et, dans son désir d'enfreindre toutes les règles de bienséance imposées aux dames, elle prenait plaisir à se goinfrer. D'autant qu'il s'agissait sans doute de son dernier repas.

— Oui. C'est très lourd, dit Phinn.

Cependant, le porter ne semblait exiger aucun effort de sa part. Olivia tenta, par esprit de charité, d'admirer sa force au lieu de, disons, songer qu'il lui serait facile de l'entraîner à l'écart et de lui faire subir mille outrages.

Elle rougit à cette idée. Par «outrages», elle ne songeait pas à un meurtre. Pour une fois.

La table était couverte d'assiettes, de couverts et de coupes. Il ne restait guère de place pour le festin que Phinn tira du panier. Outre une quantité astronomique de nourriture, il y avait des bouteilles de vin blanc frappé et des cruches d'eau fraîche.

— Quel festin! s'exclama Olivia en reluquant les plats étalés devant elle.

— Je ne connaissais pas vos goûts, dit Phinn.

Malgré elle, Olivia se sentit touchée par ses attentions.

— Et j'ignorais ce qui vous mettrait en appétit.

— C'est très attentionné de votre part. Je vous remercie, dit-elle en lui donnant ainsi un aperçu des manières exquises pour lesquelles elle était réputée.

Ou l'avait été. Elle avait entrevu quelques lignes de la rubrique mondaine : «Chez Almack's, Lady Olivia Archer n'a guère fait montre de la grâce, du raffinement et des manières auxquels elle nous avait habitués.» Après cela, sa mère avait pris le lit avec un flacon de sels tout l'après-midi. Olivia en avait profité pour lire les rubriques mondaines de toutes les feuilles de chou sur lesquelles elle avait pu mettre la main, à la suite de quoi, elle aussi avait manqué de se mettre au lit.

— J'ai aussi remarqué que vous aviez bon appétit, dit-il.

Elle fut prise d'une quinte de toux. Pour être honnête, elle avait pris grand soin de manger comme un ogre en sa présence, pour mieux le décourager. Cependant, il était déconcertant qu'un homme commente son appétit.

— Je suis affreusement navré, dit-il, visiblement peiné. Je n'aurais pas dû dire cela.

— En effet.

— Je voulais juste dire...

— C'est bon, Lord Radcliffe.

Olivia soupira. Elle s'attendait à ce que ce déjeuner soit une catastrophe. Du moins, seul son orgueil avait été blessé, pas sa personne.

— Phinn. De grâce, appelez-moi Phinn.

Il sourit. Et le cœur d'Olivia palpita. Il était séduisant quand il souriait... si seulement sa cicatrice ne lui avait pas rappelé son passé violent.

Olivia prit place à table et examina les plats. Une douce brise agitait les arbres. Seul le chant d'un oiseau rompait le silence. Elle eut soudain la conscience aiguë qu'ils étaient tout à fait seuls dans un endroit tout à fait reculé.

En vue d'attaquer le repas, elle retira ses gants. Le Baron fou l'imita. Elle remarqua que ses mains étaient couturées de cicatrices, comme pour la mettre en garde contre les activités violentes de Phinn.

— Qu'est-il arrivé à vos mains? demanda-t-elle.

— Oh, de petits accidents de travail. Je me suis brûlé en manipulant le métal en fusion dont je me sers pour fabriquer

des outils, ou je me suis coupé sur les arêtes vives de certaines machines.

— C'est moins terrible que ce que j'imaginais,
répondit-elle.

— Navré de vous décevoir, murmura-t-il. Un peu de vin?

— S'il vous plaît.

Peut-être qu'un verre de vin réussirait à lui détendre les
nerfs. Elle devait toutefois veiller à ne pas en boire davantage.

Phinn versa une généreuse rasade de vin blanc bien frais
dans leurs coupes.

— Santé, dit-il en levant son verre vers elle.

Ils échangèrent un sourire — celui de Phinn hésitant,
celui d'Olivia un peu crispé. Leurs regards se croisèrent.

Les yeux de Phinn étaient vraiment remarquables. Verts,
ombragés de cils foncés. Des yeux qui en savaient long. Qui
étaient à la fois fascinants et terrifiants.

Elle prit une petite gorgée de vin. Et il était séduisant —
Emma avait raison. Il *s'efforçait* de lui plaire. Elle s'en rendait
compte. Un homme n'organisait pas un déjeuner luxueux
dans un endroit romantique s'il ne nourrissait pas l'intention d'épouser la dame en question.

Pourtant, il avait pratiquement avoué avoir assassiné sa
première femme. Et voilà qu'elle était seule avec lui. Dans un
endroit reculé. Où personne ne l'entendrait crier.

Phinn proposa un toast :

— Au plaisir de découvrir si nous sommes faits l'un
pour l'autre.

Les dames ne prennent que des petites gorgées délicates. Elle
avala une bonne rasade de vin. Puis une autre, jusqu'à
presque vider son verre.

Phinn lui jeta un regard curieux.

— Encore? demanda-t-il en prenant la bouteille.

— Ma mère m'interdit de boire du vin, dit Olivia en avalant une nouvelle gorgée. Elle prétend que cela porte une femme à s'oublier.

— Buvez-en une bonne quantité et vous oublierez tout, lança-t-il en boutade, ce qui arracha un sourire nerveux à Olivia.

Que voulait-il donc qu'elle oublie?

Son cœur se mit à battre la chamade.

— Bon, si vous avez l'intention de boire conséquemment, il vous faut manger, dit Phinn.

— Bien sûr, murmura-t-elle en se servant — et en saisissant sa fourchette et son couteau qui, le cas échéant, pourraient lui servir d'armes.

Entre ses ustensiles, les ciseaux de broderie dans son réticule, l'ombrelle et le bonnet avec ses rubans, elle disposait d'un véritable arsenal féminin.

Ainsi rassurée, elle décida de se détendre un peu. Le vin la calmait. La nourriture était exquise; le décor, enchanteur.

— Olivia, je tiens à vous présenter mes excuses, dit Phinn, ce qui étonna Olivia.

— Pourquoi?

— Je n'aurais pas dû parier avec vous, dit-il. Cela a entraîné des conséquences indésirables que je n'avais pas prévues.

— Que voulez-vous dire?

Elle sirota son vin en s'interrogeant sur ces conséquences indésirables.

— Vous avez lu la rubrique mondaine, je suppose.

— Bien entendu, répondit-elle.

Elle respira un peu mieux.

— Votre réputation a souffert à cause du comportement que je vous ai poussée à adopter chez Almack's. Sans compter que Rogan avait allongé la citronnade.

Quoi — Prudence n'y avait-elle pas également versé du gin ? Pas étonnant qu'elle se soit sentie aussi dégagée.

— J'ai commis une erreur de jugement, poursuivit Phinn. Je vous prie de m'en excuser.

Olivia réprima un sourire. On y était ! Il avait commis une erreur de jugement en la croyant soumise ; elle lui avait prouvé le contraire. Et à présent, il ne voulait plus l'épouser à cause des racontars. Son plan avait marché.

Veillant à ne pas paraître trop réjouie, elle répondit d'une voix soigneusement modulée :

— Je comprendrais que vous souhaitiez rompre nos fiançailles et ne plus m'épouser en raison de ma fâcheuse réputation.

— Au contraire, Lady Olivia, dit Phinn en la regardant. Mon honneur m'ordonne de vous soutenir.

— Mais… mais… mais…, bredouilla Olivia.

Ce n'était pas censé se passer ainsi !

— Mais nous ne sommes pas faits l'un pour l'autre !

Phinn prit une gorgée de vin. Il posa sur elle son fabuleux regard. C'est qu'il n'était pas fou.

— Dites-moi, Olivia, en quoi ne sommes-nous pas faits l'un pour l'autre ?

Parlait-il sérieusement ? Olivia leva les yeux vers lui. Était-ce un petit sourire amusé qui lui relevait le coin des lèvres, ou imaginait-elle cela ? À son avis, il se moquait d'elle, mais si ce n'était pas le cas, elle devait absolument saisir l'occasion de lui expliquer pourquoi elle serait pour lui la pire des épouses. Surtout qu'il lui avait affirmé son intention de la soutenir — sans doute au pied de l'autel.

— Tout d'abord, je suis plutôt volage, dit-elle en songeant à tous les voyous auxquels elle avait fait les yeux doux : Lord Gerard, Beaumont et Harvey. Vous souhaitez sûrement que votre femme vous soit dévouée. Exclusivement.

— Ce serait préférable, approuva Phinn. Je n'aimerais pas partager ma femme avec d'autres hommes.

— De plus, je bois trop, dit Olivia.

Pour appuyer ses dires, elle prit une gorgée très peu digne d'une dame. Lorsqu'elle reposa sa coupe, elle se sentit délicieusement réchauffée et quelque peu étourdie. En fait, elle n'aurait pas détesté s'allonger. Mais elle devait d'abord lui faire clairement comprendre qu'ils n'étaient pas faits l'un pour l'autre.

— Si vous voulez une épouse respectable, vous ne devez pas vous mettre la corde au cou avec une ivrogne qui fait des cabrioles avec des voyous.

Elle n'aurait jamais cru se décrire en ces termes. Elle n'aurait jamais cru non plus en arriver un jour à faire des pieds et des mains pour convaincre un homme qu'il ne devait pas l'épouser parce qu'ils n'étaient pas faits l'un pour l'autre.

Il n'échappa toutefois pas à son attention qu'il y avait un soupçon de vérité dans ce qu'il lui avait dit — les journaux s'étaient montrés cruels, ce qui risquait de faire fuir les prétendants. Si Phinn ne l'épousait pas, elle resterait vieille fille. Elle serait l'unique échec de Lady Penelope. Mais faire un mariage d'amour lui semblait plus important.

— Je crée le scandale, comme vous avez pu le constater, poursuivit-elle. De ce fait, je risque fort de provoquer votre colère. Je suppose que votre première femme vous rendait fou de colère.

— Parfois, reconnut Phinn. Mais je m'étais engagé. Jusqu'à ce que la mort nous sépare. Je prenais ce vœu très au sérieux. J'ai donc fait de mon mieux pour ne pas y faillir.

Olivia devint livide. Et palpa son réticule pour s'assurer que les ciseaux s'y trouvaient toujours au cas où elle en aurait besoin. Rassurée, elle but encore un peu de vin. Le vin ne l'incitait pas à s'oublier, mais il lui déliait énormément la langue.

— L'avez-vous tuée parce qu'elle vous rendait fou de colère ? demanda-t-elle dans un souffle.

Phinn soupira. Il soupira ! Pourquoi *cela* ?

— Ne me dites pas que cette fable du Baron fou qui a assassiné sa femme vous inquiète *encore* ?

— Oui ! Oui, elle m'inquiète. Elle inquièterait n'importe quelle femme. Est-ce la raison pour laquelle vous avez discuté mariage avec mes parents avant même que nous fassions connaissance ? Parce que vous saviez que je refuserais ?

— De quoi diable parlez-vous ? demanda Phinn en se passant la main dans les cheveux. Ashbrooke m'avait prévenu…

— Vous avez discuté de moi avec Ashbrooke ?

— Évidemment. Sinon, comment aurais-je été au courant de l'existence de cet endroit ?

— À force de rechercher des endroits isolés où il vous serait possible de violer et de disposer du corps d'une jeune fille. Évidemment.

— Friande de romans noirs, n'est-ce pas ? se moqua Phinn. Sachez que le duc m'a donné quelques conseils sur la manière de séduire une femme récalcitrante. Il m'a dit qu'Emma avait dit…

— Emma! s'exclama Olivia, incrédule. Je n'en reviens pas, maugréa-t-elle.

Elle voulut prendre une gorgée de vin. Trouva son verre vide. Allongea la main vers la bouteille, mais Phinn l'arrêta.

— Je crois que vous devriez boire un peu d'eau, dit-il.

— Non, merci, répliqua-t-elle. N'oubliez pas que je suis une dévergondée qui boit trop.

Il se fendit d'un sourire. Sans tenir compte de ses désirs, il remplit son verre avec de l'eau.

— Je trouve intéressant, Lady Olivia, que tous vos arguments se rapportent à vous. Je ne peux m'empêcher de constater que vous ne dites rien de mon caractère.

— Eh bien…

— Mon apparence vous répugne-t-elle? Je sais que la cicatrice est quelque peu effrayante. Ce n'est que le résultat d'une malencontreuse collision avec une assiette brisée.

Olivia le regarda, le regarda attentivement. La cicatrice n'était pas du tout effrayante — ce n'était qu'une fine ligne blanche courant de sa tempe à son œil. Sinon, sa peau était parfaite. Ses cheveux étaient sombres et quelque peu indisciplinés. Elle avait remarqué qu'il y passait la main quand il était agacé. À en juger par leur état actuel, elle l'avait drôlement agacé aujourd'hui.

— Non, dit-elle doucement.

Elle ne le trouvait pas répugnant.

— Me trouvez-vous ennuyeux?

Elle y réfléchit. Il la terrifiait. La faisait rire. L'agaçait. Mais il n'était pas ennuyeux.

— Non, reconnut-elle.

— En aimez-vous un autre ?

— Non.

Phinn se passa la main dans les cheveux. Souffla brièvement par le nez. Il commençait à perdre patience. Elle s'en rendait compte, en dépit du bonnet ridicule qui lui voilait la vue.

— Craignez-vous vraiment que je vous fasse du mal ? demanda-t-il.

Puisqu'il le *demandait*, aussi bien lui répondre franchement.

— J'ai mis mes ciseaux de broderie dans mon réticule. Juste au cas.

Phinn la regarda. Puis il éclata de rire.

— Vous trouvez cela amusant ? demanda Olivia.

Lorsqu'il cessa enfin de rire, il répondit :

— Ce n'est pas drôle du tout. Mais il vaut mieux en rire…

Phinn se pencha en avant.

— Je suis attiré par vous, Olivia. Vous devez vous marier. Je veux me marier et je veux que ce mariage soit différent du premier. En dépit de vos efforts pour me convaincre que nous ne sommes pas faits l'un pour l'autre, je crois que nous le sommes. Par exemple, j'ai été fort heureux d'apprendre de votre bouche, de la bouche de vos parents, de la bouche de tout le monde en fait, que vous cultivez plusieurs passe-temps. Le piano, la peinture, les compositions florales. Il ne me sera pas nécessaire de vous divertir à longueur de journée, ce qui me laissera le loisir de travailler.

— Et la nuit ?

Elle se rendit compte qu'elle avait trop bu pour oser formuler cette question.

— Je veux une épouse la nuit également, dit Phinn d'une voix basse.

Un frisson parcourut l'échine d'Olivia. Une chaleur se répandit en elle. Un curieux désir. Et de la peur. Elle n'y arriverait pas. Elle le craignait trop pour s'abandonner ainsi à sa merci. Nue, sous lui…

Elle rougit violemment et prit une gorgée d'eau. Elle aurait voulu être ailleurs.

Il était injuste qu'elle se soit donné tout ce mal pour ternir sa réputation — en vain. De plus, il était le *seul* homme que ses passe-temps n'ennuyaient pas à mourir. Soudain, l'injustice de sa situation fit déborder le vase.

— Je déteste broder, éclata-t-elle. Si je pouvais ne plus jamais tenir une aiguille de ma vie, je mourrais heureuse. Je trouve le pianoforte ennuyeux. J'ai passé des heures et des heures à répéter mes gammes et je n'ai le droit de jouer que les airs que ma mère estime convenables pour une jeune dame. Il m'arrive parfois de rêver d'interpréter des chansons grivoises dans un vrai récital, mais on ne me le demande jamais, car je suis moins populaire que les autres filles. Et si je dois peindre une autre nature morte, je vais piquer une crise.

— Qu'aimeriez-vous ? demanda-t-il, comme si c'était tout simple.

Comme si son emportement ne l'incommodait pas le moindrement.

— Je ne sais pas. Je n'ai jamais eu l'occasion de le découvrir. Et je ne le saurai jamais si je me retrouve enfermée dans le grenier de votre château perdu au fond du Yorkshire pendant que vous vous amuserez à fabriquer des machins dangereux ! Je vais passer le reste de mes jours à trembler de peur à l'idée de connaître la même fin que votre première femme !

Olivia se plaqua vivement la main sur la bouche.
Les jeunes dames ne s'emportent pas.

Phinn s'était autrefois livré à une expérience qui n'avait pas produit le résultat escompté. Cet échec l'avait tracassé pendant un an, jusqu'à ce qu'il se rende compte qu'il en avait tiré un enseignement qui se révéla être essentiel à la résolution d'un problème plus important. Ce déjeuner était similaire. Il avait voulu mieux la connaître. Il y avait réussi, semblait-il, mais pas comme il l'avait espéré.

Elle le craignait toujours. La peur poussait les gens à faire, dans le but de se protéger, des choses dont ils se croyaient incapables. Elle n'était peut-être pas une petite bégueule. Elle n'était peut-être pas une dévergondée outrageusement fardée et portée à s'enivrer, comme elle tenait à lui faire croire. Quelque part entre ces deux extrêmes se trouvait la véritable Olivia, celle qui l'avait attiré. Elle était effrayée.

Peut-être apaiserait-il ses craintes en lui parlant de Nadia, de l'accident, de sa mort. Il allait le faire.

C'est alors que la situation vira au cauchemar.

Des bruits détournèrent l'attention de Phinn. Il aperçut Rogan tenant les rênes d'une calèche pleine de dames et de messieurs qui s'amusaient à évaluer jusqu'à quel point ils pouvaient se pencher à l'extérieur de la voiture sans tomber par terre. Il suspecta qu'ils se fiaient uniquement au hasard, sans tenir compte de leur poids, de la gravité et de facteurs physiques de ce genre, comme lui l'aurait fait.

— Salut, les amoureux ! lança Rogan, interrompant ainsi abruptement leur tête-à-tête.

Pour la première fois de sa vie, Phinn envisagea sérieusement de commettre un meurtre.

Rogan jeta les rênes à son voisin, sauta au bas de la calèche et grimpa allègrement les marches du pavillon. Comme s'il avait été invité. Ce qui n'était pas du tout le cas.

— Olivia, vous vous souvenez de Lord Rogan, un homme que j'ai autrefois considéré comme mon ami, dit aigrement Phinn.

— Complice dans le crime est un terme s'appliquant mieux à un gredin tel que moi, dit Rogan, ce qui en la circonstance n'était guère indiqué.

Olivia, les yeux écarquillés, regarda alternativement les deux hommes. Puis, elle porta la bouteille de vin à ses lèvres et en avala une bonne rasade. Rogan l'observa avec curiosité, et lorsqu'il reprit la parole, ce fut d'une voix plus calme.

— J'ai jugé bon de venir voir comment se déroulait votre déjeuner entre amoureux.

— Fort bien. Tu peux t'en aller.

Olivia déposa si brusquement la bouteille de vin que les couverts et la porcelaine tintèrent. Phinn jeta un coup d'œil catastrophé vers la calèche pleine de gens qui regardaient la Petite Bégueule boire du vin à même la bouteille.

— À court de vin? J'en ai dans la voiture, répondit Rogan.

Phinn préférait ne pas savoir pourquoi Rogan se baladait au milieu de la journée dans une voiture emplie de vin.

— À vrai dire, j'aimerais retourner à la voiture, dit Olivia en se levant et en se raccrochant à son fauteuil. Je me sens bizarre. J'ai les paupières lourdes. Et le cerveau… embrouillé.

— Boire du vin par un après-midi ensoleillé a de quoi étourdir et indisposer n'importe qui, dit Phinn comme elle vacillait.

Il se leva d'un bond et lui prit le bras, dans l'intention de la raccompagner à la voiture ou de l'emmener faire quelques pas loin des envahisseurs.

Elle leva vers lui deux yeux bleus interrogateurs. Interrogations auxquelles il répondrait volontiers dès qu'il se serait débarrassé de Rogan.

Olivia se rendit compte qu'elle s'appuyait contre Phinn. Elle se sentait très étourdie et quelque peu chancelante, et Phinn lui offrait un appui robuste, inébranlable, rassurant. Cette dernière gorgée de vin avait été de trop ; elle n'avait pas eu particulièrement envie de l'avaler, mais l'avait cru nécessaire pour lui apporter la preuve de ce qu'elle avançait.

Mais que voulait-elle lui prouver au juste ? Tout ce qu'elle savait, c'était que ça la reprenait : du désir mêlé de peur. En ce moment, le regard de Phinn était chaud et affectueux, mais elle avait vu comme il devenait froid et distant quand il était en colère.

Le temps d'une seconde, elle parvint sans mal à faire fi des trouble-fête et à concentrer son attention sur les lèvres de Phinn. Il inclina la tête. Allait-il l'embrasser ? Le cœur d'Olivia se mit à battre à tout rompre. On les observait ! Et si ce n'avait pas été le cas ?

— Tu as versé quelque chose dans son verre, n'est-ce pas ? demanda Rogan avec un large sourire. Brillant.

Olivia regarda alternativement les deux hommes.

— Vous m'avez empoisonnée ? hoqueta-t-elle.

Il est vrai qu'elle se sentait affreusement étourdie et faible.

— Mon Dieu, je vais mourir, marmonna-t-elle.

— Olivia, vous n'allez pas mourir. Jamais je ne ferais une pareille chose, dit Phinn d'une voix pressante. Jamais je ne vous ferais de mal. Rogan dit des sottises.

— Mais je me sens si mal, bredouilla-t-elle.

Elle bâilla et posa la tête sur l'épaule de Phinn, lui frappant sans le vouloir la figure de son affreux bonnet. Elle était trop lasse pour s'en soucier.

— C'est à cause du vin, expliqua Phinn.

— Quelle quantité lui en as-tu fait boire? demanda Rogan.

Il détacha son regard inquiet d'Olivia pour en adresser un sévère à Phinn.

— On dirait qu'elle souffre d'empoisonnement éthylique.

— Des paroles mal avisées, dit sèchement Phinn.

Olivia le sentit se tendre. Il lui serra plus étroitement le bras. Elle lui jeta un coup d'œil et vit sa mâchoire se contracter. Il avait le souffle court et rapide. Rogan le rendait furieux. Si celui-ci avait pour deux sous de jugeote, il se fermerait la trappe. Mais elle était trop lasse pour le mettre en garde. Par ailleurs, peut-être avait-il raison?

Rogan lui lança un regard curieux. Elle lui retourna un regard vide.

— Pourquoi es-tu encore là? réussit à gronder Phinn entre ses dents serrées.

— Elle a vraiment l'air malade, Phinn. C'est décidément un empoisonnement éthylique.

— Empoisonnée? J'ai été empoisonnée? hoqueta Olivia.

Elle s'efforça de garder les yeux ouverts. Que faire? Rogan n'était d'aucun secours; elle ne pouvait compter que sur elle-même. Elle tenta de se libérer de Phinn afin de prendre ses ciseaux.

Phinn la retint.

— Vous n'avez pas été empoisonnée, dit-il fermement, après quoi il se tourna vers Rogan. Et toi, que diable
t'imagines-tu être en train de faire ?

— J'essaie de me rendre utile, dit Rogan en reculant prudemment d'un pas.

Olivia sentit l'étreinte de Phinn se resserrer. C'était ce
qu'elle redoutait.

— Tu connais mon tempérament, Rogan. Je vous accorde,
à tes amis et toi, précisément dix secondes pour décamper.
Sinon...

— Je vous laisse, alors, dit Rogan en s'efforçant d'adopter
un ton jovial.

Puis, il se dépêcha de regagner la calèche à l'instant
même où Olivia se sentait défaillir.

Avec son corset qui l'étranglait, sa robe sous laquelle elle
suffoquait, le vin qui l'étourdissait et le soleil qui la frappait
durement, elle n'en pouvait plus. Elle sentit vaguement ses
jambes se dérober sous elle.

Phinn la rattrapa.

Elle eut conscience d'être soulevée de terre et emportée
jusqu'à la voiture comme une fragile demoiselle en détresse.
Sa tête reposait contre la poitrine de Phinn. Les battements
réguliers de son cœur la berçaient. Elle s'émut quelque peu
en se rendant compte qu'il la portait et qu'on les observait...

— Un tour de force ! lança Rogan à Phinn.

Si elle n'avait pas été si faible, elle aurait frappé Rogan
de son ombrelle. Au lieu de quoi, elle sombra dans le
sommeil.

— N'associe jamais une femme à un tour de force, imbécile, cracha Phinn entre ses dents serrées.

Il baissa les yeux sur le visage paisible d'Olivia. Sa poitrine se détendit. Il inspira profondément. Son pouls ralentit. Elle l'apaisait. Et, ainsi apaisé, il comprit que Rogan avait bel et bien voulu se rendre utile, mais qu'il avait tout bonnement le don de jeter de l'huile sur le feu.

Par exemple : la bande de passagers remuants et avides de commérages de la calèche pourraient se vanter d'avoir vu le Baron fou transporter une femme inconsciente depuis un pavillon isolé jusqu'à une voiture rangée non loin de là.

En moins d'une heure, on chuchoterait qu'il l'avait assassinée, rumeur que s'empresseraient de confirmer tous ceux l'ayant vu tenter de conduire d'une main sa voiture jusque chez les Archer tout en soutenant Olivia de l'autre. Olivia, dont le corps était flasque. Et les paupières, closes. Les apparences jouaient contre lui. Et il maudit son sort — ou peut-être pas ?

Chapitre 11

Lord Radcliffe, mieux connu des gens de la Haute sous le sobriquet de « Baron fou », n'a guère agi de manière à démentir la rumeur en se montrant en train d'emporter le corps inconscient de Lady Olivia Archer depuis un lointain pavillon de Hyde Park, où ils étaient censés déjeuner. Le mot « poison » a été prononcé. Impossible désormais pour Lady Archer, fortement compromise, de ne pas l'épouser. Qui eût cru qu'elle deviendrait la moins susceptible de Londres de survivre à sa nuit de noces ?

— Une dame distinguée, « Les coulisses du beau monde »,
London Weekly

— C'est fâcheux, dit Prudence en reposant le journal après avoir lu le dernier épisode des « Coulisses du beau monde ».

Les gens de la Haute ne parlaient plus que de cela. Prudence et Olivia avaient convoqué Emma aussitôt après l'avoir lu.

Olivia grogna et s'enfouit la figure dans les mains. Il était inutile de lui rappeler à quel point c'était « fâcheux ».

— En fait, j'irais jusqu'à dire que c'est très fâcheux, dit gravement Emma.

Olivia se rejeta en arrière sur le canapé.

— Également très fâcheux, dit-elle, ma mère s'est éva-
nouie lorsque Phinn m'a ramenée à la maison, inconsciente
et presque sans vie entre ses bras après notre charmant
déjeuner. Pis encore : mon père l'a copieusement engueulé.
Je ne pense pas qu'ils se battront en duel, mais je suis certaine que l'archevêque a été appelé.

Fâcheux. Épouvantable. Catastrophique.

— Olivia, que s'est-il passé au juste ? demanda Emma.

— Hormis le fait que j'ai été empoisonnée ? répliqua
Olivia.

— Avec quoi ? demanda Prudence, fortement intriguée.

— Avec du vin, dit Olivia. Et peut-être autre chose.

— Tu t'es juste soûlée, pouffa Prudence. Comment as-tu
pu te soûler au déjeuner ? Je comprends qu'on puisse se soûler chez Almack's avec de la citronnade allongée d'alcool.
Mais l'après-midi ?

— J'étais une boule de nerfs, j'avais peur qu'il me viole et
me tue dans les bois, confessa Olivia. Boire du vin me calmait.

— On serait pourtant porté à croire que tu aurais voulu
avoir les idées claires en la circonstance, remarqua Prudence.

— Je te suis reconnaissante, Prudence, de me dire cela
maintenant.

— Visiblement, il n'a rien fait de tel, souligna Emma. Il
ne t'a ni empoisonnée, ni violée, ni assassinée.

— Non. Nous avons bavardé, répondit Olivia. À sa
demande, j'ai énuméré toutes les raisons pour lesquelles
nous ne sommes pas faits l'un pour l'autre.

— Et s'est-il rendu à tes arguments et a-t-il proposé de
rompre vos fiançailles ? demanda Emma.

— Non, dit sombrement Olivia. Il a déclaré que son pari
m'avait incitée à mal me conduire et que, par conséquent,

c'était sa faute si ma réputation en avait souffert et que son honneur lui commandait de rester à mes côtés.

— Très noble de sa part, dit Emma. Mais extrêmement fâcheux pour toi.

— Je n'avais pas prévu qu'il réagirait ainsi, dit doucement Prudence. Qui aurait cru que le Baron fou était un homme d'honneur ? C'est à se demander en quoi d'autre nous nous sommes trompées sur son compte.

— Il y a pire, marmonna Olivia.

Elle leur raconta tout — depuis ses tergiversations à propos du bonnet, jusqu'à l'arrivée intempestive de Lord Rogan. N'eussent été sa présence et celle des mauvaises langues qui l'accompagnaient, Phinn et elle auraient peut-être réussi à rentrer chez elle sans se faire voir. Mais tout le monde les avait vus. Et tout le monde jasait.

Plus personne ne voudrait d'elle, désormais. Sauf peut-être le fils d'un marchand ou d'un notaire, mais elle se retrouverait alors aussi isolée du monde que si elle avait été enfermée dans un donjon du Yorkshire.

— Je crains de devoir l'épouser, dit-elle avec un soupir si mélancolique qu'elle s'en trouva encore plus triste. En dépit de tous nos efforts.

Elle ne connaîtrait jamais les premiers émois du grand amour, l'attente délicieuse précédant l'arrivée de son prétendant, le doux plaisir de valser avec un soupirant transi d'adoration qui ne l'effraierait pas. Elle ne se connaîtrait jamais elle-même, il était trop tard pour cela — elle avait perdu trop de temps à devenir une dame parfaite alors qu'elle aurait pu devenir la parfaitement charmante Olivia. En tant que Baronne folle, cloîtrée dans le Yorkshire avec une maison à tenir et de la broderie à faire, elle ne vivrait jamais cette fusion du cœur et de l'esprit avec un homme qui ferait battre son cœur d'amour, et non de peur.

— Tu ne veux vraiment pas l'épouser, n'est-ce pas? demanda doucement Emma, la mine soucieuse.

Olivia secoua la tête. La vision de sa vie de femme mariée l'attristait. Son futur époux l'épouvantait. Pardi, tout se mettait à aller de travers dès qu'ils étaient ensemble. Oh, il lui arrivait parfois d'être intriguée par son travail ou son passé, tentée de l'embrasser ou d'être caressée. Mais des moments aussi rares que brefs pouvaient-ils suffire à combler une vie entière?

— Même si cela implique que tu seras célibataire au bal de Lady Penelope? demanda Prudence.

— Je préfèrerais de loin assister au bal de Lady Penelope en tant que vieille fille ruinée, déclara Olivia avec davantage de conviction qu'elle n'en nourrissait.

Son bonheur futur était en jeu, et elle ne voyait pas comment Phinn et elle auraient pu être heureux ensemble. Ils se rendaient mutuellement malheureux, et ce qui était arrivé à sa première femme finirait par lui arriver également. La folie. Le désespoir. La mort.

— Dans ce cas, il te reste très peu de temps pour provoquer un scandale si épouvantable que tu ne t'en remettras jamais, dit Prudence.

— Et une seule nuit pour faire la connaissance d'un autre homme, en tomber amoureuse et t'enfuir avec lui à Gretna Green, ajouta Emma.

— Étant donné que je n'y suis pas parvenue en quatre saisons, ce serait un miracle d'y parvenir en une nuit, fit remarquer Olivia. Même si j'aimerais bien cela.

— Tu devras courir le risque, non ? demanda Emma en inclinant la tête avec un petit air de défi. Surtout s'il est horrible à ce point.

— Je croyais que Blake et toi l'aimiez, répliqua Olivia.

— Je l'aime bien, dit Emma. Mais je t'aime encore davantage et déteste l'idée que tu sois malheureuse.

— Par ailleurs, la perspective de devoir courir jusqu'au Yorkshire chaque fois que nous voudrons te voir ne nous enchante guère, ajouta Prudence. On préfèrerait que tu restes à Londres.

Olivia aurait également préféré rester à Londres.

— Même si je ne fais pas la connaissance d'un autre homme et ne m'enfuis pas avec lui, j'aimerais bien jouir encore d'une nuit de liberté, dit Olivia. Je ne veux pas être la Petite Bégueule, la moins susceptible de Londres ou la future Baronne folle. Je veux juste être *moi-même*, le temps d'une nuit.

Le nœud au creux de sa poitrine se défit à la perspective de faire quelque chose de radical et d'audacieux pour son seul plaisir.

— Bref, nous avons une nuit pour détruire complètement et une fois pour toutes la réputation de la Petite Bégueule, dit Emma. Cependant, il y a un hic. Voire, plusieurs.

— Ne vais-je jamais être heureuse ? se lamenta Olivia. Quel est ce hic ? Je ne pourrais pas juste enfiler une robe indécente et faire en sorte de me retrouver dans une situation compromettante avec un débauché notoire ?

— Bien entendu. Mais ensuite ? Ta réputation sera ruinée à jamais. Elle l'est déjà en grande partie après l'incident du parc. Épouser un autre homme te sera presque… impossible.

Pendant un moment, Olivia hésita. *Ne devrait-elle pas l'épouser et se croiser les doigts ?* Il ne pouvait tout de même pas assassiner deux épouses. Quelles étaient les probabilités ?

— Nous vivrons ensemble, dit Prudence en pressant la main d'Olivia. Nous vivrons comme deux charmantes vieilles filles dans une jolie maison au bord de la mer.

— Et ta tante ? demanda Emma avec scepticisme.

La tante de Prudence était un sacré numéro.

— C'est soit ma cinglée de tante, soit le Baron fou, dit Prudence. Choisis.

— Mon père a sans doute déjà obtenu une dérogation, dit Olivia d'une voix atone, se rendant compte qu'il lui serait pour ainsi dire impossible d'échapper à ce mariage.

En réalité, toutes ses chances s'étaient envolées dès lors que Phinn avait demandé à son père l'autorisation de la courtiser. Et depuis qu'on l'avait vue inconsciente, voire morte, dans les bras de Phinn, il n'y avait plus aucune alternative possible.

Aussi charmant que ce serait de vivre avec Prudence dans une belle petite maison au bord de la mer, Olivia ne pouvait miner les chances de son amie de connaître le grand amour. Prudence méritait mieux que d'être entraînée dans la chute de son amie qui, à titre de vieille fille ruinée, ne serait reçue nulle part.

Selon toute vraisemblance, le Baron fou demeurait le seul et unique parti possible. Sauf si par un heureux coup du sort, elle faisait la connaissance d'un homme, qu'ils tombaient amoureux l'un de l'autre et s'enfuyaient ensemble, tout ça en une nuit. Il était fort peu probable que cela se fasse.

Un sanglot se coinça dans sa gorge. Par conséquent

— Il ne me reste qu'une seule nuit de liberté, dit-elle. Une nuit pour oser être quelqu'un d'autre. Une nuit pour danser avec des voyous, dérober des baisers, flirter sans retenue.

— J'ai une idée, dit Emma avec un large sourire. Ce sera parfait ou catastrophique.

— Ou parfaitement catastrophique, badina Prudence.

— Il y aura un bal masqué demain soir, dit Emma, ce que ses amies ignoraient.

— Je n'ai pas été invitée, dit Olivia, déprimée. On me rejette d'ores et déjà à cause de mes liens avec le Baron fou.

— Je n'ai pas été invitée non plus, maugréa Prudence. Et je ne suis pourtant pas dans ta situation.

— C'est parce qu'il aura lieu en marge du beau monde, expliqua Emma avec un sourire malicieux. Blake y a été invité par certains de ses amis scientifiques. Je me suis laissé dire que ces soirées sont toujours nettement plus *animées* que celles de la Haute.

— Penses-tu que le Baron fou y sera? s'inquiéta Olivia. Il ne faudrait pas qu'il assiste à ma nuit de liberté et à ma possible fuite.

— Cela se peut, je suppose, répondit Emma. Mais il est si sombre et si morose que je l'imagine mal assister à ce genre de soirées tapageuses. Du moins, je suis encline à croire qu'elles sont tapageuses.

— Pour jouer de prudence, dit Prudence, on fera en sorte qu'on ne puisse te reconnaître sous ta robe et ton masque. De cette façon, tu seras libre de flirter avec autant d'hommes peu recommandables qu'il te plaira. Personne ne saura qui tu es avant ton retour de Gretna Green, la bague au doigt et un mari au bras.

— Que vais-je dire à ma mère? demanda Olivia.

Le temps d'une seconde, elle se vit informer sa mère qu'elle assisterait à un bal du demi-monde sans chaperon. Sa mère pousserait de hauts cris, s'évanouirait et irait se réfugier dans sa chambre avec une réserve de sels — la laissant ainsi libre d'y aller.

— Dis à ta mère que tu viens chez moi, dit Emma. Nous y enfilerons nos déguisements et nous rendrons au bal. Tu auras une nuit pour être qui tu voudras, Olivia.

— Une nuit de liberté, soupira Olivia. Ma première et dernière nuit de liberté.

Chez Lord Rogan

— Je suis navré, répéta Rogan, peut-être pour la millième fois.

Phinn l'ignora. Si les distractions et les délais n'avaient pas autant retardé la fabrication de l'Engin, celui-ci aurait été achevé. Il aurait pu alors s'en servir pour tenir le compte des excuses de Rogan. La décence lui commandait d'en accepter au moins une.

Mais l'Engin n'était pas achevé. Apparemment, il épouserait Olivia dans des circonstances difficiles. Il en avait discuté avec le père de celle-ci. Ils n'avaient plus le choix désormais, compte tenu du comportement d'Olivia au bal, du déjeuner catastrophique et du scandale qui s'en était ensuivi.

Il était venu à Londres dans deux intentions : se marier et fabriquer l'Engin. Il n'avait pas tout à fait échoué, toutefois il ne parvenait pas à se défaire de l'idée qu'il aurait dû rester dans le Yorkshire.

— Je suis profondément, profondément navré, insista Rogan.

Phinn le regarda du coin de l'œil. L'homme semblait regretter sincèrement les dommages qu'il avait causés en invitant une douzaine de mauvaises langues à assister au naufrage d'une entreprise amoureuse. Après quoi, il en avait rajouté en mentionnant le mot « poison ». Non seulement avait-il ainsi effrayé Olivia, que Phinn venait à peine de rassurer, mais il avait en outre excité la rumeur. *Le Baron fou récidive en éliminant sa seconde femme.*

— J'étais bien intentionné.

Inexplicablement, Rogan s'entêtait à discuter. Pour sa part, Phinn tentait de se refroidir les sangs et d'apaiser les battements de son cœur. Il s'était emporté un peu plus tôt et n'avait pas encore recouvré tout son sang-froid.

Puéril ou pas, s'il avait eu sous la main un peu de poison…

À la place, il s'efforça de respirer profondément. Et demeura assis dans son fauteuil. Il baissa les yeux sur ses mains — il agrippait si violemment les accoudoirs que ses jointures étaient blanches. C'était cela ou battre son ami comme plâtre.

Un exploit dont sa réputation n'avait pas exactement besoin en ce moment.

Une fois de plus, Phinn maudit le tempérament Radcliffe.

— C'est Ralph qui a lancé l'idée d'aller voir comment vous vous débrouilliez, expliqua Rogan.

Phinn ne savait pas qui était Ralph, et songea que c'était sans doute préférable. À cause de son foutu caractère.

Il avait perdu son sang-froid la nuit où Nadia était morte. Elle n'avait cessé de le piquer, de lui casser les pieds. Il était distrait, car son travail n'avançait pas. Il était un peu ivre, ce qui n'arrangeait rien, et avait envie d'un bon repas. Et elle n'avait eu de cesse de lui reprocher de l'avoir obligée à dîner seule, ce qui était embarrassant devant les domestiques et ennuyeux pour elle...

Il avait craqué. Le tempérament Radcliffe. Il ne l'avait pas touchée. Mais il avait rugi. Elle s'était enfuie en courant.

Le hic était que Nadia aussi avait un sale caractère. Elle avait couru jusqu'à son atelier. Pour se venger. Ou pour attirer son attention. Il ne savait plus.

Il n'avait rien raconté de tout ceci à Olivia. Il l'aurait peut-être fait si Certaines Personnes ne l'avaient pas interrompu. Il lui aurait peut-être révélé son passé et avoué ses remords. Au lieu de quoi, il lui avait démontré à quelle vitesse l'homme pouvait se transformer en bête.

— Je ne me figurais pas que Ralph avait l'intention de s'incruster dans votre tête-à-tête, ajouta Rogan.

Phinn jeta enfin à son ami un regard dur comme de l'acier.

— Et comment avait-il appris qu'Olivia et moi déjeunions ensemble ?

— Je l'ai peut-être laissé entendre, dit Rogan en s'agitant nerveusement dans son fauteuil. Mais tu ne m'avais pas dit que c'était un secret.

— J'aime à ce que ma vie privée demeure privée, dit Phinn. Toujours. C'est une règle.

Une règle que personne ne respectait. À preuve : *Le Baron fou : le destin tragique d'une jeune fille pure, de son amour malheureux et de sa triste fin. Une histoire vraie.* À preuve : les titres des journaux à potins depuis son arrivée.

— Mais enfin, je suis certain que ce n'est pas aussi grave que tu l'imagines, dit Rogan d'un ton conciliant.

— Ah bon ? Tu en es certain ? demanda Phinn d'un ton sarcastique.

Il ramassa les journaux qui jonchaient le sol à ses pieds.

— « L'homme qui sait tout » écrit : « Le Baron fou n'a même pas attendu la nuit de ses noces. Sa future femme a subi un sort identique à la première — avant même d'avoir descendu la grande allée. »

— Affreux, reconnut Rogan en s'épongeant le front de son mouchoir.

— C'est de la diffamation et une calomnie, et je devrais le provoquer en duel, dit Phinn d'une voix dure.

— Je me porte volontaire pour être ton témoin, s'empressa de dire Rogan, sautant sur l'occasion d'obtenir le pardon de Phinn.

Un duel ne serait utile à personne. Ignorant Rogan, Phinn s'empara d'un autre journal parmi la douzaine que ses bottes avaient chiffonnés. Déjà, un seul journal avait du poids. Mais pour mesurer l'ampleur du désastre, il en avait acheté plusieurs. Tous brodaient sur le même thème.

— Celui-ci déclare qu'Olivia est désormais connue sous le nom de la « moins susceptible de Londres de survivre à sa nuit de noces », dit sèchement Phinn.

— Tu devras également souffleter cet écrivaillon, dit Rogan. Pour s'en être pris à la réputation de Lady Olivia.

— Cet écrivaillon est une femme, dit posément Phinn. Je ne crois pas qu'il serait bon pour ma réputation que je provoque une femme en duel.

— Non, en effet, reconnut Rogan.

Le silence s'installa entre eux.

— Un verre de brandy ? proposa Rogan.

— Non, dit Phinn. La dernière chose dont j'ai besoin est de jeter de l'alcool sur mon tempérament déjà en feu.

— Pour ma part, je ne dirais pas non, marmonna Rogan.

Il trottina jusqu'au buffet et se versa un verre.

— J'ai une idée, risqua-t-il.

— Je ne veux pas l'entendre, rétorqua Phinn. À vrai dire, je commence à croire qu'aucune de tes idées ne vaut la peine d'être entendue.

Voyant que Rogan ne répondait pas, Phinn le regarda. Rogan tétait son brandy d'un air sincèrement chagriné.

— Je veux juste t'aider, dit calmement Rogan. Je ne veux que ton bien. N'oublie pas que j'ai connu Nadia.

Ce qui était vrai. Rogan leur avait rendu visite une ou deux fois. Ils étaient sortis ensemble à Londres — Rogan, Phinn, son frère et Nadia — et ils avaient été subjugués par son attitude exubérante, exigeante. Son frère ne vivait que pour la satisfaire. Phinn avait tout de suite vu clair dans son jeu. Rogan également. Seul George avait été aveuglé par ses charmes; il ne voyait pas ses défauts.

Rogan avait même tenté de dissuader Phinn de l'épouser. Phinn avait plus d'une fois souhaité l'avoir écouté.

— Elle n'était pas facile à vivre, Phinn. Tu as fait de ton mieux. Et Olivia ne t'a pas facilité la tâche non plus. Qui aurait pu se douter qu'une laissée-pour-compte prendrait la mouche à l'idée de se marier?

La colère de Phinn se dissipait lentement, cédant la place à la culpabilité. Sous le coup de la colère, il s'était montré dur à l'endroit de Rogan, et il n'aurait pas dû, même si Rogan l'avait bien mérité.

— Il y a un bal ce soir, dit Rogan.

Phinn grogna. Il avait son compte de bals et de réceptions peuplés de gens insipides aux regards accusateurs et aux murmures calomniateurs.

— Pas une soirée ennuyeuse de la Haute, précisa Rogan. Une soirée donnée par Cyprian. Un bal costumé. Tu saisis ce que cela signifie ?

— Un ramassis de personnes qui titubent en tous sens à cause d'une consommation excessive d'alcool et de masques qui limitent leur champ de vision ?

— Pas seulement. Cela signifie que tu pourras sortir sous un déguisement. Une nuit sans que personne ne chuchote dans ton dos que tu es le Baron fou.

Il y avait des années qu'il n'était sorti sans être reconnu sur-le-champ. Rogan, pressentant que Phinn était tenté, poussa sa chance.

— Il va de soi que la mère d'Olivia n'y sera pas et qu'elle ne pourra donc pas te présenter à sa bande d'amis plus ennuyeux les uns que les autres. Que diable, Olivia n'y sera pas non plus ! Tu pourras consacrer le reste de tes jours à lui chanter la pomme. Mais ce soir, c'est ta dernière nuit de liberté ! Après quoi, tu seras un homme marié, prude et respectable.

— Mais c'est ce que je *veux*, protesta Phinn.

— Mais ne veux-tu pas t'amuser un peu avant ? Lâcher un peu la vapeur ?

Phinn savait ce qui se produisait quand la pression augmentait sans trouver d'issue. Une explosion. Il décida donc de se rendre au bal.

Chapitre 12

Le danger est toujours grand lorsque l'on pense aux suites funestes que peut avoir pour une femme une familiarité déplacée.

— *Le Miroir des Grâces*

*L*es jeunes dames ne se glissent pas furtivement dehors pour se rendre à un bal du demi-monde.

Grâce à un quelconque alignement favorable des planètes, Olivia réussit à convaincre ses parents de lui permettre de passer la nuit chez Emma qui, de son côté, avait persuadé Blake d'accompagner les ingénues au bal de Cyprian.

— Si jamais cela se sait, je vais y laisser ma réputation, grommela Blake comme ils montaient tous dans sa ravissante voiture ornée du blason ducal.

— Nous y laisserons tous notre réputation, dit joyeusement Emma. Mais nous nous serons amusés comme des petits fous.

— De grâce, n'allez pas vous attirer des ennuis. Je vous en supplie, dit Blake aux trois jeunes femmes.

Les jeunes dames tiennent parole.

Elles murmurèrent de vagues promesses et échangèrent des regards malicieux. Mais Olivia sentit un nœud se former dans sa poitrine. D'une part, elle était heureuse, car elle aimait ses amies. *Là* était sa place — et non pas dans le fin fond du Yorkshire. Malgré tout, sa joie était douce-amère, car comment savoir si elles revivraient de tels moments? Cordées dans une voiture, vêtues de leurs plus beaux atours, en route vers un bal scandaleux... à l'évidence, la Baronne folle ne vivrait jamais un moment semblable dans le Yorkshire.

Car c'était décidé. On s'était procuré une dérogation. À moins que...

Voilà pourquoi il était si important qu'elle savoure pleinement chaque seconde de la soirée, et pourquoi elle ne pouvait promettre de bien se conduire. D'ailleurs, ne s'était-elle pas bien conduite toute sa vie avec le résultat que l'on savait? Ce soir, elle avait résolu d'être elle-même.

Loin du regard inquisiteur de sa mère, elle avait d'ores et déjà une allure différente.

Une partie seulement de ses cheveux était relevée en chignon, et de longues boucles blondes retombaient sur son dos. La robe sur laquelle elle avait réussi à mettre la main à la dernière minute était très différente de celles qu'elle portait d'ordinaire. De soie bleu ciel, elle était bordée de tulle noir. Le corsage scandaleusement décolleté révélait la rondeur de ses seins. Contrairement à ses vieilles robes, celle-ci moulait parfaitement ses formes. Pour une fois, elle se sentait sensuelle. Séduisante. Féminine. Très différente de la poupée à bouclettes vêtue de dentelle blanche amidonnée et raide à vous trancher la gorge.

Sous son masque de satin bleu nuit, elle avait aussi l'impression d'être mystérieuse.

Dans la voiture, l'air pétillait littéralement d'excitation.

— Je suis sérieux, mesdames, dit Blake. De grâce, ne me fournissez pas l'occasion de le regretter.

— Ni d'avoir des ennuis, le gronda Emma. Comme s'il ne vous était jamais arrivé que les parents de jeunes filles convenables réclament votre tête.

— C'est terminé, tout cela, et j'en suis fort aise, répliqua-t-il.

Emma et son duc n'avaient d'yeux que l'un pour l'autre. Olivia en perdait le souffle chaque fois qu'elle voyait comment il regardait Emma. Ses yeux étincelaient d'amour. Prudence prétendait qu'ils fondaient d'amour. Étincelants ou fondants, le duc adorait Emma et ne pouvait le cacher. N'essayait même pas. Voilà pourquoi Olivia était là ce soir — pour trouver un homme qui la regarderait ainsi.

— Ils devraient peut-être se trouver une autre voiture, murmura Prudence.

— Ou une chambre, ajouta doucement Olivia.

Elles éclatèrent d'un rire étouffé. Blake et Emma demandèrent ce qu'il y avait de si drôle.

Ils arrivèrent enfin.

Olivia ignorait qui offrait le bal, peut-être était-ce Lord Richmond, récemment rentré des Indes avec sa scandaleuse maîtresse indienne, Shilpa. Mais qui que ce fût, elle comprit dès qu'elle descendit de voiture qu'elle n'était plus à Mayfair.

Les jeunes dames ne gardent pas la bouche ouverte. Mais impossible de faire autrement.

Une flopée de voitures obstruait la cour. Des valets et des cochers flânaient autour, en fumant, buvant, patientant et prenant du bon temps sous les flots de musique qui s'échappaient de la demeure. Un manoir de pierre de quatre étages se dressait devant eux. Chacune de ses fenêtres était illuminée. Les rires des fêtards déferlaient depuis les fenêtres ouvertes. Des hommes fumaient sur la terrasse et des femmes à peine vêtues s'appuyaient sensuellement à la balustrade.

— Nous ne sommes pas à Mayfair, murmura Prudence.

— Allons-y, dit Olivia, prise d'une excitation irrépressible.

Elle attrapa la main de Prudence et, se frayant un chemin entre les voitures, l'entraîna vers la grande porte.

La scène qui les attendait à l'intérieur leur coupa le souffle.

Le grand hall d'entrée leur offrait un spectacle tout à fait décadent. Haut de quatre étages, le vaste espace était dominé par un escalier de marbre, qui s'élevait en spirale jusqu'au plafond. Les balcons accueillaient des hommes qui lançaient des cris vers les gens des étages inférieurs ou s'interpelaient mutuellement. Les femmes envoyaient des baisers. Olivia vit même un couple s'embrasser ouvertement.

Main dans la main, Prudence et elle traversèrent le hall sur les talons de Blake et d'Emma et entrèrent dans la salle de bal. L'orchestre jouait très fort des airs entraînants. Était-ce parce qu'elle avait les nerfs à fleur de peau ou interprétait-il vraiment chaque air à un rythme accéléré ? Elle aurait juré que les notes basses et graves de la contrebasse et du violoncelle épousaient les battements de son cœur.

Et les robes ! Les bijoux ! Où qu'elle tournât les yeux, des femmes se déhanchaient dans des mètres de soie et de satin aux teintes riches drapés de manière suggestive. Sous les bougies, les bijoux étincelaient, attirant les regards.

Olivia prit une flûte de champagne sur le plateau que lui présentait un valet.

— Videz-la lentement, la mit en garde Ashbrooke. Et n'en prenez pas davantage.

— Bien entendu, murmura-t-elle.

Dans sa tête, elle entendit la voix de sa mère.

Les jeunes dames ne boivent pas d'alcool. Sinon, elles s'oublient.

Elle avala une petite gorgée, savoura l'explosion des bulles microscopiques sur sa langue. Des étoiles. De la magie. Elle avala une nouvelle gorgée et balaya la salle du regard, notant au passage les hommes. Ils étaient jeunes et fringants, vêtus d'uniformes d'officiers ou d'habits de soirée plus décontractés. Aucun n'était très vieux, ni très respectable, ni de manières irréprochables. Tous les voyous et toutes les canailles qui n'assistaient jamais aux soirées de la Haute étaient présents, baguenaudant avec des femmes qui n'auraient jamais été invitées chez Almack's.

L'air était imprégné d'une sorte de frémissement. Présage de danger et de plaisir indécent. Les hommes s'enroulaient autour des femmes, les femmes s'enroulaient autour des hommes. Les jupes étaient plus courtes. Les cravates plus lâches, et les chemises des hommes baillaient à l'encolure. Les couples dansaient avec entrain, l'homme et la femme beaucoup trop près l'un de l'autre. *Oh...* Si seulement elle avait assisté à un bal comme celui-ci avant.

Mais elle savait qu'elle n'aurait pas su l'apprécier. Elle aurait tapé du pied sous ses jupes. Ou observé avec envie en songeant que *jamais* elle ne pourrait danser avec un pareil abandon, ou si près d'un inconnu, ni faire montre d'une telle intimité en public. Qu'auraient pensé les gens ? Et si jamais les gens la jugeaient sévèrement...

Elle avait eu bonne réputation. Elle avait fait en sorte de ternir cette réputation. D'une façon comme de l'autre, elle allait épouser le Baron fou. Par conséquent, ce soir, elle allait agir à sa guise sans se soucier de ce qu'on en penserait. Ce soir lui appartenait.

Les portes-fenêtres étaient grandes ouvertes sur la terrasse où les invités fraternisaient et les hommes fumaient. Au-delà, elle entrevit un jardin dont les sentiers étaient éclairés par des torches. Danger. Ennuis. Plaisir. Aventure.

— Si votre mère apprend que je vous ai emmenée ici, grommela Ashbrooke, j'aurai des raisons de craindre pour ma vie.

— Je vous suis infiniment reconnaissante, monsieur le duc, dit Olivia, fascinée par le spectacle qui s'offrait à ses yeux. Et je puis vous assurer que si elle l'apprend, ce ne sera pas de ma bouche.

— Ne vous attirez pas d'ennuis, ordonna-t-il d'une voix grondante à Prudence et à Olivia, avec un regard acerbe.

Puis, il alla danser avec Emma.

— On verra, répliqua Olivia avec un sourire quelque peu malicieux.

Pour la première fois de sa vie, les hommes la remarquaient et ne détournaient pas les yeux. Elle sentit sa température grimper sous leur regard sombre et curieux. Plus d'un sourire canaille lui fut adressé. Au bout de trois ou quatre fois, elle cessa de regarder par-dessus son épaule pour voir à quelle superbe femme ils s'adressaient. Tous ces regards la ravissaient, mais aucun ne la remuait aussi profondément que celui de Phinn lors de leur première rencontre. Mais cette soirée ne le concernait en rien.

— Si on faisait le tour de la salle, Prudence ? dit-elle.

Prudence sourit, lui prit le bras, et elles s'enfoncèrent dans la mêlée.

— C'est fou, dit Prudence, ébahie.

— Je trouve cela formidable, s'exclama Olivia. C'est sans doute le meilleur bal auquel nous assisterons. Le sens-tu,

Prudence, qu'il y a de l'électricité dans l'air ? Je crois que je vais tomber en amour ce soir. En fait, j'en suis convaincue.

— Le champagne te monte à la tête, remarqua Prudence en riant.

— Et alors ? dit Olivia d'un ton badin. Ce soir, je vais m'amuser. Sans retenue.

— Sois prudente, Olivia, la mit en garde son amie. Ces hommes-là ne sont pas des gentilshommes.

Un de ces hommes-là, un séduisant jeune homme aux cheveux foncés en désordre, croisa son regard. Il sourit en la voyant. Une lueur traversa son regard, notamment lorsqu'il baissa les yeux sur son corsage et les remonta lentement vers sa figure. Olivia eut chaud et se sentit choquée, comme s'il l'avait bel et bien touchée.

— En effet, ce ne sont pas des gentilshommes, murmura-t-elle.

Elle prit une gorgée de champagne et lui jeta de nouveau un coup d'œil. Il portait une veste rouge. Un militaire.

Le cœur battant, elle le regarda s'avancer vers elle en louvoyant dans la foule, les yeux posés sur elle.

Les jeunes dames ne se lient pas à un homme auquel elles n'ont pas été présentées.

Arrivé à quelques pas d'elle, il s'inclina, lui prit la main, lui décocha un sourire coquin et lui demanda :

— M'accorderiez-vous cette danse, mon ange ?

Olivia remit simplement sa flûte à demi vide à Prudence et suivit le soldat dans le tourbillon des couples qui dansaient.

Elle se lança dans la danse avec ardeur, d'abord avec son soldat, puis avec un autre et encore un autre — peut-être avec un régiment entier. Elle dansa avec des fils cadets d'aristocrates, des hommes qui gagnaient leur vie à la sueur de leur front, des hommes qui n'étaient pas des gentils-hommes, mais qui lui donnaient le sentiment d'être belle et envoûtante.

Elle avait les joues roses et endolories à force de sourire. Cela ne s'était jamais produit aux bals de la Haute, où il était rare qu'on l'invite à danser. Un affreux gaspillage de ses nombreux cours de danse. À présent, ils servaient à quelque chose.

C'était *cela* qu'elle voulait. Ces instants de joie, d'audace et de plaisir étaient assombris par la conscience qu'ils étaient les derniers. C'était à peine le début que déjà c'était la fin.

Rien de tel n'aurait lieu dans le Yorkshire, songea Phinn en se frayant un chemin dans la foule. Des femmes qu'il ne connaissait pas lui lançaient des regards langoureux et lui envoyaient des baisers du bout de leurs lèvres peintes. Comme si cela ne suffisait pas, plus d'une femme laissa sa main s'égarer sur sa large poitrine ou lui caressa le bras.

À peine quelques minutes après leur arrivée, il avait perdu Rogan entre les bras de l'une de ces sirènes aussi ravissantes qu'enjouées. Quant à lui… il ne pouvait honnê-tement prétendre ne pas apprécier l'attention dont il était l'objet. Si quelques-unes de ces femmes avaient reconnu en lui le Baron fou, elles ne semblaient pas s'en soucier. Ici, il n'était qu'un voyou parmi les autres, une canaille de plus. Il n'était qu'un possible amant de passage, un bref divertissement.

En vérité, il lui était impossible de prétendre qu'il n'était pas tenté.

— *Une machine*, lui avait reproché Nadia.

En réalité, il était un homme, un homme au sang chaud et capable de désir comme n'importe quel autre. Mais c'était Olivia qu'il désirait. Aussi, bien qu'une petite blonde ait attiré son regard ou une brunette voluptueuse lui ait ronronné « Bonsoir », il ne s'arrêta pas. Il ne s'écarta pas du droit chemin.

Phinn accepta le verre que lui offrait un valet. L'orchestre lui plut, avec sa façon de jouer avec plus d'entrain qu'on ne le faisait dans les soirées de la Haute auxquelles il avait assisté. Il finit par se poster près d'une colonne d'où il pouvait observer une fête telle qu'il n'en avait jamais même imaginé. Les hommes faisaient tournoyer les femmes, à leur grand plaisir, pour aussitôt les attirer vers eux. Cette manière de danser aurait donné des vapeurs aux dames patronnesses de chez Almack's. Et parmi tous les danseurs, une femme portant une robe et un masque bleus attira son regard.

Phinn la regarda danser tout en sirotant son verre. Elle se déplaçait avec une grâce exceptionnelle et un entrain iné-galé. Elle souriait, les joues roses. Ses cheveux cascadaient sur son dos en longues boucles d'or pâle. Elle avait l'*air* d'un ange mais…

Le regard de Phinn glissa vers ses seins gonflés au-dessus du corsage. Danser l'avait essoufflée. Il n'était pas le seul à observer ses seins se soulever et retomber. Il déplut à Phinn que tous ces hommes la regardent.

Se contraignant à reporter son attention sur sa figure, il posa les yeux sur sa bouche. Elle souriait — d'un large sourire joyeux entre ses joues roses — et il ne pouvait en détacher le regard. Non, il était involontairement attiré par le sourire d'une femme très belle et très heureuse. Soudain, il se sentit effroyablement jaloux du soldat avec lequel elle dansait. Il aurait voulu qu'Olivia lui sourît ainsi — comme si elle avait vécu avec lui le plus beau moment de sa vie.

Comme un ange.

Le foutu veinard qui dansait avec elle glissa la main autour de sa taille. Quelque chose se noua dans les entrailles de Phinn.

Il s'était représenté les boucles blondes qu'Olivia disciplinait dans un strict chignon. Il s'était représenté ses seins, qu'elle dissimulait pudiquement sous des robes blanches. Et il se l'était représentée, elle, s'abandonnant de manière adorable entre ses bras…

Même s'il était impensable de supposer qu'Olivia puisse assister à un bal aussi immoral, il eut soudain la conviction que c'était elle.

Le tempérament Radcliffe s'embrasa, aussi violemment que si l'on avait versé tout le champagne de la soirée sur le feu.

Il se contraignit à regarder ailleurs.

Il remarqua, non loin de là, une femme qu'il crut reconnaître et qui, à l'évidence, n'était pas à sa place ici. Elle ressemblait étrangement à miss Payton, l'amie d'Olivia. Tout comme lui, elle se tenait à l'écart et contemplait le spectacle indécent. Leurs regards se croisèrent, mais elle détourna les yeux pour observer les danseurs — dont un couple en particulier. La jeune fille en bleu et le soldat en rouge.

Les jeunes dames ne boivent pas à l'excès.

Tout en sirotant sa deuxième flûte de champagne, Olivia se demanda combien elle devrait en avaler encore pour cesser d'entendre dans sa tête la voix de sa mère lui répétant toutes les règles que devait ou ne devait pas respecter une dame. À chaque gorgée, chaque tour sur le plancher de danse, chaque sourire aguichant du soldat, la voix se faisait de plus en plus faible. Et elle s'amusait de plus en plus. Sans doute n'avait-elle jamais été plus heureuse qu'en ce moment, avec Brendon (ou était-ce Brandon?), qui la serrait contre lui et la regardait comme s'il pensait à toutes sortes de péchés.

— J'ignore ce qu'il en est pour vous, chérie, mais j'irais bien prendre un peu l'air, dit Brendon (Brandon?).

— Oui, bonne idée, dit-elle, à bout de souffle.

Elle dansait depuis une heure — ou deux? Le soldat lui prit le bras et la conduisit vers la terrasse.

Les jeunes dames ne vont pas sur la terrasse avec des messieurs.

Il y avait foule sur la terrasse. Les hommes se tenaient en groupe et fumaient le cigare. Les femmes flânaient, entraînant les hommes dans des tête-à-tête intimes. Tant de gens étaient sortis prendre l'air que certains avaient dû descendre l'escalier et gagner les jardins.

Brendon (Brandon?) lui décocha le genre de sourire séducteur dont elle avait toujours rêvé. Une étincelle brillait dans ses yeux. Elle lui retourna son sourire, très heureuse, mais également très consciente de ne pas savoir que *dire*. Ils étaient déjà plus intimes physiquement qu'elle ne l'avait été avec aucun homme — ses mains s'étaient égarées pendant qu'ils dansaient, encore qu'elle ne lui en tînt *pas* rigueur. Mais ils n'avaient pas vraiment parlé. Une plaisanterie était peut-être indiquée pour rompre la glace.

— Votre père est-il un voleur? demanda-t-elle en inclinant la tête d'un air interrogateur comme elle avait vu d'autres femmes le faire pour flirter.

— Quoi?

Il semblait perplexe. Elle se sentit défaillir à l'idée qu'il n'ait pas saisi l'allusion. Puis, elle eut un mouvement de sympathie pour Phinn, qui avait reçu le même accueil. Avait-il également cru mourir de honte?

— Ils brillent comme des étoiles, bredouilla-t-elle. Vos yeux.

Le coquin sourit, puis s'esclaffa. Se moquait-il d'elle, ou son trait d'esprit le mettait-il en joie? Le trait d'esprit de Phinn, en fait. Le sol aurait-il l'amabilité de s'ouvrir sous elle et de l'avaler? Maintenant? Par pitié?

— Je vais vous en faire voir, des étoiles, chérie, dit-il en lui tendant la main.

— Bien.

Elle mit la main dans la sienne.

Olivia ne comprit pas comment il fit cela, mais une chose en amenant une autre — la foule, la lumière qui l'éblouissait, une personne à éviter, une autre à saluer, la recherche d'un endroit où reposer leurs pieds, d'un autre d'où mieux observer les étoiles —, elle finit par se retrouver seule avec lui.

Comment s'appelait-il? Seigneur Dieu, elle ne savait pas comment il s'appelait. Mais était-ce nécessaire? D'ailleurs, savait-il, lui, comment elle s'appelait? Il était préférable qu'il l'ignore.

Les jeunes dames ne flânent pas dans le jardin à la nuit tombée. Surtout pas sans chaperon. Elles ne doivent jamais faire quoi que ce soit sans chaperon.

Elle était seule avec Brendon (Brandon?). Les étoiles brillaient. Les bulles du champagne lui étaient montées à la tête. Elle aurait dû retourner à l'intérieur. Elle aurait dû être chez elle, au lit. Mais elle en avait assez de ce qu'elle aurait dû être: un parangon de vertu obligeant et timide.

Ce soir, elle avait envie de passion. D'une passion sauvage, indécente, qui lui couperait le souffle, lui donnerait le vertige, ferait battre son cœur à tout rompre.

Et d'étoiles. D'étoiles brillantes, étincelantes, devant lesquelles on fait un vœu, grâce auxquelles l'instant devient mémorable.

Et d'un baiser — le genre de baiser contre lequel on l'avait mise en garde. Le genre de baiser qui la ferait défaillir, oublier jusqu'à son nom, lui procurerait assez de plaisir et de passion pour combler le vide du reste de son existence.

— Chérie, murmura-t-il en la prenant dans ses bras.

Manifestement, il ne connaissait pas son nom. Ce qui n'empêcha nullement le cœur d'Olivia de se mettre à battre très fort et très agréablement parce que son premier baiser était si proche qu'elle pouvait presque le goûter.

— Chéri, répéta-t-elle, car elle n'était pas certaine de son prénom.

Elle se sentait affreusement inconvenante. Mais elle s'en contrefichait. Elle en avait assez d'être une gentille fille, une vraie dame. Elle en avait plus qu'assez.

Et puis, il posa les lèvres sur les siennes.

Enfin, enfin, enfin, oh Dieu, enfin, l'une des moins susceptibles de Londres recevait son premier baiser. Ses lèvres étaient fermes et insistantes. Olivia lui céda, désireuse de suivre son exemple, car que connaissait-elle en matière de baiser ?

Elle en eut pour son argent, et même davantage.

Les jeunes dames ne doivent pas se fier à une canaille.

Il l'attira vers lui. Elle trébucha en avant en gloussant. Il avait la poitrine ferme et des mains chaudes qui s'égaraient avec assurance sur des zones de son corps que personne n'avait touchées jusque-là. C'était excitant, grisant et délicieux.

Jusqu'à ce que cela cesse de l'être.

Ses caresses se firent pressantes. Tiré, le corsage. Relevées, les jupes. Manifestement, il pensait qu'elle était une fille facile et non pas l'une des débutantes les plus naïves qui soit. Elle ne pouvait se déshabiller devant un inconnu, dans un jardin, peu importe la quantité de champagne qu'elle avait ingurgitée. Elle s'en sentait tout bonnement incapable.

Elle ne le *voulait* pas. Elle se rendait compte qu'elle voulait danser, embrasser, flirter, et rien d'autre. Le reste l'effrayait. Ce qui se passait en ce moment l'effrayait. Si elle devait consentir à une chose aussi intime, aussi effrayante, il fallait à tout le moins que ce soit avec un homme dont elle connaissait le nom.

— Non, dit-elle en le repoussant.

Parce que ce soir, elle voulait avoir du plaisir, et que là, elle n'en avait pas.

— Non?

Le voyou s'esclaffa. Puis, il l'attira encore plus près, la serra plus fort et l'embrassa plus durement.

— Je Vous Prie De Cesser Immédiatement, dit Olivia de la voix que prenait sa mère lorsqu'elle s'adressait à des domestiques rétifs ou à des enfants turbulents.

Brendon (Brandon?) lui rit doucement à l'oreille. Elle sentit son souffle chaud sur sa peau. Trop chaud. Dangereux.

— Non, insista-t-elle en se débattant.

Son cœur battait à tout rompre, mais pas de plaisir.

— Non.

De peur.

— Arrêtez.

C'était exactement ce contre quoi on l'avait mise en garde. Pourquoi les jeunes filles ne devaient pas boire ni se balader dans le jardin avec des inconnus. Pourquoi elles portaient des robes modestes et ne bavardaient pas avec des hommes auxquels elles n'avaient pas été présentées. Pourquoi elles avaient des chaperons. Pourquoi elles se pliaient aux règles.

— Arrêtez. *De grâce.*

Mais il n'arrêta pas. Les larmes montèrent aux yeux d'Olivia. *Où* étaient ses ciseaux de broderie quand elle en avait besoin ?

— La dame a dit non.

La voix rude d'un homme fendit l'air nocturne. Elle était plus autoritaire que ses protestations puériles, et la fripouille qui la serrait trop fort interrompit brièvement son manège pour jeter :

— Mêle-toi de tes affaires, mon vieux.

Olivia sursauta quand le poing de l'inconnu percuta fermement la mâchoire de Brendon (Brandon ?). Elle sursauta encore quand le soldat trébucha vers l'arrière en lâchant un chapelet de jurons dont elle ignorait même l'existence. Et elle hoqueta quand, après s'être frotté le menton pendant un moment, Brendon (Brandon ?) se jeta sur son sauveur.

Il faisait noir, mais elle pouvait entendre les grognements, les coups et le craquement des poings frappant la chair et les os. Les bruits de lutte alarmèrent un groupe de canetons ; la mère et ses petits s'enfuirent en quête d'un nid plus sûr, affolant Olivia, qui poussa un cri strident avant de comprendre de quoi il retournait.

Finalement, les bruits de lutte cessèrent, et le silence tomba, à peine rompu par les échos lointains de la fête qui battait son plein dans la maison. Une brise fraîche agita les feuilles des arbres. La lune sortit de derrière les nuages et éclaira un homme de haute taille — mais pas trop grand. Musclé, mais pas trop. Vêtu d'un habit de soirée, la figure dissimulée par un domino noir. N'empêche qu'elle pouvait voir qu'il était séduisant. Une bouche ferme et sensuelle, des mâchoires serrées. Était-il furieux contre elle ? Il ne la connaissait même pas.

— Vous n'avez rien ? demanda-t-il.

— Je ne crois pas, dit-elle doucement.

Quelle sotte elle avait été de flirter ainsi avec le danger. Pourtant, elle *savait*. Elle avait beaucoup de chance que cet homme soit arrivé au bon moment. Mais à présent, elle était à *sa* merci, et elle pressentit que l'inconnu, même si sa colère retombait, n'était pas non plus un ange de bonté et de vertu.

— Merci.

Il ne répondit pas « Je vous en prie », ne lança pas un bon mot sur l'obligation de sauver une demoiselle en détresse, ni la réprimanda d'avoir agi sans réfléchir. Elle méritait pourtant d'être grondée, ou traînée sans ménagement jusqu'à la salle de bal, *ou pis encore.*

Il expira lentement, comme on le fait quand on est agacé et qu'on tente de se maîtriser. Lorsqu'il parla, ce fut d'une voix hachée, grinçante.

— Vous ne vouliez que vous amuser, dit-il.

Oui. Oui, c'était exactement cela. Cet homme comprenait qu'elle ne voulait que s'amuser un peu avant de ne plus jamais en avoir l'occasion. Qui était-il ?

Elle le regarda.

Il la regarda.

Les jeunes dames ne tombent pas amoureuses d'un héros mystérieux la veille de leur mariage…

Chapitre 13

C'est le comble de la stupidité pour une jeune fille de rester seule dans un jardin obscur en compagnie d'un homme.
— CE QUE TOUTE JEUNE FILLE SAIT

L à, au fond du jardin, le silence régnait, entrecoupé du son d'un homme inspirant profondément et expirant lentement.

Olivia, dont les yeux s'accoutumaient à la pénombre, vit son mystérieux sauveur pousser du pied la silhouette inconsciente de Brendon (Brandon ?). Qui était peut-être mort. Pour l'heure, l'unique souci d'Olivia était d'avoir survécu. D'avoir conservé son innocence, sa vertu et sa *personne*. Grâce à cet homme.

Sa silhouette virile se découpait, large d'épaules, haute de taille, et mystérieuse. Le domino lui cachait presque tout le visage, mais laissait voir sa mâchoire carrée, sa bouche.

Olivia le regarda.

Il la regarda.

— Aimeriez-vous que je vous raccompagne à l'intérieur ? demanda-t-il.

Il était hors de question qu'il la laisse toute seule dans ce jardin.

Cet homme l'intriguait. Curieusement, elle se sentait en sûreté avec lui, peut-être parce qu'il s'était porté à son secours même s'ils ne se connaissaient pas. Encore que, en ce moment, elle ne se fiât guère à son jugement. C'est pourquoi elle répondit :

— Oui. Mais laissez-moi le temps de me ressaisir.

Elle fit quelques pas et s'assit sur un banc tout près. Elle avait les jambes en coton. Tout comme lui, elle respira profondément. Qu'aurait-elle fait s'il n'était pas intervenu ? Elle préférait ne pas y penser.

L'homme, l'inconnu, prit la liberté de s'assoir à côté d'elle. Du coin de l'œil, elle le regarda fléchir les doigts. Il siffla et inspira vivement entre ses dents. Il s'était fait mal. Pour elle.

Cet inconnu souffrait parce que, telle une dévergondée, elle avait fait fi des règles, du bon sens et de la décence. À cause de sa conduite égoïste et sotte, des gens avaient été blessés. Le premier sanglot lui échappa involontairement. Suivi d'un autre et d'un suivant, à mesure qu'elle comprenait à quel sort affreux elle avait échappé de justesse. Elle était sotte. Mais elle était chanceuse. Une sotte chanceuse. Elle avait voulu flirter avec la magie, l'aventure et l'amour. Au lieu de quoi, elle avait failli être brisée.

Toutefois, elle ne connaissait pas *cet* homme ! Il était peut-être encore plus affreux que l'autre. Malgré cela, elle se tourna vers lui, se cramponna à son manteau et enfouit le visage dans sa veste de laine. Elle nota vaguement qu'il sentait la laine propre et quelque chose d'autre qu'elle n'arrivait pas à identifier mais qui lui plaisait.

Il lui entoura les épaules et l'attira vers lui. Elle se blottit contre sa poitrine. Elle n'avait jamais vécu une telle intimité avec un homme. Même pas avec Brendon (Brandon?). Elle n'avait jamais été étreinte avant. Pas ainsi. C'était si bon.

Et elle était fiancée à un autre.

Elle sanglota de plus belle.

— Ça ira, dit-il.

— Non, répliqua-t-elle.

Réplique que, toutefois, il n'entendit pas, parce qu'elle sanglotait dans sa cravate.

— Vous êtes-vous égarée?

— Oui, dit-elle en relevant la tête pour le regarder. Je me suis égarée. Et je suis perplexe et malheureuse.

Il fronça les sourcils.

— Il est rare de croiser un ange si loin du paradis, dit-il.

Ce fut au tour d'Olivia de froncer les sourcils.

— Oh, je ne suis pas un ange, lui dit-elle. Je me suis très mal conduite. J'ai tout bousillé. Je suis perdue. Ma vie est un gâchis.

— Racontez-moi cela.

Olivia sentit son cœur pousser un soupir — et comprit qu'elle avait bu trop de champagne, car les cœurs ne soupirent pas. Mais elle eut l'impression que le sien soupirait, parce que cet homme voulait qu'elle lui parle d'elle, de sa vie, de ses sentiments. Personne — ni sa mère, ni son père, ni le Baron fou — ne le lui avait demandé.

— Par où commencer? soupira-t-elle.

— Par le commencement? risqua-t-il.

Elle sourit faiblement.

— Mes parents m'obligent à épouser un homme que je n'aime pas, dit-elle tristement.

Un sort affreux. Presque aussi affreux que celui auquel elle venait d'échapper. Toutefois, quand le Baron fou poserait les mains sur elle, il ne lui serait pas permis de dire non.

— Ne pourriez-vous pas l'aimer? demanda l'inconnu.

— Jamais, dit-elle avec véhémence.

Elle sentit son bras se raidir sur son épaule. L'aspect tragique de son malheur le chagrinait-il également?

— Jamais?

— Jamais, dit-elle d'une voix ferme.

— Peut-être...

— Non, je le méprise. Nous ne sommes pas faits l'un pour l'autre, dit-elle.

De un, il était terrifiant, et elle était terrifiée. Ensuite, contrairement à cet inconnu, il ne lui demandait jamais ce qu'elle ressentait ou pensait.

— En quoi est-il aussi affreux?

— Il est autoritaire. Seigneur, il a décidé de m'emmener pique-niquer. Sans même me demander si j'en avais envie. Il décide, et je suis censée obtempérer, comme une gamine. Et il dit des imbécilités.

— Le salaud, dit l'inconnu.

Jamais elle n'aurait employé un tel qualificatif. Sans doute parce que, au fond d'elle-même, elle était Une Dame en dépit de sa conduite discutable.

— Et il a décidé que nous irions vivre loin de tout, dans le Yorkshire, où il a une propriété. Je suis certaine de perdre la raison, faute de compagnie, car il travaillera tout le temps et que je me retrouverai seule à broder et à m'occuper des domestiques.

— Je suis certain que vous ne perdrez pas la raison, dit-il d'un ton réconfortant.

Puis, à la surprise d'Olivia, il lui demanda:

— Préféreriez-vous demeurer à Londres?

Elle posa la tête sur l'épaule de l'inconnu et sourit, en dépit de son éventuelle situation dramatique. Cet homme voulait savoir ce qu'elle préférerait. Contrairement à ses parents et au Baron fou, qui décidaient à sa place. Pourquoi ne l'avait-elle pas rencontré plus tôt?

— Oui. Au moins, j'y verrais mes amies, répondit Olivia.

Le mariage représentait un grand bouleversement; elle avait envie d'adoucir la transition. Baissant la voix, elle ajouta :

— Et il y aura des gens dans les parages, au cas où...

— Au cas où quoi?

— Je crois qu'il est violent et dangereux, murmura-t-elle gravement. En fait, j'en suis certaine.

— C'est affreux. Vous a-t-il déjà fait du mal? demanda-t-il, protecteur.

— Non, reconnut-elle. Mais la rumeur...

— S'est-il mis en colère contre vous? demanda doucement l'inconnu.

— Non, dit-elle. Mais on raconte...

— Vous a-t-il menacée?

— Non, mais où voulez-vous en venir?

— Peut-être n'avez-vous aucune raison de le craindre, dit son mystérieux chevalier de minuit.

Elle avait décidé de l'appeler le «Mystérieux Chevalier de minuit» en attendant de connaître son nom. Cet homme qu'elle pourrait aimer. Au fond d'elle, elle le savait.

— Mais tout le monde affirme..., protesta-t-elle.

— Tout le monde affirmait que la Terre était plate, alors qu'elle est ronde.

— Quel est le lien? demanda Olivia.

— On affirmait que le Soleil tournait autour de la Terre, alors que c'est le contraire, expliqua-t-il.

— Très bien, je comprends où vous voulez en venir, dit-elle. Je ne devrais pas croire ce qu'on raconte. Je devrais me fier uniquement aux faits, à ce que je découvre par moi-même.

— Voilà, dit-il d'un ton bourru. Fiez-vous à vous-même et à vos propres expériences.

— Ma mère dit que les dames ne commèrent pas.

— Je crains que votre mère ne se trompe, répliqua-t-il, chose que personne n'avait osé dire jusque-là.

Il était interdit de remettre ses parents en question.

— Vous avez raison, dit Olivia, s'étonnant elle-même d'être d'accord. Ma mère m'avait promis que si je me conduisais bien, comme une vraie dame, je me trouverais un gentil mari. Et je me retrouve fiancée au Baron fou. Voyez, elle s'est trompée.

— Je suppose que vous avez mis votre théorie à l'épreuve, dit-il, ce qui la déconcerta.

Ce n'était pas une théorie. C'était la vie, sa vie.

— Que voulez-vous dire?

— Avez-vous tenté de mal vous conduire? D'enfreindre les règles?

Elle faillit éclater de rire. S'il avait su!

— Oui, avoua-t-elle, un petit sourire aux lèvres. J'ai tenté d'en enfreindre le plus grand nombre possible. J'ai flirté avec des chenapans, bu plus que de raison et me suis fardée à l'excès.

— Et quels ont été les résultats?

— Outre le fait d'avoir une conversation inhabituellement franche et intime avec un inconnu dans un jardin?

C'était sûrement la conversation la plus longue qu'elle avait eue avec un homme. Et certainement la plus honnête.

Olivia soupira.

— Je me suis enivrée, je me suis ridiculisée et j'ai failli me faire violer par un voyou dont j'ai oublié le prénom.

— Respecter les règles n'a pas fait votre bonheur. À ce que je comprends, les enfreindre n'a pas non plus fait votre bonheur. Peut-être devriez-vous établir vos propres règles, mon ange.

Olivia posa la tête sur l'épaule de l'inconnu.

Établir ses propres règles. Les règles étaient toujours établies par quelqu'un d'autre : sa mère, la haute société, les manuels de bienséance qu'on lui offrait à chaque anniversaire.

— Établir mes propres règles, dit-elle pensivement, l'idée lui traversant l'esprit pour la première fois.

Quelles seraient-elles ?

— Ne faites que ce qui vous plaît, mon ange.

— Et si je l'ignorais ? Je n'ai jamais eu l'occasion de le découvrir. Et je crains de ne plus jamais l'avoir. Le Baron fou m'obligera à me plier à ses règles. Il veut que sa femme soit obéissante.

— Les hommes disent vouloir d'une épouse obéissante, dit-il, puis ils se rendent compte qu'ils veulent une épouse qui les fascine, qui les aime. Ils veulent d'une femme qu'ils aiment. Je vous promets que vous pourrez établir vos propres règles et que votre époux ne tentera pas de vous en empêcher.

— Comment le savez-vous ?

— Je le sais, c'est tout, dit-il en lui pressant de nouveau l'épaule. Au nom de tous les hommes d'honneur, je vous demande d'accorder sa chance à votre fiancé. Peut-être n'est-il pas affreux. Mais s'il l'est, sauvez-vous.

— Vous êtes gentil, dit-elle en se tournant vers lui.

Ils avaient tous deux conservé leurs masques. Comme s'ils n'avaient ni l'un ni l'autre envie de se révéler en ce moment.

— Nous ne sommes pas tous des gredins, répondit-il.

— Si seulement je vous avais rencontré avant, dit Olivia avec un léger soupir.

Il se tourna vers elle. Elle se tourna vers lui. Le regard de l'inconnu se posa sur les lèvres d'Olivia.

Elle songea à l'embrasser. Ce n'était ni logique ni raisonnable, mais elle avait envie d'embrasser cet homme. Même si elle venait de découvrir qu'il pouvait être dangereux d'embrasser un homme. Mais l'inconnu l'attirait comme jamais un homme ne l'avait attirée, de cette attirance que chantent les poètes. L'embrasser allait de soi. Et elle avait tellement envie de découvrir pourquoi les poètes (et les autres jeunes filles) s'extasiaient sur un baiser.

Le moment était étrange — elle ne croyait pas qu'il avait l'intention de l'embrasser. Mais leurs lèvres s'unirent, et Olivia se sentit incapable de s'arrêter.

Le baiser était doux ; le contact de ses lèvres sur les siennes, si léger, qu'Olivia, avide, se pencha vers lui. Le baiser était lent. Les lèvres de l'inconnu effleuraient à peine les siennes, si délicatement qu'elle n'aurait pas dû les sentir, mais elle les sentait, dans tout son être, comme si la caresse la plus légère avait eu le pouvoir d'exacerber chacun de ses nerfs.

Puis, le baiser se fit plus ardent. Il agaça de la langue ses lèvres fermées. Elle les ouvrit pour lui, toute prête à le suivre. Prête à savourer pleinement le plaisir que lui procurait ce baiser. Elle savait déjà que celui-ci serait différent.

Que *celui-ci* serait le premier baiser dont elle avait rêvé et qui lui était destiné. Et elle avait confiance en lui, qui qu'il fût.

Parce que désormais elle établissait ses propres règles, obéissait à ses seuls désirs, elle glissa les doigts dans les cheveux de l'inconnu. Ils étaient doux comme de la soie. Et comme s'il n'attendait que cette permission, le Mystérieux Chevalier de minuit l'embrassa avec davantage de passion. Leurs langues se touchèrent, s'agacèrent, et ils se goûtèrent l'un l'autre. Elle commençait à connaître cet homme plus qu'aucun autre.

Il prit doucement son visage entre ses mains. S'il avait été Brendon (Brandon ?), elle se serait sentie prisonnière. Avec cet homme, elle se sentit chérie et désirée. La plupart des hommes ne souhaitaient même pas lui adresser la parole, mais cet homme… il ne semblait pas pouvoir se détacher d'elle. C'était *cela* qu'elle voulait. C'était pour *cela* qu'elle avait joué sa réputation et sa vertu. Et à présent qu'elle l'avait trouvé, comment y renoncer ?

Olivia mit un terme au baiser pour poser à ce parfait inconnu — à cet amant parfait — une question insensée. Lui caressant la joue de la main, elle regarda ses lèvres, puis ses yeux.

Son cœur battait à tout rompre. Mais il fallait qu'elle lui demande :

— Voulez-vous m'épouser ?

Dans la pénombre, elle vit que c'est le regard assombri et un sourire mélancolique aux lèvres qu'il répondit :

— Pas ce soir.

Chapitre 14

Pour demeurer poli, la seule chose que l'on puisse dire au sujet du mariage de Lady Olivia Archer et de Lord Radcliffe est qu'il a eu lieu. Pendant un moment, on a été en droit d'en douter.
— MISS HARLOW, « MARIAGES CHEZ LES NOBLES »,
LONDON WEEKLY

À onze heures ce matin-là, la chose devint officielle. Olivia était désormais Lady Radcliffe. La Baronne folle. Le sort qu'elle redoutait et contre lequel elle s'était élevée était désormais scellé.

Au cours de la cérémonie intime qui s'était déroulée au salon, elle avait trébuché sur les mots « soumettre » et « obéir ». Le pasteur ne parut pas le remarquer. Ni ses parents. Et Phinn ? Son visage était impénétrable. Elle ne voyait que cette cicatrice, toujours aussi inquiétante. Et sa bouche à la ligne ferme. Et ses yeux verts dans lesquels elle ne supportait pas de plonger les siens.

— *Établissez vos propres règles*, lui avait dit son chevalier de minuit.

Elle s'y essaierait peut-être demain. Aujourd'hui, trop d'émotions la bouleversaient — tristesse à la pensée que la journée de son mariage ressemblait à *ceci* au lieu d'être l'heureux événement dont elle avait rêvé ; regret de n'avoir pas rencontré plus tôt l'inconnu du jardin, car lui semblait la comprendre ; et peur de l'avenir.

De quoi serait faite sa nuit ? Et toutes les nuits suivantes ? Chaque fois qu'elle y pensait, son corset l'étranglait. Elle n'arrivait plus à respirer. L'embrasserait-il rudement et autoritairement comme l'avait fait Brendon (Brandon ?) ? Ou son baiser ressemblerait-il à cette danse lente et exquise qu'avait été celui du Mystérieux Chevalier de minuit ? D'ailleurs, le Baron fou l'embrasserait-il ?

Elle s'attendait à ce qu'il l'emmène dans le Yorkshire tout de suite après le repas de noces. Aussi fut-elle étonnée quand leur voiture s'arrêta presque aussitôt après leur départ devant l'hôtel Mivart sur Brook Street, dans Mayfair.

— Nous sommes arrivés, dit Phinn.

— À l'hôtel ? demanda-t-elle, surprise, en levant les yeux sur lui. Je croyais que nous irions nous installer dans votre propriété du Yorkshire.

— Nous irons un jour, dit-il. Mais j'ai à faire à Londres et j'ai pensé que vous aimeriez être près de vos amies le temps que nous apprenions à nous connaître. Et je ne voulais pas louer une maison sans d'abord vous consulter.

Devant ce sursis imprévu, Olivia sentit sa poitrine se détendre. Son errance au bord de la folie dans la maison isolée de Phinn était remise à plus tard. Elle pourrait compter sur la présence réconfortante de ses amies pour affronter les premiers jours de sa vie de femme mariée.

Peut-être…

Phinn ajouta :

— À la condition, bien entendu, que cela vous convienne. Si vous préférez autre chose, je vous prie de m'en faire part.

Peut-être n'était-il pas aussi affreux et insensible qu'elle ne l'avait craint.

Pour la première fois de la journée, elle respira à fond. Tout compte fait, peut-être ne se retrouverait-elle pas totalement seule. Peut-être n'était-il pas toujours dominateur et autoritaire. Peut-être tiendrait-il compte de ses désirs. En l'occurrence, il avait *saisi* ce qu'elle voulait.

Comme l'inconnu du jardin. Il l'avait comprise, alors même qu'elle ne le méritait pas. Si seulement elle l'avait rencontré plus tôt. Si seulement elle ne l'avait pas perdu.

Elle ne savait pas comment le retrouver, bien que, le ciel en était témoin, elle s'était drôlement creusé les méninges depuis. Sa mère ne lui avait pas laissé le loisir de partir à sa recherche — eût-elle su où le chercher.

Par conséquent, elle se retrouvait là — dans le hall grandiose du Mivart —, au bras de son mari. Des hommes et des femmes élégamment vêtus, dont plusieurs conversaient en langues étrangères, se prélassaient sur les canapés.

On les conduisit à une suite luxueuse, formée de deux grandes chambres séparées par un vaste salon aux teintes bleu clair et vert pâle apaisantes. Les grandes fenêtres surplombaient Brook Street.

Olivia parcourut la pièce en observant le mobilier et les tableaux d'un goût irréprochable. Ou bien chacune des nuits qu'ils passeraient ici menacerait de les ruiner — ou bien Phinn était réellement très riche. Elle n'avait jamais pris le temps d'y songer. Elle le regarda à la dérobée, remarquant le calme et le savoir-faire avec lesquels il dirigeait les domestiques. Qu'ignorait-elle d'autre à son sujet?

— Cela vous convient-il? demanda Phinn à propos de la suite en s'approchant d'Olivia.

Il avait les mains croisées dans le dos. Olivia prit soudain conscience de sa haute taille. De sa large poitrine. De sa force. Pour une fois, elle ne pensa pas qu'il pourrait aisément la dominer, elle pensa qu'elle pourrait trouver réconfortant de se blottir dans ses bras.

— C'est ravissant, dit-elle en lui adressant un sourire timide. Avez-vous remarqué que votre ami Lord Rogan nous a laissé une bouteille de champagne ?

Bouteille qu'elle avait remarquée en parcourant la pièce.

— C'est délicat de sa part.

Non pas qu'elle eût envie de champagne après le bal chez Cyprian. Ou celui chez Almack's. À présent qu'elle établissait ses propres règles, elle avait décidé de ne plus boire à l'excès.

— Je dirais plutôt impertinent, répliqua sèchement Phinn.

Il balaya la pièce en plissant les paupières à la recherche d'autres « présents » ou « impertinences ».

— Je ne suis toutefois pas certaine de saisir le sens de la note qui l'accompagne, dit Olivia en prenant la carte de papier vélin.

— Que dit-elle ? demanda Phinn, debout derrière elle, en lisant par-dessus son épaule.

De le sentir si près, elle n'arrivait plus à déchiffrer l'écriture de Rogan. Elle s'efforçait plutôt de ne pas céder au désir de s'appuyer contre sa poitrine, de se blottir entre ses bras. Elle avait trouvé si agréable et réconfortant d'être dans les bras de l'inconnu du jardin. Serait-ce ainsi avec Phinn ?

— Le salaud, jura Phinn.

— Qu'y a-t-il ? demanda Olivia, plus intriguée encore, en se tournant vers lui.

— Rien, dit-il en fourrant la carte dans sa poche. Permettez-moi de vous montrer vos appartements.

Il lui prit la main et lui fit franchir les doubles portes.

La chambre d'Olivia était ravissante. Vaste, elle avait aussi de larges fenêtres, des murs d'un jaune beurre très clair, une cheminée devant laquelle étaient disposés des fauteuils et des guéridons, et un très beau lit à baldaquin. Sur lequel était éparpillé un assortiment de livres et de périodiques. Tandis que Phinn expliquait à la femme de chambre comment disposer de leurs bagages, Olivia s'empara avec curiosité de l'un des périodiques.

Dans un premier temps, elle remarqua les illustrations. Étaient-ce des magazines de mode ? Si oui, le présent était charmant. Elle passerait avec joie sa première journée de femme mariée au lit, à découvrir ce qui était à la fine pointe de la mode, à choisir ce qu'elle achèterait à présent qu'elle pouvait se passer de l'approbation de sa mère.

Mais en y regardant de plus près, Olivia remarqua que les femmes ne portaient aucun vêtement. Les hommes non plus, du reste. Par tous les saints du ciel, de *quoi* s'agissait-il ? Elle regarda avec plus d'attention. À quelle *étrange* activité s'adonnaient-ils ?

Les hommes et les femmes étaient allongés sur un lit, les membres enlacés... ou inclinés sur des bureaux... ou penchés sur des canapés. Olivia comprit finalement que ces illustrations dépeignaient l'Acte.

La tête penchée, elle tourna la page. Voilà donc ce que cachait la feuille de vigne des statues du British Museum.

Elle jeta un coup d'œil en direction de Phinn. Voulait-il qu'ils fassent tout ça ? Une image d'eux deux dans ces positions se forma aussitôt dans son esprit. Un homme agenouillé devant une femme assise dans un fauteuil, les jambes écartées beaucoup trop largement pour une dame. Une femme chevauchant un homme nu allongé sur un matelas. Une femme refermant la bouche sur un... Les joues brûlantes, elle referma vivement le magazine.

Une sensation étrange lui remua les entrailles, et une chaleur insoutenable se répandit dans ses membres. Une sensation très différente de celle qu'elle avait ressentie en embrassant le Mystérieux Chevalier de minuit. Était-ce à cause des images en elles-mêmes ou parce qu'elle se voyait faire ces choses avec Phinn? Voulait-il qu'ils fassent tout ça?

— Qu'est-ce que c'est? demanda-t-elle en montrant d'un geste les publications.

Elle eut l'impression de s'être exprimée d'une drôle de voix. Seigneur, le remarquerait-il?

— Montrez-moi, dit-il, apparemment aussi curieux qu'elle.

Olivia lui tendit la publication qu'elle venait de parcourir et en prit une autre, intitulée *50 façons de pécher.*

Elle sursauta, car Phinn la lui arracha aussitôt des mains.

Elle en prit donc une autre.

— C'est ce que vous souhaitez que nous fassions? Ce sont des publications éducatives? demanda-t-elle.

Craignait-il qu'elle soit ignorante? N'était-elle pas censée être innocente? S'agissait-il là d'un nouveau talent féminin qu'il lui faudrait acquérir et peaufiner au terme de recherches exhaustives et d'exercices quotidiens? Sa mère s'était contentée de lui dire : «Une dame s'allonge, demeure immobile et laisse faire son époux.»

Olivia avait des questions. Phinn n'avait pas de réponses.

— Non. N'y pensez plus, dit-il vivement, très rouge. Vous n'auriez pas dû voir cela.

— Parce que si cela dépeint ce que je pense..., dit Olivia, les sourcils froncés, ne sachant trop comment terminer sa phrase. Ma mère m'a dit que je devais m'allonger sans bouger. Elle ne m'a pas dit que je devrais m'allonger sans bouger sur un bureau pendant que...

Elle ne savait trop comment interpréter la sensation étrange que la vue de ces images avait déclenchée en elle ni le fait que Phinn serrait les mâchoires, le regard sombre.

— N'en dites pas davantage, de grâce, dit-il d'une voix bizarre, étranglée.

Puis, il s'empressa de rassembler les publications à deux mains, mais certaines lui échappèrent. Comme il tentait de les attraper, d'autres tombèrent par terre. Olivia se pencha pour lui donner un coup de main. Ils se cognèrent la tête.

— Aïe! s'écria-t-elle en se frottant la joue, sous l'œil, là où elle était entrée en collision avec le front de Phinn.

— Ça va? demanda Phinn, inquiet, en laissant tout tomber pour tendre la main vers elle.

Il lui toucha tendrement la joue au point de collision. Elle tressaillit — mais pas parce qu'il l'avait touchée.

— Ça va. Et vous?

— Oui, dit-il en se frottant le front.

C'est alors qu'elle remarqua ses jointures meurtries et enflées.

— Qu'est-il arrivé à vos mains?

— Rien, dit-il, ce qui était visiblement faux.

Il s'empressa de rassembler les publications indécentes. Elle lut encore une fois *50 façons de pécher*, puis *Femmes sans pudeur*. En tombant, un livre s'ouvrit sur une page illustrée.

Elle la regarda, et sa bouche s'ouvrit sous le choc en voyant des images de femmes retroussant leurs jupes, exposant toute leur intimité. Des hommes, également dévêtus, étreignaient les femmes et les caressaient.

— Elles sont à vous ? se risqua-t-elle à lui demander.

— Elles ne sont certainement pas à moi, dit-il avec véhémence. Elles appartiennent à l'une de mes connaissances.

— Une connaissance ? demanda-t-elle, alarmée. Quelle sorte de connaissance ?

Avait-il déjà une maîtresse ? Du reste, pourquoi s'en serait-elle offusquée ? Il aurait toutefois pu se montrer plus discret le soir de leur nuit de noces.

— Rogan. C'est l'œuvre de Rogan, jeta Phinn entre ses dents. C'est la dernière fois qu'il se mêle de…

Sa voix était tendue ; ses mâchoires, crispées. Ses yeux avaient ce regard lointain qui effrayait Olivia.

— Phinn, dit-elle doucement.

— Je vous présente mes excuses, dit-il avec raideur.

Puis, il posa les yeux sur son visage et se mit à respirer lentement, avec mesure, comme s'il tentait de maîtriser sa colère.

— Voulez-vous vous allonger ?

Voyant qu'elle écarquillait les yeux, il s'empressa d'ajouter :

— Pour vous reposer ! Juste pour vous reposer. Je dois sortir un moment.

— Pour aller où ? Quand reviendrez-vous ?

— Restez ici, dit-il sèchement.

Si sèchement, qu'elle en fut sidérée. Elle se rendit alors compte que Phinn ne lui avait jamais parlé sèchement avant.

Restez ici, femme. Attendez.

Elle était mariée depuis moins d'une journée que déjà tout ce qu'elle avait redouté se concrétisait.

Phinn n'alla pas très loin, car, apparemment, Lord Rogan n'avait pu se résoudre à les laisser seuls. Olivia comprit qu'il était là en entendant Phinn s'écrier avec fureur :

— Que diable fais-tu ici ?

Olivia leva les yeux du livre qui, ayant roulé sous le lit, avait échappé à l'attention de Phinn. Elle le glissa sous l'oreiller et entrouvrit la porte pour les épier.

— Je m'en vais au club, dit Rogan d'un ton jovial, apparemment inconscient de la fureur de Phinn. J'ai cru bon de venir voir comment vous alliez.

— Il ne t'est jamais passé par l'esprit de laisser un homme et son épouse tranquilles le soir de leur mariage ?

Z'avez trouvé le champagne, j'espère ? demanda Rogan. Et le reste, ajouta-t-il en baissant la voix.

Phinn cessa de faire rageusement les cent pas.

— À quoi diable as-tu pensé, Rogan ?

— J'ai cru me rendre utile, dit Rogan, visiblement imperméable à l'humeur de Phinn.

Olivia avait beau ne pas être la cible de la fureur de Phinn et se trouver derrière une porte qu'elle pouvait verrouiller, son cœur battait néanmoins follement. Comment Rogan parvenait à affronter sans broncher la rage de Phinn était pour elle un mystère. Il était soit très brave, soit très bête. Ou il savait que Phinn montrait les dents, mais ne mordait pas, même si ses jointures meurtries indiquaient le contraire.

— Tu as cru te rendre utile en la terrifiant ?

— C'était censé être inspirant. Stimulant, si tu préfères, dit Rogan en se balançant sur les talons.

— Pas pour une vierge, dit Phinn d'une voix mordante.

— Ni pour son mari pudibond.

La plaisanterie de Rogan tomba à plat.

— C'est *faux*, ragea Phinn, ce qui intrigua fortement Olivia.

Bien entendu, il avait connu d'autres femmes. Il avait été marié. Avait-il fait ce que montraient ces illustrations ? Elle ne savait trop ce qu'elle ressentait à cette idée.

— Ce qui est vrai toutefois, c'est que tu as dépassé les bornes. Cette fois, tu es allé trop loin, Rogan. J'ignore ce qui est le plus odieux : avoir déposé des choses aussi offensantes dans la chambre de ma femme ou être revenu voir comment nous nous en sortions.

— C'est ainsi que tu me remercies de mes bons conseils ? répliqua Rogan, offensé. Conseils qui, je te le rappelle, t'ont permis d'épouser la fille.

— Il y a tant de faussetés dans cette phrase que j'ignore par où commencer.

Par la porte entrebâillée, Olivia vit Phinn, agacé, se passer la main dans les cheveux.

— Tes conseils se sont avérés très mauvais.

— Quoi, lui montrer ta force ? demanda Rogan.

— Pas très brillant si elle pense que je suis un assassin, dit Phinn.

Et Olivia se rappela cette curieuse remarque sur les « tours de force ». Et sa crainte qu'il l'enlève.

— J'ignore ce qui est pire : cette histoire de tour de force ou le fait d'avoir tenté, à ta suggestion, de l'impressionner en lui racontant à quel point ma propriété est vaste et isolée.

— Comment aurais-je pu savoir que ces jeunes péronnelles s'intéressent encore à ces balivernes ? s'indigna Rogan.

— Sans compter ces compliments idiots ! poursuivit
Phinn. Votre père est-il un voleur ? Ces étoiles dans vos yeux ?
Dieu que je me suis rendu ridicule en suivant tes conseils !

Olivia, bouche bée, commençait à assembler les pièces du
casse-tête. Tout ce temps, il avait suivi les conseils de Rogan.
Les conseils idiots, mal avisés, de Rogan. Mais *pourquoi* ?

— Pour moi, ça a marché, rétorqua Rogan.

Ce qui eut l'heur d'accroître la fureur de Phinn. Aussi,
Rogan ajouta-t-il d'un ton apaisant :

— Quoi qu'il en soit, j'essayais uniquement de t'aider.

— Je ne veux plus de ton aide. Je n'arrive pas à croire que
tu aies fait tout ça, dit Phinn. Ni que tu sois *ici*, grogna-t-il.

— Mais quoi, j'ai juste pensé que si cela ne se passait pas
bien…, dit Rogan, soudain mal à l'aise.

— Quoi ? cracha Phinn. Tu as pensé quoi ?

— Que vous souhaiteriez peut-être avoir de la compagnie, dit doucement Rogan.

Olivia eut de la peine pour eux deux. Il avait uniquement
voulu aider. Mais pourquoi pensait-il que Phinn avait à ce
point besoin d'aide ? Sans doute parce qu'elle avait très mal
accueilli ses efforts répétés pour s'attirer son affection. Elle
se toucha les lèvres. En suivant les conseils bien intentionnés
mais bêtes de son ami, Phinn avait eu pour seul désir de lui
plaire, et elle lui avait rendu la tâche impossible.

— Tu as sacrément confiance en ton ami, maugréa sombrement Phinn.

Le cœur d'Olivia se brisa quelque peu.

— Maintenant… va-t'en.

— Mais…

Maya Rodale

— C'est ma nuit de noces. Je ne souhaite pas la passer avec toi.

La porte de la suite claqua si violemment qu'elle en grinça sur ses pentures. Olivia referma doucement la porte de sa chambre. Elle avait obtenu des réponses à des questions qu'elle ne s'était pas posées.

Avait-elle tout gâché dès l'instant où elle s'était mis trop de rouge à lèvres ? Pourtant, il était revenu. Il ne s'était jamais emporté contre elle comme il venait de le faire contre son ami. Il n'avait jamais levé la main sur elle.

Olivia tomba à genoux derrière la porte.

Mais d'un autre côté… quel fichu caractère. Elle suffoquait chaque fois qu'elle repensait à l'éclat glacial de ses yeux et à la fureur à peine contenue avec laquelle il faisait les cent pas. Comme pour confirmer ses craintes, la porte claqua de nouveau. Était-il parti ? Elle se précipita à la fenêtre et jeta un coup d'œil à l'extérieur. Au bout d'un moment, elle vit Phinn descendre Brook Street à pas vifs et décidés.

Elle s'était attendue à ce que son mariage soit un désastre.

Mais elle n'aurait jamais cru ressentir le désir de le raccommoder.

Un peu plus tard dans la soirée, Olivia, assise sur le canapé, attendait Phinn. Beaucoup trop de questions sur Phinn et sur leurs fréquentations catastrophiques l'empêchaient de dormir. Elle avait tenté de s'en distraire en feuilletant les livres osés ayant échappé à son attention, mais cela n'avait réussi qu'à soulever d'autres questions. Le bon sens lui interdisait de s'aventurer dans les rues de Londres à sa recherche.

Par conséquent, elle attendait anxieusement le retour de son mari le soir même de leur nuit de noces. Était-il avec une autre femme ? Sans savoir pourquoi, elle en doutait. Était-il à son club ? Errait-il dans la nuit ?

Minuit avait sonné depuis longtemps lorsqu'il revint enfin.

— Vous n'êtes pas encore couchée, dit Phinn en la voyant.

— C'est notre nuit de noces, dit doucement Olivia.

— Oui, une nuit de noces dont vous ne vouliez pas, dit-il.

Il était vain de protester. Mais à présent qu'ils y étaient, elle voyait les choses d'un autre œil.

— J'avais peur, expliqua-t-elle. Et je n'avais pas compris...

— Olivia, il est tard, dit Phinn d'une voix exténuée. Nous sommes tous les deux à bout. Ce n'est pas ainsi que cela doit se passer.

Cette nuit de noces était loin d'être la nuit parfaite, romantique ou simplement agréable qu'on pouvait espérer. Olivia avait été tellement obnubilée par sa conception de la cour idéale qu'elle avait gâché ce qui aurait pu en être une agréable. Le fait d'en prendre conscience l'amena à se demander si Phinn avait de son côté une conception de l'amour qu'elle s'entêtait à contrecarrer. C'était elle qui l'avait repoussé ; par conséquent, il lui incombait de faire en sorte qu'ils se rapprochent si elle voulait vivre le mariage aimant dont elle rêvait encore.

Chapitre 15

Établissez vos propres règles.

— Conseil donné par le Mystérieux
Chevalier de minuit d'Olivia

Quelques jours plus tard

À onze heures, Olivia se surprit à chercher dans ses affaires son nécessaire de broderie. Même si elle détestait broder. Mais c'était ce qu'elle faisait d'ordinaire chaque matin à onze heures. Sa mère et elle s'assoyaient ensemble pour broder tout en planifiant les visites du jour.

Olivia trouva son nécessaire, s'assit et commença à tirer l'aiguille.

C'était apaisant.

Non, c'était ennuyeux.

Elle parcourut le salon du regard. Elle était seule. Phinn s'en était allé quelque part aux premières lueurs du jour — travailler sur l'engin, supposa-t-elle. Il rentrait chaque soir très tard. C'était ainsi qu'ils vivaient depuis les derniers jours. Il partait, elle respectait l'horaire dans lequel elle avait été élevée pour la bonne raison qu'elle ne savait pas quoi faire d'autre. Elle n'osait pas sortir avec ce bleu sur sa joue. Elle avait suffisamment alimenté la rumeur.

Mais aujourd'hui, elle n'avait pas envie de broder ni de rester enfermée. Et elle ne pensait pas y être obligée.

Phinn ne le saurait pas si elle ne brodait pas. Du reste, il ne s'en soucierait sans doute pas. Car s'il s'était soucié d'Olivia, il ne se serait pas transformé en courant d'air.

Sa mère ne le saurait pas si elle s'écartait de leur sacro-saint horaire. Pourtant, n'empêche qu'Olivia jeta furtive-ment un coup d'œil à la ronde avant de ranger son nécessaire sous le canapé.

— *Établissez vos propres règles*, lui avait conseillé son Mystérieux Chevalier de minuit. Se plier aux règles ne lui avait rien apporté. Enfreindre les règles non plus. Le conseil était peut-être sage.

Elle pourrait peut-être partir à sa recherche.

Elle regarda l'horloge. Onze heures cinq. Elle était seule. Terriblement seule.

À la pensée de tout ce qu'elle pouvait faire, elle gloussa. Pardi, elle pouvait, si l'envie lui en prenait, embarquer sur un navire et voguer jusqu'en Amérique ! Elle n'était pas du tout obligée de faire de l'aquarelle pendant une heure et, même si elle l'avait voulu, elle ne pouvait non plus jouer du pianoforte puisqu'il n'y en avait pas.

Compte tenu de la kyrielle de scandales ayant précédé son mariage, du fait qu'elle était l'épouse du Baron fou et qu'elle logeait à l'hôtel, elle n'attendait guère de visiteurs. Et s'il en venait, elle ferait dire qu'elle n'était pas là. Ou qu'elle ne se sentait pas bien.

En réalité, songea Olivia en s'allongeant sur le canapé, elle pouvait employer cette journée comme bon lui semblait.

À l'évidence, Phinn se contrefichait de la manière dont elle occupait ses journées, sinon il lui aurait tenu compagnie. Ou, du moins, lui aurait posé des questions. Elle écarta l'étrange sentiment proche du chagrin qu'elle éprouva à cette idée. À croire qu'elle aurait aimé qu'il passe la journée avec elle. Elle avait tellement de questions à lui poser. Comment s'était-il blessé les mains ? Pourquoi avait-il suivi les conseils de Rogan ? Que faisaient au juste les hommes et les femmes dans ces livres ?

Pourquoi ne voulait-il pas passer la journée avec elle ?

Pourquoi ne pouvaient-ils pas bavarder, retourner déjeuner sur l'herbe ou faire certaines des choses indécentes dépeintes dans ces livres…

Elle avait souhaité que Phinn la laisse seule — *avant* leur mariage, quand elle pensait pouvoir se trouver un autre prétendant. Il était plutôt désagréable qu'il l'abandonne *après* leur mariage. Pourquoi avait-il fait des pieds et des mains pour l'épouser si c'était pour l'ignorer ensuite ?

Olivia décida d'inviter Emma et Prudence à aller chez la modiste au lieu d'encore passer la journée à se morfondre dans sa chambre d'hôtel.

Ce qu'elle fit. Elles empruntèrent la voiture d'Emma pour se rendre chez Madame Auteuil sur Bond Street.

— On pensait que ta lune de miel durerait plus longtemps, dit aussitôt Emma, anéantissant l'espoir d'Olivia qu'elles n'abordent pas le sujet. Avec ton nouvel époux.

— Peut-on même oser te demander comme cela se passe ? s'enquit nerveusement Prudence.

— Ce qu'elle veut dire en fait, c'est raconte-nous donc ta nuit de noces, dit Emma avec un sourire malicieux devant lequel Olivia aurait d'ordinaire éclaté de rire.

Sauf que sa nuit de noces avait été un désastre de plus.

Olivia hésita, se rappelant ce qu'elle avait entendu de la conversation entre Phinn et Rogan. Par conversation, elle entendait l'échange acrimonieux de phrases assénées d'une voix forte. Curieusement, révéler ce qu'elle avait entendu lui semblait être une trahison — elle n'était pas censée savoir tout ce qu'il avait fait pour lui plaire. Encore maintenant, elle avait honte de son attitude et envie de se faire pardonner.

— Eh bien ? demanda Prudence, impatiente.

— Elle t'a laissée sans voix ? C'est bon signe, dit Emma.

— Il ne s'est rien passé, dit Olivia.

Elle ne pouvait tout de même pas leur dire que la *seule* chose à s'être passée était une dispute qu'elle avait épiée. Ce qu'elle avait appris la démoralisait.

— Rien ? répéta Emma.

— Nous avons fait le tour de nos appartements. Après quoi, il est parti, répondit Olivia.

— Te serais-tu frappée contre le cadre de la porte ? s'enquit Prudence.

Perplexe, Olivia répondit :

— Non, pourquoi ?

— Tu as un bleu à la joue, dit-elle.

— Oh, ça, dit Olivia en touchant le bleu qui avait considérablement pâli.

Elle sourit en se rappelant comment elle se l'était fait.

— Phinn et moi nous sommes cognés la tête.

Tant Emma que Prudence parurent manifestement et considérablement sceptiques. N'était-elle pas mariée au Baron fou ? Mais cela n'avait été qu'un accident bête durant un échange ridicule.

— Tout va bien, Olivia? demanda Emma en lui décochant un regard grave et inquisiteur.

— Ça va. Je suppose, soupira Olivia.

Grâce au ciel, à cet instant, la voiture s'arrêta devant la boutique de Madame Auteuil.

— À présent, allons m'acheter une nouvelle garde-robe.

Puisqu'elle était mariée — sinon dans les faits, du moins sur papier —, elle n'était plus obligée de porter des robes blanches, ivoire ou coquille d'œuf qui lui donnaient l'allure d'un ange fadasse ou d'un esprit virginal. Elle choisit des robes dont elle avait toujours rêvé.

Emma et Prudence furent de compagnie très agréable. Elles débattirent sérieusement des mérites respectifs d'une soie bleu marine et d'un satin bleu ciel. Elles se demandèrent longuement si la couleur melon mûr mettait en valeur le teint d'Olivia alors qu'il était évident que non.

— Il te faudrait peut-être quelques dessous, Olivia, dit discrètement Emma.

— Pourquoi? demanda Olivia, dont l'esprit s'égara vers les illustrations qu'elle avait entrevues.

Sur ces illustrations, les femmes, lorsqu'elles portaient quelque chose, arboraient de délicates choses en dentelle dont elle ignorait l'existence.

— Parce que je suis certaine que ceux contenus dans ton trousseau ne… conviennent pas, dit Emma en baissant la voix. Les miens ne convenaient pas.

— Elle entend par là que c'était des dessous décents, virginaux, et non le genre de dessous minuscules et vaporeux susceptibles d'exciter la sensualité d'un homme, expliqua Prudence.

Comment le savait-elle ? Encore qu'Olivia commençait à croire qu'elle était la seule à avoir vécu dans une totale ignorance des choses de la vie.

— Les hommes sont sensuels ? demanda-t-elle. Ou est-ce uniquement les femmes ?

— Tu évites la question, Olivia ?

— Quelle question ?

Emma pria la modiste de bien vouloir les excuser, et les trois femmes se réfugièrent dans la petite cabine d'essayage. Prudence tira fermement les rideaux de velours.

— As-tu…, commença Emma.

— Fait la connaissance de ton mari dans le sens biblique du terme ? acheva Prudence.

— Fait l'amour avec lui ? demanda Emma.

— Fait l'Acte ? ajouta Prudence.

— Eu des rapports conjugaux ? s'enquit Emma en haussant le sourcil.

— Non, bon ! s'écria Olivia.

Elle n'avait pas commis l'Acte biblique de faire l'amour avec Phinn ni une quelconque variation de la chose. Elle avait passé sa nuit de noces seule — non qu'elle ait été disposée à agir autrement. Mais compte tenu de ce qu'elle avait entendu, elle commençait à se demander si, à force de chercher l'amour, elle n'aurait pas compromis sa seule chance de le connaître.

— Il s'est disputé avec Rogan qui, apparemment, l'avait mal conseillé sur la manière de me charmer. Après quoi, Phinn est allé marcher. Depuis, il se lève à l'aube et s'en va travailler sur l'Engin de calcul industriel…

— Différentiel, corrigea Emma.

— C'est du pareil au même pour moi, dit dédaigneusement Olivia. Le fait est qu'il préfère les machines à moi.

— Serait-ce le moment de lui faire remarquer qu'elle est mariée depuis moins d'une semaine ? demanda Prudence.

Emma secoua la tête et, un sourire malicieux aux lèvres, demanda :

— Ne serait-ce pas plutôt le moment de lui conseiller de le séduire ?

— Après avoir tenté de le faire fuir ? demanda Prudence, sceptique. Qu'allons-nous faire ? soupira-t-elle.

Nous. Olivia sourit. Phinn lui avait déclaré qu'ils resteraient quelque temps à Londres. Ce dont elle lui était extrêmement reconnaissante. Comment aurait-il su ce qu'elle voulait si elle lui avait été indifférente ? Quoi d'autre avait-elle omis de voir dans son empressement à provoquer un scandale ?

— En effet, qu'allons-*nous* faire ? demanda Olivia.

Elle rêvait toujours de ce dont elle avait toujours rêvé : avoir une chance d'aimer et d'être aimée. Apparemment, Phinn était désormais le seul avec qui elle aurait cette chance. Compte tenu de ce qu'elle avait récemment découvert, il n'était peut-être pas si affreux finalement.

Du reste, elle ne pouvait pas aller retrouver son Mystérieux Chevalier de minuit et le persuader de vivre dans le péché avec elle. Les vœux du mariage ne comptaient pas parmi les règles qu'elle entendait enfreindre.

Emma fut celle qui leur fournit la réponse.

— Pas question que *nous* rations l'occasion de connaître l'amour qui s'offre à nous.

Par « nous », elle entendait évidemment Olivia.

Chapitre 16

Un frôlement, une pression de la main, sont les seules manifestations extérieures par lesquelles une femme peut indiquer qu'elle nourrit une certaine affection à l'endroit de certains individus.

— LE MIROIR DES GRÂCES

Phinn ne pouvait éviter sa femme jusqu'à la fin des temps. En réalité, il l'aurait pu s'il l'avait vraiment voulu. Il aurait pu retourner dans le Yorkshire et la laisser au Mivart en veillant évidemment à ce qu'elle ne manque de rien.

Mais il ne voulait pas *laisser* Olivia. C'était juste qu'il ne savait pas comment lui faire face après leur désastreuse nuit de noces.

Il avait perdu son sang-froid devant elle et avait dû partir, car il ne supportait pas de voir de la peur dans ses yeux. Elle avait remarqué ses mains meurtries et enflées. Elle savait qu'il pouvait être dangereux. Fichu imbécile !

Chaque soir, à son retour — tardif —, il avait songé à frapper à sa porte. Ses jointures douloureuses, qui commençaient à peine à guérir, l'en avaient empêché. Il ne pouvait poser sur une telle innocence des mains marquées d'une telle violence. Chaque matin, il avait songé à s'attarder pour la voir. Au lieu de quoi, il était parti au lever du jour, redoutant les questions qu'elle ne manquerait pas de lui poser.

Il s'était plongé dans le travail, vaguement conscient que la situation ressemblait à celle de son premier mariage. Mais il avait épousé une femme qui était tout le contraire de Nadia — non? Même si Olivia était capable d'une conduite scandaleuse et d'emportement, il y avait en elle une douceur dont il avait soif et que Nadia n'avait jamais eue. Il ne fallait pas être un génie pour comprendre qu'il était le seul responsable de ses mariages désastreux.

Aussi, quand Ashbrooke lui demanda : «Comment va le jeune marié?», Phinn grommela une réponse évasive et aborda aussitôt la question des pièces de l'engin n'ayant pas encore été façonnées. Le duc n'y vit que du feu et discuta avec Phinn de la question et des diverses solutions pendant une bonne demi-heure.

— C'est entendu, donc, conclut Phinn.

Le duc hocha la tête.

— Par ailleurs, la duchesse et moi serions honorés que votre femme et vous nous accompagniez à l'opéra ce soir.

Ashbrooke avait dit cela de ce ton autoritaire, ducal, auquel il était impossible d'opposer un refus. Quand Phinn aborda le sujet avec Olivia un peu plus tard, il prit grand soin de prendre un ton très différent.

— Ashbrooke nous a invités ce soir à l'opéra avec lui et Lady Emma, lui dit-il. Il vous plairait d'y aller?

— Vraiment? répondit Olivia avec un sourire.

Le cœur de Phinn battit plus vite.

— Oui. Il vous plairait d'y aller? demanda-t-il à nouveau en retenant son souffle.

— Oui. Beaucoup, dit-elle doucement, ce qui étonna Phinn.

Se pouvait-il qu'elle lui ait pardonné la suite de bourdes qui s'étaient produites le soir de leur nuit de noces. Pourquoi s'était-elle radoucie ?

À l'opéra

Quelque part entre la baisse de l'éclairage et le lever du rideau, tout changea. Cela commença par un simple frôlement de la main de Phinn contre la sienne. Olivia eut le réflexe de retirer sa main, mais elle se contraignit à la laisser près de celle de Phinn.

Saisir l'amour au vol.

Et ceci, cette caresse affectueuse dans le noir, lui parut être une façon nettement préférable de lui exprimer ses regrets et son désir de repartir de zéro. Elle ne pouvait se résoudre à le lui dire franchement, mais elle pouvait toutefois lui montrer un peu d'affection.

Leurs mains se touchaient, c'était tout. Dans la maison de l'opéra. Ils portaient des gants. C'était anodin. Mais ça ne semblait pas anodin.

C'était agréable, bien entendu. Mais son plaisir était amoindri par l'impression douce-amère que c'était sa faute si cela n'était pas arrivé plus tôt. Son cœur était une pelote de sentiments, où se mêlaient une nostalgie lancinante pour l'inconnu du jardin et un timide intérêt naissant pour son mari, qui se révélait ne pas être l'homme qu'elle avait imaginé.

Les efforts qu'il avait faits pour la séduire avaient été maladroits mais sincères. Un peu honteuse, elle reconnut ne pas lui avoir facilité la tâche. Pourtant... il était toujours là. À lui caresser timidement mais tendrement la main. Elle ne savait trop ce qui la bouleversait — son dévouement ou sa caresse.

Il lui effleura de nouveau la main, volontairement sembla-t-il à Olivia. Une caresse très légère, très fugace, très délicate. Olivia expira lentement. Inutile de faire l'idiote. Des mains. Uniquement des mains.

Ensuite, ce fut uniquement des doigts, des doigts tout près de s'enlacer, puis s'écartant à regret. La fugacité du geste avait de quoi rendre fou, mais moins encore que l'étrange plaisir qu'elle tirait de son contact et de l'attente de celui-ci.

Allait-il lui prendre la main ? Ou non ?

Le souhaitait-elle, du reste ?

Olivia se rendit compte qu'il ne lui prendrait *pas* la main. Le souffle court, elle le sentit plutôt tracer délicatement des cercles sur sa paume. Doucement, très doucement, il frôla ses doigts, puis remonta vers son poignet, puis plus haut encore, jusqu'à la peau frémissante dans le pli du coude.

Cette… chose… se poursuivit et se prolongea. Le souffle court, haletant, Olivia se demanda s'il fallait qualifier d'«exquis» ou d'«affolant» ce qu'il lui faisait et ce que cela éveillait en elle.

Ce n'était rien, rien, rien du tout. Ils se trouvaient dans un lieu public — encore que nul ne pouvait voir ce qu'ils faisaient. Les lumières étaient tamisées. Les gens gardaient les yeux fixés sur les chanteurs. Phinn et elle étaient discrets. N'empêche qu'il était quelque peu indécent d'éprouver de telles sensations — flamboyantes, frémissantes, ardentes — en public.

Et pourtant, c'était à peine s'ils se touchaient la main. Du reste, elle portait des gants. S'ils n'avaient pas été mariés, cela n'aurait même pas constitué un motif de mariage valable.

Les gants — il fallait les enlever. Phinn entreprit de défaire d'une seule main, et avec une adresse remarquable, les boutons d'un des gants d'Olivia, un à un. Où avait-il appris à faire cela ? Était-il plus canaille qu'elle ne l'imaginait ? Elle n'avait jamais cru qu'il était innocent, mais elle ne s'était jamais demandé ce qu'il savait faire ni ce qu'il pourrait lui faire ressentir.

Il tira ensuite fermement sur le bout de chacun des doigts du gant, sans dissimuler ses intentions. Il voulait sa peau nue. Olivia lui jeta un coup d'œil furtif et vit qu'il regardait droit devant lui. Personne ne saurait. Ce serait leur secret.

Le gant d'Olivia tomba silencieusement sur le sol, suivi de près par celui de Phinn.

L'exquise torture reprit, cette fois peau nue contre peau nue. Elle n'avait jamais senti la peau nue d'un homme contre sa peau nue. C'était nouveau, une chose qu'elle n'avait faite qu'avec Phinn.

Cette fois encore, il dessina sensuellement et doucement du bout des doigts des cercles lents et délicats sur la peau douce de ses paumes. Parce que la caresse était très légère, Olivia devait se concentrer pour la sentir. Chacun de ses nerfs étaient attentifs au contact léger, fugace, de la peau de Phinn sur la sienne.

Cette fois encore, la respiration d'Olivia se modifia. Cette fois encore, il lui caressa les doigts avec une telle douceur, une telle légèreté, qu'elle cessa de respirer pour ne rien en perdre.

Puis, il osa effleurer du bout des doigts la peau sensible et nue de son avant-bras, depuis le poignet jusqu'au volant de tulle de la courte manche.

Un bras. Une main. Un frôlement. Rien de licencieux. C'était ce qu'Olivia tentait de se faire croire. Mais à chaque frôlement, des frissons lui parcouraient le dos. Elle se surprit à serrer les jambes. À cause de la chaleur, et du *désir*.

Elle gardait les yeux fixés sur la scène ; elle ne voyait rien. Son nouveau corset était trop serré. C'est sans doute pourquoi elle se sentit prise du besoin irrépressible de se défaire de ses baleines. Il faisait trop chaud dans la loge.

Phinn lui accorda encore une longue et lente caresse. Elle osa expirer lentement, espérant peut-être ainsi ralentir les battements fous de son cœur. C'est à peine si elle réussit à laisser échapper un petit soupir.

S'il parvenait à la mettre dans cet état uniquement en lui caressant la main, comment survivrait-elle à davantage ? Elle avait vu les images. Elle avait vu les expressions d'extase. Elle savait qu'il y avait davantage. Et ce davantage, elle le redoutait tout autant qu'elle le désirait.

Olivia tourna la tête, et ses boucles caressèrent ses épaules nues. Elle regarda furtivement l'homme à côté d'elle. Son mari. Un inconnu. Il *était* séduisant.

Phinn tourna la tête et vit qu'elle le regardait. Leurs regards se croisèrent. La musique s'affaiblit. Il lui adressa un sourire hésitant. Le cœur d'Olivia s'affola. Olivia s'obligea à relever les coins de sa bouche et se rendit compte qu'il ne lui était guère difficile, voire pas difficile du tout, de sourire à son mari. Dont elle ne savait presque rien. Sauf que du seul bout de ses doigts, il arrivait à la faire haleter. Et puisqu'il était si tendre, si troublant, pouvait-il être réellement violent ?

Elle ne connaissait pas cet homme. Mais désormais, elle voulait le connaître.

Chapitre 17

Les jeunes dames doivent se tenir à une distance convenable des
messieurs, notamment en voiture.

— L'une des nombreuses règles de Lady Archer

La veille au soir, à l'opéra, Phinn avait profité de l'obscurité pour prendre la main d'Olivia. Bien que cela ne décrive pas avec exactitude le fait qu'ils se soient touchés pendant des heures et qu'elle l'ait laissé faire. Pendant des heures, il avait rêvé de *plus*. Les illustrations des périodiques licencieux lui étaient spontanément revenues à l'esprit, et il n'avait pu s'empêcher de s'imaginer les membres emmêlés à ceux d'Olivia. Le mot «désir» était insuffisant pour décrire ce qu'il ressentait. Plus il était près d'elle, plus l'attirance magnétique qu'il éprouvait pour Olivia gagnait en puissance.

Il avait passé ces heures dans un état d'excitation infernal, exacerbé par le consentement d'Olivia. C'était un miracle qu'il ait réussi à réfréner son envie de l'entraîner dans un coin sombre de la maison de l'opéra et de s'enfoncer profondément en elle. Ce qui aurait été mal avisé, du moins pour leur première fois.

Il rêvait de voir ses cheveux dénoués cascader autour de son visage, ruisseler sur ses seins. Il rêvait d'y glisser les doigts et de l'attirer tout près de lui pour un long, profond et lent baiser. Mais il ne voulait pas s'arrêter là. Il voulait continuer jusqu'à ce qu'elle lance son nom dans un cri, qu'elle jouisse et qu'il la sente se contracter autour de son membre. Alors peut-être s'arrêterait-il.

Pour l'heure, Phinn se retenait, incertain de pouvoir s'empêcher d'aller jusqu'au bout. Par ailleurs, l'embrasser et avoir une relation intime avec elle impliquait de lui révéler des secrets qu'il ne savait pas comment lui exposer, et qu'il n'était pas certain de vouloir révéler.

Donc, au matin, il s'était réveillé encore plus frustré que d'ordinaire.

Il était impatient de commencer une longue journée de travail sur l'engin. Cette tâche l'absorbait totalement. Le fait qu'il consacrait le plus clair de son temps à son travail avait exaspéré Nadia. Olivia s'en soucierait-elle? Il ne le croyait pas.

Il avait cru que Nadia se contenterait de l'attention qu'il lui accordait au lit — car même s'ils ne s'entendaient pas durant le jour, il y avait un endroit où ils étaient compatibles. Combustibles, plutôt. Il se souvenait de ces nuits et de ces matinées où ils ne faisaient que cela. Et dont elle sortait trop épuisée pour faire autre chose que dormir paisiblement.

Il songeait beaucoup trop à faire l'amour. Mais avec Olivia dans les parages, il n'était que trop conscient de la désirer ardemment, mais aussi du fait qu'elle avait ardemment désiré ne pas l'épouser. Il lui fallait y aller doucement. Il ne devait pas l'effrayer.

Il devait fuir la tentation.

Phinn ouvrit la porte de sa chambre, résolu à s'en aller aux premières lueurs du jour, avant le réveil de son adorable épouse. Mais il la trouva habillée et l'attendant.

— Bonjour, dit-elle, quelque peu hésitante.

Elle lui adressa un sourire timide. Ce sourire le remua.

— Bonjour, répondit-il.

Elle portait une robe jaune pâle, et ses boucles blondes encadraient son visage. Elle avait l'air angélique. Il faillit l'appeler « mon ange ».

— J'ai pensé que nous pourrions partager la voiture, dit Olivia.

— Auriez-vous l'intention de venir voir l'engin avec moi ? demanda-t-il.

— Je pourrais, avant de me rendre chez Emma, proposa-t-elle.

Phinn se rappela l'une des visites de Nadia sur son lieu de travail. Elle avait trouvé cela incroyablement ennuyeux — et lui aussi du coup. Mais il n'était pas obtus au point de ne pas comprendre qu'Olivia faisait un effort.

Ce n'était qu'un trajet en voiture. Il arriverait à le supporter sans lui sauter dessus. Particulièrement à cette heure. Parce qu'un gentilhomme ne saute pas sur sa chaste femme dans une voiture, le matin, à une heure indue. Particulièrement un gentilhomme lesté d'un passé trouble qui terrifiait son épouse encore vierge.

Mais Dieu, ce qu'il en avait envie...

Dieu ne lui facilitait pas les choses.

Une fois dans la voiture, Phinn devint beaucoup trop conscient de la présence d'Olivia. Son parfum — un mélange de rose et de femme — le grisait. Elle avait le visage nu, mais les joues roses, de chaleur ou d'embarras. Il n'arrivait pas à détourner le regard de ses yeux bleus. Elle avait les lèvres roses, et il rêvait de les voir rougir sous ses baisers.

Et il lui semblait déceler autre chose. Quelque chose de différent.

Elle portait habituellement du blanc. Cette robe jaune était un rayon de soleil, une flamme, une coulée d'or. Elle moulait la rondeur de ses seins. Qu'il avait envie de toucher. De goûter. D'adorer. Ce n'était pas la première fois qu'il la regardait avec admiration, et jamais encore, il ne l'avait sentie consentante. Mais aujourd'hui, c'était différent.

— Est-ce une robe neuve ? demanda-t-il.

— Oui. J'ai pris la liberté de commander une nouvelle garde-robe, répondit Olivia en guettant nerveusement sa réaction.

Bien entendu — elle connaissait son fichu caractère et ne savait pas encore ce qui déclenchait sa colère.

— J'ai hâte de voir cela, dit-il tout en songeant qu'en réalité, il avait hâte de voir toutes ses robes neuves par terre.

— Ne voulez-vous pas savoir combien cela coûtera ?

— Est-ce faramineux ?

— Peut-être. Je ne sais pas, répondit-elle en lui jetant de nouveau un coup d'œil.

Le mettait-elle à l'épreuve ? Ils n'avaient pas encore parlé de son allocation personnelle, n'est-ce pas ? À vrai dire, ils n'avaient pas parlé de grand-chose, et pourtant, ils étaient liés à jamais.

Phinn haussa les épaules et sourit.

— Je suis certain que ça ira.

C'était l'avantage d'avoir inventé quelques-unes des machines les plus utiles du jour. Elle n'arriverait sans doute jamais à le mettre sur la paille, même en s'y évertuant. Olivia, tout comme le reste des habitants de Londres, ne semblait pas être au courant de cet aspect de sa personne. Ce n'était pas comme s'il avait déposé ses brevets sous le nom de « Baron fou ».

Ce qui toutefois n'alla pas : ce qui se passa ensuite.

Parce qu'à cette heure matinale, on circulait bien, sans être freiné par le chapelet d'inextricables bouchons habituels à une heure plus tardive, les chevaux avançaient allègrement au trot. À cette vitesse, ils mettaient plus de temps à freiner pour éviter une autre voiture surgissant devant eux à une vitesse comparable.

Quand cela se produisit, le cocher réagit comme il se devait, c'est-à-dire qu'il tira violemment sur les rênes et obligea les chevaux à bifurquer brusquement sur la gauche. De ce fait, la voiture s'inclina sur ses roues. De ce fait, Phinn et Olivia furent projetés l'un contre l'autre et se retrouvèrent dans une position très... suggestive, inconvenante et excitante.

Une position illustrée, quoique avec moins de vêtements, dans *Femmes sans pudeur.*

Phinn avait réussi à rattraper Olivia entre ses bras, pour ensuite tourner sur lui-même, de telle sorte que ce soit lui qui atterrisse sur le plancher de la voiture. Le résultat : un fouillis de membres, de jupes et de bottes entremêlés.

— Ça va ? demanda-t-il d'une voix éraillée.

Il s'était durement cogné la tête, mais il ne pensait qu'à son affriolante bouche rose, toute proche, et à son désir irrépressible de l'embrasser.

— Oui, haleta-t-elle. Et vous ?

Sentait-elle combien il la désirait ? En remuant les hanches pour se dégager, Olivia frôla son érection et lui arracha un grognement.

— Je suis navrée, s'excusa-t-elle.

— Ce n'est rien, dit-il.

Alors qu'en réalité, il agonisait. Il ferma les yeux. Si seulement ils avaient été à l'hôtel. Dans leur suite. De préférence au lit, quoique à défaut, il se contenterait du plancher du salon au lieu du plancher de la voiture.

Olivia, en tentant de se dégager, ne réussit qu'à exacerber son désir. Il ne put résister à lui dérober une caresse de-ci de-là. Comme si cela avait pu le satisfaire. Comme si cela n'avait pas eu pour effet de l'exciter davantage. Tout compte fait, le plancher de la voiture n'était peut-être pas si mal.

Elle réussit également à lui montrer ses jambes. Des jambes longues, fuselées, galbées, habillées de bas de soie délicats. Et les jarretelles, et le reste? Elle reprit sa place sur la banquette rembourrée, et il parvint péniblement à s'assoir à côté d'elle.

— Phinn, vous êtes sûr que ça va?

Elle allongea la main et la posa sur la joue de Phinn. Son regard exprimait une réelle inquiétude, totalement inconsciente que ce n'était pas la douleur qui lui coupait la parole. C'était le désir. Et s'il ne se trompait pas, il crut déceler également du désir dans le regard d'Olivia.

Non, ça n'allait pas très bien. Mais cela viendrait.

Olivia ne put s'en empêcher. Elle allongea la main et la posa sur la joue de Phinn. Elle sentit la ligne ferme de sa mâchoire et celle plus accusée de ses pommettes. C'était ainsi qu'elle avait touché son Mystérieux Chevalier de minuit. Et comme ce soir-là, elle baissa les yeux sur sa bouche. Uniquement sur sa bouche. Ferme et sensuelle. Et cette fois, c'est Phinn qu'elle voulut embrasser.

Mais une chose étrange se passa alors. Phinn lui parut curieusement familier. La forme de son visage sous sa paume. Sa bouche. Une bouche d'homme. Les hommes avaient tous la même bouche, non ? Elle n'y avait jamais réfléchi. Elle s'était plutôt attardée au souvenir vague de la bouche du Mystérieux Chevalier de minuit après qu'il l'eut embrassée une première fois et avant qu'il ne l'embrasse encore. Il faisait noir. Elle était ivre.

Elle laissa retomber la main et détourna les yeux. C'était familier, sans plus. Peut-être que tous les hommes se ressemblaient.

Il était impossible que Phinn soit le Mystérieux Chevalier de minuit. Ridicule ! Elle l'aurait reconnu. Elle laissa échapper un petit rire.

— Qu'y a-t-il de si amusant ? demanda Phinn.

— Oh, rien, dit-elle d'un air indifférent. Une bête affaire de femme.

— Une affaire de rubans ? avança Phinn.

— Non, sourit Olivia.

— Une affaire de broderie ?

— Certes pas, répondit-elle.

— Ce que vous porterez au bal de Lady Penelope ?

— Non. Et comment êtes-vous au courant ?

— Miss Payton m'en a parlé, dit-il, ce qu'elle jugea curieux.

— Quand en avez-vous parlé avec Prudence ? demanda-t-elle.

— Ici et là, dit-il, visiblement mal à l'aise.

Elle supposa qu'ils avaient bavardé ensemble à l'une ou l'autre des réceptions auxquelles ils avaient tous assisté.

— À quoi songiez-vous ?

— À un baiser, dit-elle doucement.

Parce que *les jeunes dames ne songent pas à embrasser*. Surtout, elles ne comparent pas les bouches et les baisers de deux hommes différents, surtout si l'un n'est pas leur mari.

— Un baiser n'est pas une bête affaire de femme, dit Phinn d'une voix basse.

— Non?

— Vous devriez y songer plus souvent, dit-il d'une voix grave. Et mieux que d'y songer…

— Je devrais le faire?

Elle avait le souffle court. Elle baissa les yeux sur ses lèvres. Ils ne s'étaient pas embrassés. Pas encore.

— Exactement, murmura-t-il avant d'abaisser la bouche vers la sienne et d'effleurer ses lèvres des siennes.

Elle sentit une étincelle. *La fameuse* étincelle. Mais il s'écarta. Une jeune dame se serait contentée de rougir modestement et d'en rester là. Mais Olivia établissait désormais ses propres règles et elle voulait connaître cet homme qui était son époux. Ayant eu un aperçu de ce qu'était un baiser exquis, elle voulait savoir si elle pouvait renouveler l'expérience. Elle voulait le savoir maintenant.

Elle caressa doucement la veste de Phinn, puis l'agrippa à pleines mains et l'attira vers elle. Il ne résista pas. Leurs bouches se rencontrèrent. Après une petite hésitation, elle entrouvrit les lèvres, sans se soucier d'avoir l'air dévergondée ou trop hardie. Elle avait envie de l'embrasser à pleine bouche. Ce baiser — le frôlement délicat de leurs lèvres, le doux mordillement, la caresse de la langue de Phinn sur la jonction de ses lèvres — lui faisait délicieusement perdre la tête. Ce préliminaire exquis transforma l'étincelle initiale en grande flambée dévorante. Comment savoir quel incendie en aurait jailli si la voiture ne s'était pas arrêtée à cet instant précis devant la maison d'Emma ?

Olivia, étourdie, regarda Phinn. Il la regarda, les yeux assombris.

Les mots étaient inutiles. Ce n'était pas terminé.

Chapitre 18

Certains livres ne conviennent pas aux dames, car ils risquent d'offenser leur sensibilité.

— Croyance bien ancrée, au grand déplaisir
des jeunes filles curieuses

Olivia songea à faire dire à son visiteur qu'elle était absente. Mais en apprenant que ce visiteur était sa mère, elle soupira et referma à contrecœur l'un des livres coquins que Rogan lui avait offerts — et qu'elle avait peut-être repoussé du pied sous le lit pendant que Phinn s'escrimait à récupérer les autres —, qu'elle était en train d'examiner, et le mit de côté sans plus réfléchir. Après quoi, elle commanda du thé et se prépara à subir l'assaut.

Sa mère entra d'un pas vif, petite tornade composée de ruches et de volants, d'un grand bonnet et d'un réticule sans aucun doute bourré de mouchoirs brodés et d'un flacon de sels Smythson's. Olivia comprit alors combien leur chez-soi, à Phinn et à elle, était calme et combien elle appréciait ce calme. Chez eux, personne ne s'agitait en tous sens ni ne pinaillait pour le simple plaisir de pinailler. Si l'on faisait exception de la dispute entre Phinn et Rogan, personne n'y avait non plus jamais haussé le ton.

— Ma chérie! Je viens voir comment tu apprécies ta vie de femme mariée, dit sa mère avec effusion tout en l'embrassant comme si elle n'avait pas forcé sa fille à épouser l'homme connu de tout Londres sous le nom de « Baron fou ».

— Cela ne fait que quelques jours, mère, répliqua Olivia.

Était-ce prématuré de déclarer que le mariage en question était un échec? Ou ces petits baisers et ces caresses furtives indiquaient-ils qu'il y avait encore une lueur d'espoir?

— Et c'est d'ores et déjà un scandale, dit Lady Archer.

Olivia songea que les jeunes dames ne devraient pas frémir d'excitation à l'idée de vivre dans le scandale. Mais cette jeune dame-là frémit.

— S'installer à l'hôtel! Qui songerait à faire cela?

— J'aime bien, à vrai dire, dit Olivia avec sincérité. Pas de domestiques à diriger, ni de menus à établir. Je n'ai pas à m'occuper du linge ni à veiller à ce qu'on nettoie les chandeliers.

Toutes ces tâches étaient accomplies comme par magie par une flopée de domestiques sous les ordres du directeur de l'hôtel. À preuve. Une domestique portant un plateau de thé entra discrètement, déposa celui-ci sur la table, puis sortit en silence.

Par hasard, elle avait posé le plateau tout près du Livre. Olivia en détourna vivement le regard.

— Mais c'est ce à quoi ton éducation te destinait! s'écria sa mère.

Olivia s'assit à son tour et servit le thé. Se comporter en parfaite hôtesse était un réflexe chez elle. Même si un livre des plus obscènes se trouvait là, à côté du plateau. Heureusement, sa mère, trop prise par son verbiage, ne le remarqua pas.

— Il t'empêche d'occuper la position qui est la tienne par nature et de remplir la fonction pour laquelle je t'ai élevée.

— Pour ma part, je préfère nettement vivre à l'hôtel qu'à la campagne dans une lointaine maison hantée à craindre pour ma vie.

Olivia se demanda si elle aurait dit la même chose si sa mère s'était présentée avant que le bleu sur sa joue n'ait disparu ou si elle avait vu les jointures meurtries de Phinn, qui avaient pris une teinte jaunâtre affreuse mais désormais à peine visible. Elle estimait extrêmement injuste que sa mère la réprimande sur sa manière de gérer le mariage qu'elle l'avait obligée à contracter.

Olivia sirota son thé. Dans combien de temps sa mère remarquerait-elle le livre, *50 façons de pécher*? Devait-elle l'enlever et ménager leur pudeur, ou le laisser effrontément à la vue et peut-être ainsi donner une attaque à sa mère?

Elle prit le temps d'y réfléchir pendant que sa mère était occupée à critiquer sa tenue.

— À ce que je vois, tu es allée chez la modiste, dit-elle.

Olivia nota mollement la désapprobation de sa mère, puis décida aussitôt de ne pas en tenir compte. *J'établis mes propres règles.*

Olivia appliquait désormais le principe énoncé d'une voix grave par son Mystérieux Chevalier de minuit. Elle eut néanmoins l'impression de se ratatiner quelque peu sous le regard de sa mère. Était-ce de la déception? Jusqu'à présent, elle n'avait jamais désappointé sa mère.

— Oui, Emma, Prudence et moi sommes allées chez Madame Auteuil, dit-elle.

Sa mère et elle fréquentaient une modiste moins chic.

— J'ai jugé bon de refaire ma garde-robe à présent que je suis mariée.

— J'espère que tu t'es acheté des gants. La rumeur court que ton mari et toi auriez oublié vos gants dans la loge du duc, à l'opéra. Un seul gant de chaque paire ! Comment est-ce possible ?

— Je ne m'en souviens pas, murmura Olivia.

Honnêtement, elle ne se souvenait pas de cette partie de la soirée. Mais la perte d'un gant valait totalement le plaisir qu'elle avait expérimenté.

— Bien que ton père ait veillé à ce que tu jouisses d'une généreuse allocation — au cas où ton mari perdrait toute sa fortune sur ce machin qu'il fabrique —, tu ne dois pas la dilapider à remplacer des gants que tu sèmes aux quatre coins de la ville. Une dame doit conserver un train de vie modeste.

Olivia sirota son thé et se rappela qu'elle avait involontairement donné un aperçu de ses jambes à Phinn lors de leur petite bousculade dans la voiture. Ce qu'elle s'était réjouie qu'Emma l'ait convaincue d'acheter des bas de soie ! Dieu, que dirait sa mère si elle savait ce qu'elle avait acheté ?

— C'est très aimable de la part de père, dit-elle.

Si seulement ses parents l'avaient consultée ou informée de leur amabilité. Elle se sentit gagnée par la colère à l'idée qu'on avait, une fois de plus, pris des décisions importantes la concernant sans en discuter d'abord avec elle.

Elle était une femme. Pas une gamine.

— Je suppose qu'il est trop tôt pour parler de petits-enfants, dit sa mère, et Olivia faillit recracher son thé.

Phinn avait espéré qu'Olivia soit seule. Il va sans dire qu'il fut moins que ravi en la découvrant en compagnie de sa mère. Pis encore, Lady Archer semblait lui faire la leçon. Il écouta pendant un moment ; il était question du devoir d'une épouse, de souffrir pour une noble cause, de veiller d'abord et avant tout sur son époux et sur son patrimoine.

Mais ce qui l'inquiéta davantage fut de constater qu'Olivia n'était plus elle-même sous les reproches de sa mère. Elle se tenait raide comme un piquet. La tasse était figée entre ses mains. Un demi-sourire poli était figé sur ses lèvres. Quant à ses yeux...

Ses yeux jetaient des coups d'œil affolés en direction de quelque chose sur la table.

Le plateau ? C'était insensé. Il fit un pas en avant et vit le livre. Le livre incroyablement inconvenant et peut-être illégal.

Son toussotement affolé attira l'attention des deux femmes.

— Lord Radcliffe ! s'exclama Lady Archer.

Elle se leva pour le saluer. Olivia en profita pour repousser le livre... qui, en tombant par terre, s'ouvrit sur une page montrant une femme en train de donner beaucoup de plaisir avec sa bouche et ses mains à un homme immensément excité.

Phinn se contraignit à détourner le regard.

— Bonjour, Lady Archer. Olivia. J'ignorais que vous aviez de la compagnie.

Lady Archer se retourna vers sa fille. Et vers le livre. Ouvert. Il vit qu'Olivia tentait de le pousser discrètement du bout du pied. Il la vit soupirer de soulagement lorsque le livre disparut sous la table.

— Mère est venue voir comment nous allions, répondit Olivia.

Une Olivia respectueuse, convenable et distante. Une Olivia très différente de la jeune fille vibrante qu'il avait appris à connaître — celle qui se maquillait à outrance, dansait avec entrain au bal, ou qui agrippait son manteau et l'attirait vers elle pour l'embrasser. En ce moment, l'Olivia qui se trouvait devant lui était celle qu'il avait cru vouloir dans un premier temps.

— J'ignore pourquoi vous logez mon Olivia à l'hôtel, dit Lady Archer. C'est scandaleux. Cela fait jaser. Et c'est faire mauvais usage de ses talents. Je l'ai éduquée afin qu'elle tienne maison et devienne l'épouse idéale. Cette situation ne lui rend pas justice.

— J'ai pensé que cet arrangement transitoire nous conviendrait jusqu'à ce que nous ayons trouvé à Londres une résidence que nous aimerions tous deux, dit calmement Phinn. Mais voyons ce qu'en dit la dame en question. Olivia, qu'en pensez-vous ?

Elle lui sourit... Dieu, son sourire n'était plus le même. C'était un sourire franc et joyeux. Comme s'il venait de la sauver de la noyade.

— J'aime bien vivre ici, répondit Olivia.

Mais Phinn remarqua qu'elle jeta un regard nerveux à sa mère, comme si elle quémandait son approbation ou redoutait sa réaction.

— Olivia, dit Lady Archer d'un ton « ma-patience-est-à-bout ». Peu importe ce que l'on aime, il faut s'en tenir à ce qu'il convient de faire.

— Mais serait-ce plus convenable d'aller à l'encontre des souhaits de mon mari ?

Lady Archer plissa les paupières et sirota son thé. L'argument était valable, et elle le savait. Ce qui était fort bien, mais les mots « mon mari » sur les lèvres d'Olivia procura à Phinn un intense sentiment de fierté.

Redites-les.

— Les gens jasent, dit Lady Archer.

Olivia ouvrit la bouche, mais se ravisa. Phinn aurait bien aimé entendre sa réponse. Au lieu de quoi, elle se tourna vers lui.

— Phinn, vous voulez du thé ?

— Oui, merci.

Leurs regards se croisèrent. Et demeurèrent ainsi tandis qu'elle versait le thé. Un petit sourire tiraillait les lèvres d'Olivia. Pensait-elle également à leur première rencontre officielle ? Elle s'était lourdement fardé les lèvres et fait un devoir d'enfreindre le protocole. Il comprenait à présent pourquoi. Il ne se flattait pas du fait qu'elle se soit en réalité rebellée contre ses parents — et non contre lui. Mais n'avaient-ils tous pas tenté de la plier à leurs volontés ?

Cette fois, si elle versa trop de thé, ce fut parce qu'ils se regardaient dans les yeux.

— Olivia ! s'écria sa mère. Fais attention !

— Oh ! s'exclama Olivia.

Saisie, elle échappa la tasse qui roula sur la table et tomba sur le plancher.

Lady Archer se pencha pour la récupérer. Elle était la plus proche. Mais autre chose attira son regard.

— Qu'est-ce ? demanda-t-elle en s'emparant du livre qu'Olivia avait repoussé sous la table.

Cette fois, quand le regard d'Olivia croisa celui de Phinn, il était affolé.

Tout ce qui vint à l'esprit de Phinn, ce fut l'image d'Olivia, seule avec le livre, examinant ces illustrations… En avait-elle été horrifiée ? Ou excitée ?

— Réponds-moi, exigea Lady Archer. Qu'est-ce que cette horreur ?

— Un ami a laissé ce livre ici, répondit Phinn.

— Votre ami ? répondit-elle, effarée. Est-ce censé me rassurer ?

— Oui, mais je comprends que cela ne vous rassure pas, reconnut Phinn en réprimant un rire. Au contraire.

— Je n'arrive pas à croire que vous ayez exposé la sensibilité d'Olivia à de telles

Elle n'acheva pas sa phrase, faute de mots assez forts.

— Une jeune dame se doit de satisfaire son mari, dit innocemment Olivia.

Lady Archer et Phinn manquèrent de s'étrangler. Lady Archer fouilla dans son réticule et en tira un flacon de sels. Elle le plaça sous son nez et inspira profondément. Phinn faillit l'imiter.

Olivia était… parfois une dame parfaite. Parfois une parfaite petite coquine, et à l'occasion, le diable incarné. Il l'adorait en toutes circonstances. Toujours.

— Olivia, commença sa mère d'un ton patient en tenant le livre entre le pouce et l'index. Une dame ne fait pas *cela*.

Phinn allongea le cou pour voir précisément ce qu'une dame ne faisait pas. Apparemment, elle ne s'inclinait pas sur un canapé, les jupes relevées tandis qu'un monsieur la prenait par-derrière tout en la caressant de la main. Dieu, il souhaita de tout cœur qu'Olivia ne soit pas une dame.

Phinn décida que la scène avait assez duré. Moins il regarderait l'illustration devant sa belle-mère, mieux il se porterait. Plus vite il la reproduirait avec Olivia, mieux il se porterait.

— Je suis affreusement navré de vous avoir offusquée, Lady Archer.

— Je suis plus qu'offusquée, dit-elle. J'ai élevé Olivia dans le but qu'elle connaisse mieux que ce lieu de perdition dans lequel vous vous terrez avec elle.

— Le Mivart est un hôtel parfaitement respectable, dit Phinn.

Il s'interrompit toutefois en voyant que Lady Archer tenait à se vider le cœur et que rien ni personne ne l'en empêcherait.

— Quant à toi, Olivia, poursuivit-elle en jetant un Regard Noir à sa fille. Tu as toujours été une enfant idéale. J'ignore ce qui s'est emparé de toi depuis quelque temps, et cela me bouleverse terriblement. Je n'aurais jamais cru que tu puisses me décevoir un jour. Tu trouves peut-être cela drôle et amusant, mais je suis mortifiée chaque fois que je sors et dois répondre aux questions que l'on me pose sur ton mariage — mariage que tu as retardé à n'en plus finir et qui est devenu un sujet de scandale. Ton devoir consiste à être une bonne épouse et à fournir des héritiers. C'est tout. J'espère que tu t'en souviendras, que tu redeviendras une dame digne de l'éducation que je t'ai donnée. Bonne journée.

Assise immobile, Olivia se demandait ce qu'il y avait eu de plus humiliant : s'être fait enguirlander par sa mère ou l'avoir été en présence de Phinn.

Pendant un court moment, elle avait aimé revendiquer son indépendance toute neuve. Les robes, les gants égarés… Vraiment, c'était anodin comparativement à ce qu'elle avait fait dernièrement et il n'en était que plus irritant qu'on le lui reproche.

Mais il y avait pire...

Elle ne voulait plus être une Dame Parfaite. Toutefois, elle ne voulait pas non plus de la désapprobation de sa mère — un sentiment *affreux*. Et elle ne savait trop quelles règles respecter et lesquelles enfreindre. Elle se sentait déchirée entre l'obligation de plaire à sa mère, celle de plaire à son mari, et éventuellement celle de se plaire à elle-même.

— Vous n'êtes pas décevante, dit doucement Phinn.

Il comprenait. Elle n'avait pas à s'expliquer. C'est pour cette raison que, lorsqu'il l'entoura de son bras, elle s'appuya sur lui. *Tout comme sur son Mystérieux Chevalier de minuit.* Et parce que c'était réconfortant et familier, elle resta ainsi.

— Vous ne me décevez pas. Et je ne crois pas que vous ayez fait quoi que ce soit pour la décevoir.

— Si, pourtant, confessa Olivia. Et je l'ai fait intentionnellement.

— Pourquoi?

Parce qu'elle était furieuse qu'on lui impose ce mariage. À présent qu'elle commençait à peine à reprendre espoir, voilà que sa mère lui déclarait qu'elle faisait tout de travers. Qu'elle ne se montrait pas à la hauteur des standards contraignants de l'éducation qu'elle avait reçue, tout ça en raison de deux gants égarés et de leur séjour à l'hôtel. Elle avait toujours été *parfaite*. Elle n'avait jamais causé de déception.

Elle n'avait voulu qu'être un peu heureuse, et voilà que...

— J'étais furieuse. Voyez-vous, j'ai toujours cru que si je me comportais parfaitement bien, je finirais, en guise de récompense, par... je ne sais trop... filer le parfait amour et être heureuse.

Phinn resserra son étreinte.

— Et on me traitait toujours comme une enfant. On me disait comment m'habiller, avec qui m'entretenir, que dire, que faire, ce que je devais *être*. On décidait à ma place.

— Très désagréable pour vous, dit-il.

Elle se sentait tellement bien, tellement en sécurité entre ses bras — comme dans les bras de son Mystérieux Chevalier de minuit. Et comme lors de cette nuit où elle s'était laissée aller. C'était bon de se vider le cœur au lieu de répondre «Je vais bien» tout en fulminant intérieurement. Comme une dame se devait d'agir.

— C'est extrêmement fastidieux, dit-elle en haussant le ton. Je crains parfois d'exploser tant c'est harassant. C'est sans issue. Je ne peux faire plaisir à tout le monde et me faire plaisir à moi. En tout cas, je ne sais pas comment.

Ce que lui dit ensuite Phinn la surprit.

— Aimeriez-vous frapper quelque chose ? demanda-t-il. J'ai découvert, pour ma part, que cela apaise ma mauvaise humeur.

Olivia baissa les yeux sur ses jointures encore un peu jaunâtres, puis les leva vers lui, quelque peu inquiète. Franchement, alors même qu'elle commençait à croire que Phinn avait des traits en commun avec son Mystérieux Chevalier de minuit — par exemple, le talent de la consoler et le don de la comprendre —, voilà qu'il disait une chose *pareille*.

— Permettez-moi de vous donner un bon conseil : un homme connu sous le nom de « Baron fou » ne devrait pas dire cela.

— Je me suis mal exprimé, s'empressa-t-il de corriger. Je voulais uniquement dire que ça fait parfois du bien de relâcher la vapeur au lieu d'essayer de la contenir.

— Je ne pense pas avoir envie de frapper quelque chose, dit-elle en y réfléchissant bien. Ce doit être douloureux, et je ne veux avoir les mains dans le même état que les vôtres. Mais je pense que j'aimerais briser quelque chose.

Il fallait qu'elle se défoule. L'obligation d'être une Dame Parfaite, une Fille Parfaite, une Épouse Parfaite tout en tentant d'être elle-même exerçait une pression insoutenable.

Quant à Phinn… un sourire aux lèvres, il balaya le salon d'un large geste du bras.

— Vous avez le choix, mon ange. Brisez ce qu'il vous plaira.

— Vous n'êtes pas sérieux, dit Olivia. Comment peut-on briser intentionnellement des choses ?

— Je suis parfaitement sérieux, dit gravement Phinn.

— Mais il faudra payer, non ?

— J'en ai les moyens, lui répondit-il.

Olivia réfléchit. Elle ne briserait sans doute pas grand-chose. Une tasse ou deux, au plus. Mais elle pensa alors à un autre problème.

— Le directeur ou le propriétaire de l'hôtel ne seront-ils pas furieux ?

— En ce cas, ils devront m'en répondre, lui assura Phinn.

Pour la première fois, Olivia songea qu'il y avait peut-être des avantages à avoir le Baron fou de son côté.

— Faites, Olivia.

Phinn lui tendit une soucoupe. Quand il l'encourageait d'une voix basse et qu'il lui souriait ainsi, elle n'arrivait plus à se rappeler pourquoi elle devait résister à l'envie de faire ce que bon lui semblait.

Elle prit la soucoupe et la leva dans les airs.

— Vous me dites que si je brise cette soucoupe je me sentirai mieux ?

Elle ne le croyait pas vraiment.

— Oui.

Il dit cela d'une voix ferme, comme s'il avait l'habitude de briser des soucoupes. Tenait-elle à le savoir ? Peut-être plus tard.

— Vous m'encouragez à être vilaine, dit-elle.

Elle se rappela avoir été grondée, gamine, alors qu'elle était encore maladroite.

Fais attention. C'est de la porcelaine de qualité ! Olivia, prends garde !

Elle se rappela sa terreur de briser quelque chose. Et voilà que Phinn l'encourageait à le faire.

— Je suis certaine que les dames ne brisent pas intentionnellement de la vaisselle.

Phinn se contenta de sourire et de dire :

— Faites comme il vous plaira.

— Fermez les yeux, alors, dit-elle.

Elle-même ferma très fort les yeux avant de lancer la soucoupe par terre. Elle tressaillit en l'entendant se fracasser et ouvrit les yeux sur les éclats de porcelaine éparpillés sur le plancher.

— C'est vrai que cela fait du bien, dit-elle d'une voix émerveillée.

Le bruit était extraordinaire.

Mieux encore : elle venait de faire une chose qu'elle avait toujours craint de faire mais, quand elle leva les yeux sur Phinn, elle vit qu'il souriait.

— Je vous l'avais dit, déclara-t-il.

Phinn lui montra d'un geste le plateau de thé, sur lequel un assortiment de couverts en porcelaine l'attendait. Il espérait qu'elle ne lui demande pas où il avait appris que réduire des objets en miettes, notamment de la porcelaine, avait un effet apaisant sur l'humeur d'une femme. Nadia le lui avait enseigné.

Nadia. Se libèrerait-il d'elle un jour ?

— Puis-je ? demanda poliment Olivia après avoir choisi la grande assiette sur laquelle avait été disposé un assortiment de pâtisseries.

— Vous pouvez, dit-il.

Nadia ne demandait jamais la permission. Elle balayait la pièce d'un regard fou et saisissait la première chose à sa portée avant de la lancer à la tête de Phinn. Elle visait extrêmement bien. Ses cicatrices le prouvaient.

— Même si cela risque de décevoir grandement ma mère ? demanda Olivia d'une voix tremblotante.

C'est pour *cela* que, même si cette scène lui rappelait un passé qu'il ne voulait pas revivre, jamais, il répondit :

— Même alors.

Seul le bonheur d'Olivia importait. Il croyait être en mesure de comprendre son exaspération. Son père avait souhaité qu'il soit comme son frère aîné, George, si parfait — qui préférait le sport à la science, les soirées bruyantes à l'auberge à boire de la bière en compagnie de femmes légères aux soirées tranquilles en agréable compagnie à converser intelligemment en buvant du bon vin. Nadia aussi voulait qu'il soit comme George. Mais le seul trait qu'il avait en commun avec son père et son frère était le tempérament Radcliffe. Celui-ci les rattrapait toujours.

Nadia n'était pas la seule à se défouler sur la porcelaine.

270

— Et ceci ? demanda Olivia en prenant une tasse vide.

— Je vous en prie, faites, dit-il.

Elle leva la tasse bien haut au-dessus de sa tête et la projeta sur le plancher. Il tressaillit lorsqu'elle vola en éclats — mais pas Olivia. Elle se tenait debout, les joues rouges, la poitrine houleuse, les cheveux de plus en plus en désordre. Elle était ravissante.

— C'est très mal, dit-elle d'un air penaud qui, supposa Phinn, rendait son comportement acceptable.

— Totalement vilain, acquiesça-t-il.

— Tout à fait déraisonnable, ajouta-t-elle en se dirigeant vers une bergère de porcelaine posée sur le manteau de la cheminée.

— Consternant, murmura-t-il, les yeux fixés sur Olivia.

Elle était magnifique.

Mais contrairement à Nadia, qui se mettait dans un tel état de fureur qu'elle s'épuisait à force de pleurer et de vociférer des insultes, Olivia avait l'air de *s'amuser*. Phinn, qui ne s'était pas rendu compte qu'il retenait son souffle, se reprit à respirer.

— Si jamais cela se sait, c'en est fini de moi, l'informa sérieusement Olivia, mais avec toutefois une trace de malice dans les yeux. Plus personne ne voudra me recevoir.

— Qu'ils aillent au diable, déclara-t-il.

Elle éclata de rire.

— En effet, dit-elle.

Après quoi, elle bousilla la bergère. Phinn n'avait jamais apprécié les bibelots, mais il comprenait à présent leur utilité.

— Briser les règles ne m'a pas contentée, remarqua Olivia d'un ton léger. J'ai donc décidé de briser des services à thé et des bibelots de porcelaine.

Son humeur s'améliorait. Elle parcourait la pièce d'un pas allègre en quête d'objets à briser. Elle avait un sourire aux lèvres et les yeux brillants. C'était là une version d'Olivia qu'il ne connaissait pas, mais de laquelle il aurait pu facilement devenir amoureux. Il lui faudrait faire provision de services à thé au cas où elle éprouverait de nouveau le besoin de se défouler.

— Établissez vos propres règles, mon ange, murmura-t-il.

Olivia leva vivement les yeux vers lui. En un clin d'œil, quelque chose changea. Quoi, il ne le savait pas. Mais s'il avait pu mesurer la température et la pression de la pièce, il aurait certainement noté une baisse soudaine.

— Qu'avez-vous dit ? demanda-t-elle lentement, doucement.

Le cœur de Phinn se mit à battre à tout rompre. Qu'avait-il dit ? Zut.

— Établissez vos propres règles, mon ange.

Il répéta doucement les mots incriminants. Il ne voulait pas qu'elle l'apprenne ainsi. En fait, il ne voulait pas qu'elle sache, point final.

Olivia se dirigea vers lui en se frayant prudemment un chemin parmi les éclats de vaisselle et de bibelots.

— Comment vous êtes-vous blessé les mains, Phinn ?

Cette fois, il était clair qu'elle connaissait déjà la réponse.

Il ne pouvait pas le lui dire. La dernière chose qu'il voulait, c'était qu'il y ait des secrets entre eux — il ne voulait que l'aimer. Mais parce qu'il voulait aussi qu'elle l'aime, il ne pouvait pas lui dire.

— Je ne peux pas vous le dire, dit-il.

Elle se trouvait tout près, à présent. Elle avait le regard sombre. Il voyait bien qu'elle réfléchissait, assemblait les pièces du casse-tête et tirait la conclusion qu'il ne voulait pas qu'elle tire. Dès qu'elle aurait compris, il l'aurait perdue.

Elle lui prit les mains, lissa ce qui restait des meurtrissures et des coupures. Cela lui avait fait diablement mal — le salaud avait le crâne épais. Mais la douleur n'était rien comparativement à ce qu'Olivia aurait subi si miss Payton, toujours attentive au bien-être de son amie, ne lui avait pas dit qu'Olivia venait de disparaître dans les jardins en compagnie d'un inconnu.

La douleur de ses mains n'égalerait jamais la douleur de la perdre.

Comment était-ce arrivé? Il y avait un instant, ils étaient heureux.

Olivia leva lentement la main vers le visage de Phinn. Il tressaillit. *Père. Nadia.* Phinn retint son souffle. Il comprit qu'elle ne le frapperait pas quand elle posa doucement la main sur sa joue. Elle considéra sa bouche.

D'une minute à l'autre, Olivia allait se rendre compte qu'il l'avait leurrée. Qu'il était enclin à la violence. Qu'on ne le surnommait pas le Baron fou sans raison.

Phinn était incapable de bouger. Il voulait jouir pleinement de ces quelques dernières secondes de caresse, avant qu'elle ne comprenne et que tout était fini. De la sentir si proche, au point que leurs corps se touchaient presque, son cœur se serra.

Il était douloureusement conscient de vouloir la toucher, et douloureusement conscient de ne peut-être pas pouvoir le faire. Jamais. Il aurait dû savoir d'emblée qu'elle était trop bien pour un type comme lui. Il aurait dû l'arrêter, à vrai dire.

Mais il ne le fit pas. Parce qu'Olivia se dressa sur la pointe des pieds et posa les lèvres sur les siennes.

Aussitôt qu'il l'embrasserait, l'embrasserait vraiment, elle saurait. Phinn garda donc les lèvres étroitement jointes tandis qu'elle pressait sa bouche contre la sienne. Ce qui ne la découragea pas. Telle une coquine provocante, elle lécha ses lèvres jointes pour qu'il s'ouvre à son baiser. Il dut faire appel à toute sa volonté — *toute* — pour lui résister. En dépit de son désir de la prendre dans ses bras, il garda ses poings serrés contre ses flancs. Mais ce qu'il avait envie de lui céder...

Il eut une érection en sentant les seins d'Olivia lui frôler la poitrine. Elle l'entoura de ses bras, résolue à lui arracher ce baiser — cet aveu. Il ne voulait pas qu'elle sache qu'il l'avait suivie ce soir-là, ni qu'il lui avait menti, ni qu'il lui avait tu certains secrets.

— C'est vous, chuchota Olivia.

Il sentit son doux souffle, puis son inspiration.

— C'est vous qui m'avez sauvée au bal de Cyprian.

C'était inévitable, non? Tout ce qui monte doit redescendre. Phinn lui répondit «oui» en la prenant dans ses bras. Il lui répondit «oui» en l'embrassant. Elle réussit à vaincre sa résistance — sans trop de mal — et il lui retourna son baiser. Pendant un moment, ils s'embrassèrent profondément, se goûtèrent mutuellement. Puis, frénétiquement, passionnément. Elle soupira. Il perdit le souffle.

Pendant un moment, il eut un aperçu de ce qu'ils auraient pu connaître. Puis, elle interrompit le baiser.

— Quand alliez-vous me le dire? demanda-t-elle en le regardant dans les yeux.

Phinn plongea le regard dans ses beaux yeux bleus et se mordit les lèvres pour ne pas répondre «jamais».

Puis, il se détourna d'elle, plongé dans le souvenir de ce soir-là.

Phinn se rappela que ses poings lui faisaient un mal de chien, mais que ce mal n'était rien comparativement aux battements fous de son cœur. Olivia avait couru un grave danger. Si Miss Payton n'avait pas gardé un œil sur son amie et n'avait pas alerté Phinn...

Il se rappela avoir poussé un soupir. Elle était saine et sauve. Ils étaient seuls.

Et elle n'avait pas la moindre idée de qui il était. Il le savait, car elle ne s'était pas enfuie ni ne l'avait considéré avec frayeur. Elle s'était assise à côté de lui et avait sangloté contre sa poitrine. Ses confidences ne l'avaient pas mis en colère, mais elles lui avaient en quelque sorte brisé le cœur. Mais sa nature de scientifique avait pris le dessus : réprimant ses émotions, il l'avait écoutée. Observée. Avait tenté de la comprendre.

Parce qu'elle n'avait plus peur de lui, elle pouvait se confier.

Parce qu'il ne s'efforçait plus de gagner sa confiance, il pouvait l'écouter.

Il était inévitable, dans ces circonstances, qu'ils en viennent à s'embrasser.

Il l'avait embrassée avec tendresse. Il s'attendait à ce qu'elle le repousse. Mais elle s'était pliée avec douceur à son baiser. Il avait goûté le champagne qu'elle avait bu plus tôt et il se rappelait encore le goût de ces premières minutes de liberté, du plaisir qu'elles lui avaient procuré. Elle avait poussé un doux soupir. Cela avait failli l'achever.

Phinn avait osé lui envelopper le visage de ses mains, comme s'il n'avait pas voulu qu'elle parte. Il avait besoin de sentir la douceur de sa peau, de ses cheveux. Il avait besoin de son innocence après son accès de violence. Puis, il s'était perdu en elle… Il en rêvait depuis tellement longtemps. De l'embrasser doucement, de la toucher…

Soudain, elle avait cessé de l'embrasser. Elle avait pris son visage entre ses mains, plongé son regard dans le sien, et l'avait demandé en mariage. Réprimant un sourire ironique, il lui avait répondu : « Pas ce soir ». Au matin, il l'épouserait. Mais elle l'ignorait.

La voix pressante d'Olivia interrompit ses pensées.

— Phinn, quand alliez-vous me le dire ?

Il baissa les yeux sur elle, grava tout dans son esprit : les yeux bleus interrogateurs, la cascade de boucles blondes. Il ne pouvait plus lui mentir. Aussi lui dit-il la vérité.

— Je n'avais pas l'intention de vous le dire.

Chapitre 19

Tout Londres attend l'inauguration de l'Exposition universelle, qui servira de vitrine aux plus grands talents et aux plus remarquables innovations de l'Angleterre. Nombreux sont ceux qui travaillent jour et nuit afin que leurs inventions soient prêtes pour l'événement.

— LONDON WEEKLY

Olivia regarda Phinn s'en aller. Il s'était excusé et avait maugréé quelque chose sur la nécessité de retrouver ses esprits. Toujours aussi attentionné, il lui avait dit qu'il enverrait quelqu'un nettoyer le désordre qu'elle avait semé. Elle s'était sentie triomphante durant le sublime débordement qu'il avait encouragé. À présent, à la vue de la domestique qui balayait le sol, elle se sentait ridicule.

— Je suis affreusement navrée, dit Olivia. Je vous en prie, permettez-moi de vous donner un coup de main.

— Non, m'dame. Jamais de la vie, dit la jeune fille.

Après tout, les jeunes dames engageaient de jeunes domestiques pour ce genre de tâches.

Olivia *savait* faire certaines choses, par exemple servir le thé, jumeler les convives d'un dîner en fonction de leur rang, coudre un bouton. Mais elle ne savait ce qu'on devait faire quand on découvrait que son mari dissimulait des secrets. De gros secrets. Convaincue qu'il était un autre, elle s'était sans le vouloir éprise de lui !

Elle se laissa tomber sur le canapé et tenta de se rappeler ce qu'elle avait dit ce soir-là.

Je ne pourrai jamais l'aimer. Elle se recroquevilla. Quelle déclaration inconsidérée.

Mes parents m'obligent à épouser un homme que je n'aime pas. Elle eut mal au ventre. C'était vrai, mais elle comprenait à présent que la situation avait été nettement plus compliquée que cela.

Je le méprise. Qu'avait-il ressenti en entendant ces mots ? Son cœur se mit à battre trop fort, comme s'il peinait à battre dans la poitrine d'une jeune fille aussi méchante. Enfreindre les règles contraignantes et absurdes du grand monde était une chose, se montrer mesquine en était une tout autre. Elle savait d'expérience, grâce à Lady Katherine et à ceux qui la surnommaient la «Petite Bégueule» et la «moins susceptible de Londres», comme il était pénible d'être la cible de remarques cruelles.

Il est autoritaire. C'était ce qu'elle lui avait dit : c'était peut-être pourquoi il avait ensuite veillé à solliciter son opinion ? Séjourner à Londres, à l'hôtel, lui demander aujourd'hui ce qu'elle en pensait. Elle avait exprimé ses désirs, mais ce faisant, elle avait dû le blesser.

Il dit des imbécilités. Elle s'était sentie drôlement embarrassée quand Brendon (Brandon ?) n'avait pas saisi l'une de ces imbécilités qu'elle avait reprise à son compte.

Dieu ! Phinn l'avait vue avec ce type. Phinn l'avait sortie des griffes de ce type. Il savait que ce type l'avait tripotée, salie, presque compromise, et il l'avait épousée tout de même. Pardi, il aurait pu la planter là, et personne ne le lui aurait reproché.

Profondément honteuse, Olivia serra un coussin sur sa poitrine, comme si cela avait pu la réconforter. Mais le coussin ne pouvait être comparé aux bras de son Mystérieux Chevalier de minuit — ou plutôt de Phinn. Cela avait été si bon de se vider le cœur. Mais c'était si accablant de savoir à qui elle s'était confiée. Même si elle lui en voulait de l'avoir trompée, pouvait-elle honnête-ment le lui reprocher? À sa place, peut-être se serait-elle tue également.

Dans la lumière du jour qui commençait à décliner, Olivia se rejoua la scène encore et encore, au meilleur de sa connaissance, et, chaque fois, elle se sentit terriblement mal. Gêne. Regret. Honte.

Sentiments très éloignés de l'exaltation douce-amère qui avait été la sienne après ce premier baiser magique. Elle était tombée amoureuse.

Elle lui avait demandé de l'épouser.

Il lui avait répondu : « Pas ce soir. »

Mais le lendemain… Elle ne méritait pas d'éprouver ce bouillonnement d'excitation, d'expectative. Phinn n'était pas celui qu'il semblait être. Il était l'homme dont elle s'était éprise.

Et voilà qu'il était parti, sans lui dire où il allait.

Que commandait le protocole en pareille circonstance? Devait-elle attendre patiemment à la maison, à se tourner les pouces, qu'il ait retrouvé ses esprits? Aurait-elle l'audace de partir à sa recherche, seule, dans les rues de Londres? Était-il membre d'un club? N'aurait-elle pas dû savoir si son mari était membre d'un club?

N'aurait-elle pas aussi dû savoir s'il avait pour habitude d'embrasser ainsi les jeunes filles? Elle aurait dû. Elle aurait vraiment dû.

À force d'y réfléchir, Olivia trouva ce qu'elle devait faire. Elle croyait savoir où il se trouvait. Et même si cela ne Se Faisait Pas de se balader seule et d'arriver à l'improviste, elle décida de le faire tout de même.

— *Établissez vos propres règles, mon ange.*

La domestique avait fini de balayer les restes du luxueux service à thé et des adorables figurines.

— Avez-vous besoin d'autre chose, madame?

— D'une voiture, s'il vous plaît, répondit Olivia.

Devonshire Street

Olivia ordonna au cocher de la conduire à l'entrepôt où l'on fabriquait l'engin. Elle devinait qu'il s'y était sans doute rendu.

Tandis que la voiture roulait dans la ville, elle se demanda pourquoi elle n'était pas allée voir plus tôt où il travaillait. Elle ignorait tant de choses sur son compte. Quelle était l'origine de la cicatrice sur sa joue? Qu'était-il arrivé à sa première femme? Pourquoi lui avait-il caché son identité au bal de Cyprian?

Les jeunes dames évitent de poser des questions indiscrètes sur des sujets délicats pour autrui. Mais Olivia établissait désormais ses propres règles et elle souhaitait connaître, intimement et totalement, l'homme qu'elle avait épousé.

La voiture s'arrêta devant un immeuble banal, et Olivia ordonna au cocher de l'attendre. Puis, elle se dirigea vers la porte.

— Je suis Lady Radcliffe, dit-elle aux ouvriers qui sortaient.

C'était la première fois qu'elle se présentait sous ce nom. Ils haussèrent les épaules, la laissèrent entrer, puis s'en allèrent chez eux.

Son mari passait ses journées, non pas dans un club sélect et douillet avec des serviteurs et de l'alcool coulant à flots, mais dans une grande pièce chichement meublée. Quelques fenêtres hautes éclairaient la pièce ainsi que les grandes tables couvertes d'interminables feuilles de papier. Elle les examina et supposa qu'il devait s'agir des plans de l'engin. Ils étaient très détaillés et dessinés avec soin et, bien que fascinants, ils l'étaient beaucoup moins que l'engin en soi.

L'engin ne ressemblait pas à ce qu'elle avait imaginé. À vrai dire, elle n'y avait guère réfléchi. Mais dès qu'elle posa les yeux sur lui, les en détacher lui fut impossible.

Il dominait la pièce. D'une hauteur et d'une largeur d'environ trois mètres, il avait un mètre de profondeur. Il était composé d'un labyrinthe de tuyaux dorés étincelants rattachés à des cylindres rainurés sur lesquels étaient gravés des nombres.

Elle fit le tour de l'engin, éblouie par sa magnificence.

Comment cela fonctionnait-il ? De quelle manière cet amalgame de pièces métalliques effectuait-il ses calculs ? Cela dépassait son entendement. Pourtant, non seulement Phinn et Ashbrooke comprenaient comment l'engin fonctionnait, ils l'avaient en outre inventé et fabriqué. Olivia en fut sidérée.

Elle voulait savoir comment il fonctionnait et le voir en marche. Comment lui indiquait-on quelles opérations effectuer ?

Elle en fit encore le tour. Dehors, le jour déclinait, la nuit tombait, la rumeur de la ville s'affaiblissait. Elle vit un levier. Évidemment! Il lui suffisait de le tirer pour que la machine s'anime et lui révèle enfin ce que donnait 16 multiplié par 327, ou 11 000 divisé par 34.

Le levier résista. Elle tira plus vigoureusement, puis en s'y accrochant de tout son poids et en décollant les pieds du plancher. Elle devait avoir l'air tout à fait ridicule! Mais elle ne pouvait se résoudre à partir sans l'avoir vu fonctionner.

Elle comprit alors pourquoi Phinn s'absentait chaque jour pendant plusieurs heures. Elle avait cru qu'il l'évitait, mais il lui parut plus vraisemblable que c'était parce qu'il avait si hâte de voir cette machine en marche qu'il ne pouvait s'en éloigner… et qu'elle, Olivia, était peut-être la seule à le captiver encore davantage.

Enfin, du mouvement! Le levier s'abaissa lentement, mettant la machine en branle.

L'engin s'anima dans un sacré boucan — claquements, bruits métalliques, un vacarme à réveiller les morts. Un tintamarre tel qu'Olivia se couvrit instinctivement les oreilles.

C'est alors que — oh! — l'un des cylindres se détacha de l'ensemble. Elle se hâta d'aller le récupérer, et un moment plus tard, un autre s'écrasa par terre. Elle le récupéra également. Elle découvrit qu'ils étaient très lourds. Surtout quand il y en avait trois, quatre, cinq… Puis, des tuyaux se détachèrent à leur tour.

L'engin faisait un tel boucan qu'on n'aurait pu entendre Olivia appeler à l'aide, ce que néanmoins elle songea à faire. L'un des cylindres s'inclina vers elle, comme pressé d'aller rejoindre toutes les pièces qu'elle avait sur les bras. Olivia posa doucement celles-ci et s'appuya de tout son poids sur le cylindre pour le remettre en place.

Les jeunes dames veillent à ce que toute chose soit à sa place.

Impossible de savoir à quel moment elle renonça à réparer la machine. Après la chute du cylindre, peut-être, dans les quelques précieuses secondes qui séparèrent sa chute de celle, les unes après les autres, des pièces encore en place. Très vite, la machine fut réduite en un amas de pièces métalliques sur le sol.

Avec Olivia en dessous.

Chapitre 20

Rien n'importe davantage que d'achever l'Engin à temps pour l'Exposition universelle.

— SONGEAIT PHINN AVANT...

Phinn laissa Olivia dans leurs appartements et s'en alla marcher. Il ne savait pas où il allait, uniquement qu'il devait partir. Il s'était montré sous son jour le moins reluisant et lui avait révélé le secret qu'il s'était juré de taire. Sachant à quel point elle avait peur de lui, comment aurait-il eu le courage de lui faire connaître la violence dont il était capable ? Par ailleurs, il avait abusé de sa confiance — pour cette raison, il estimait ne pas être très différent du soldat dont il l'avait sauvée.

Bien entendu, il n'avait pas eu l'intention de le lui dire.

Bien entendu, elle devait être furieuse d'avoir découvert sa trahison et sa violence. Rester avec elle et la regarder se défaire du peu d'affection qu'elle avait pour lui représentait un supplice qu'il ne pouvait supporter. La douleur qu'il éprouvait ne pouvait avoir qu'une seule cause : il avait dû tomber amoureux d'elle.

Et cet amour compliquait tout.

Il était donc parti.

Il était allé chercher refuge dans les rues de Londres, se perdre dans la foule des piétons, les braillements des marchands ambulants, et les cris d'alerte des cochers. Il s'était rejoué la scène de l'après-midi encore et encore, s'efforçant de mettre le doigt sur le moment précis où tout avait basculé. Était-ce avant qu'elle détruise la bergère ou après ?

Il avait espéré éviter cela. Nadia et lui se chamaillaient constamment. Des objets volaient et se brisaient. Il allait se réfugier dans son atelier, et elle allait s'enfermer dans sa chambre où elle boudait, inconsolable, parfois pendant des jours. Phinn se rendit compte qu'il empruntait les rues familières le conduisant à l'Engin. C'était la chose à faire — se rendre à l'atelier, travailler sur l'Engin, se plonger dans la mécanique où tout était exactement ce qu'il semblait être et obéissait à la logique.

Tout comme Nadia, Olivia…

Non, elles ne se ressemblaient pas. L'une était sombre et explosive, l'autre blonde et pleine de vie. L'une se plaignait de son sort — qu'elle s'était cependant infligée elle-même en prenant une suite de décisions insensées. L'autre tentait uniquement de trouver sa propre voie. Nadia lui lançait des assiettes à la tête. Olivia les lançait par terre, avec une grimace adorable, après lui en avoir demandé l'autorisation et lui avoir conseillé de fermer les yeux.

Il avait voulu quelque chose de différent. L'avait appelé de tous ses vœux. En Olivia, il avait trouvé ce qu'il cherchait.

Pourquoi, alors, retombait-il dans ses vieilles habitudes ? Nadia avait eu raison sur un point — il préférait partir et se plonger dans le travail plutôt que de discuter avec elle de leurs problèmes. Phinn leva la tête, conscient qu'il était en voie de commettre la même erreur. L'entrepôt n'était plus qu'à un pâté de maisons.

S'il tenait à ce que ce mariage soit différent du précédent, il ne pouvait se contenter d'épouser une femme différente et d'ensuite se croiser les doigts. Il devait se comporter différemment, et cela impliquait de faire front au lieu de fuir et de s'étourdir dans le travail.

Il reprit son souffle. Il devait rentrer à l'hôtel, lui présenter ses excuses et lui promettre de s'amender. Dans sa poitrine, le nœud se dénoua ; son cœur devint plus léger.

Jusqu'à ce qu'il entende l'engin.

Phinn s'arrêta. Se retourna. Inclina la tête sur l'épaule. En effet, c'était le cliquetis assourdissant d'une machine tentant de résoudre une équation. Sauf qu'elle n'aurait pas dû fonctionner ; elle n'était pas encore prête. Les employés qu'Ashbrooke et lui avaient engagés savaient qu'ils ne devaient pas tenter de la faire fonctionner.

Phinn se remit à marcher d'un pas plus vif vers l'entrepôt. Il s'agissait sans doute d'un chômeur qui, cherchant un abri pour la nuit et apercevant la machine, n'avait pu résister à l'envie de la mettre en marche. La machine avait le don de fasciner les gens, de leur donner envie de la toucher.

Puis, il entendit un bruit violent et se mit à courir. Il connaissait ce bruit — une fois déjà, la fichue machine s'était désassemblée et fracassée.

Quand il vit la voiture arrêtée devant la porte, son cœur cessa de battre.

— Olivia ! cria Phinn, sans réponse. Olivia ! cria-t-il encore, toujours sans réponse.

Il rompit le silence inquiétant en ouvrant la porte avec une telle violence qu'elle alla frapper le mur.

Il la vit. Allongée sous les décombres.

Non. L'avait-il dit, ou uniquement pensé, ou uniquement ressenti ? *Non.*

Non, pas ça. Pas encore. Pas *elle.*

Mais il s'agissait bel et bien d'Olivia, de sa femme, étendue par terre, les jambes recouvertes d'un amoncellement de pièces métalliques. Ses bras étaient écartés et ses cheveux, en désordre. C'était étrange de voir ses ravissantes boucles blondes ainsi répandues sur le plancher poussiéreux.

— Olivia, dit-il d'une voix rauque en s'approchant lentement. Olivia, répéta-t-il en tombant à genoux à côté d'elle.

Ses paupières étaient closes et son expression, curieusement paisible, comme si elle avait décidé de s'offrir une petite sieste de fin d'après-midi. Sous un lourd amas de tuyaux et de cylindres, sur le plancher, dans un immeuble désaffecté, dans un coin éloigné de la ville.

Il chercha son pouls sur son cou et poussa un profond soupir de soulagement en le sentant battre faiblement mais régulièrement.

Elle était vivante. Ce n'était pas la répétition de ce qui s'était produit avec Nadia.

Cela ne pouvait pas lui arriver de nouveau.

Cela ne pouvait pas arriver à Olivia.

Phinn entreprit d'enlever les débris, soulevant un cylindre à la fois et le jetant sur le côté. Une à une, sans s'arrêter et avec méthode, il retira chaque pièce du foutu engin le séparant d'Olivia.

— C'est ma faute. Je suis désolé.

Les pièces étaient lourdes. Au bout d'un moment, ses muscles épuisés devinrent cuisants de douleur. Et elle, comment se sentait-elle sous ce fatras ?

Tour de force.

En d'autres temps et en d'autres lieux, il aurait ri. Si elle survivait, peut-être pourrait-il l'impressionner en lui relatant les détails de ce sauvetage héroïque.

Si elle survivait. Si elle lui épargnait l'opprobre d'être l'homme ayant perdu non pas une mais deux épouses.

Mais il n'était pas un héros. Il était un homme sombre, trop occupé, qui avait le don de conduire les femmes à se détruire elles-mêmes. Il l'aimait, et avait eu si peur qu'elle ne l'aime pas en retour, qu'il avait pris la fuite, comme un lâche. À présent, elle en payait le prix.

Il n'arrivait plus à respirer. Il avait l'impression que son cœur s'était logé dans sa gorge. Et il y avait quelque chose dans ses yeux. Quelque chose de chaud et de mouillé, qu'une personne plus sensible aurait appelé des larmes. Phinn les essuya du revers de la main. Ce n'était pas le moment. Il rejeta encore un cylindre. Qui atterrit sur une table. Il en lança un autre. Qui percuta une chaise, et celle-ci se fracassa sous le poids et le choc.

Des heures et des heures de travail — de calculs minutieux, d'esquisses compliquées et détaillées, des heures consacrées à dessiner les plans, à forger le métal, à peaufiner chaque pièce à la main jusqu'à ce que toutes soient identiques. Il lança tout sur le côté sans hésiter.

Il parvint enfin à la libérer.

Phinn remarqua aussitôt que l'une de ses chevilles était sérieusement blessée — une fracture visiblement.

— Je suis affreusement navré, marmonna-t-il, au cas où elle l'entende.

Que pouvait-il dire d'autre ? Il essaya. Comme si elle avait pu l'entendre et se faire du souci, il ajouta :

— À présent, je vais vous prendre dans mes bras et vous ramener à l'hôtel.

Elle ne répondit pas.

— Nous ferons venir le médecin. Ça ira.

Encore un mensonge. Sa cheville était dans un sale état.

Elle remua et murmura, quand il la souleva. Un gémissement de douleur s'échappa de ses lèvres. Dieu, il aurait dû rester dans cette chambre d'hôtel et la couvrir de baisers. Peut-être l'aurait-elle laissé quand même, mais du moins n'aurait-elle pas été blessée.

Il réussit à monter dans la voiture avec elle, heureux qu'elle ait dit au cocher d'attendre. Ils partirent au petit galop. Phinn la tint fermement entre ses bras jusqu'à ce qu'ils atteignent l'hôtel.

— Un médecin, jeta-t-il en entrant dans le hall plein de monde avec sa femme inconsciente dans les bras sous les regards abasourdis.

Dans une zone reculée de son cerveau, il était conscient des apparences. Il devinait déjà les manchettes : « Le Baron fou frappe encore. »

Il le méritait. Olivia, non. Si elle survivait.

Il ne voulait même pas songer à ce qu'il ferait si elle ne survivait pas.

— Vite ! ordonna-t-il.

Un valet partit au pas de course.

Il réussit à se rendre jusqu'à leur chambre, où il la déposa doucement sur le lit. Le médecin arriva et l'examina, sous la surveillance de Phinn (ou plutôt, de l'avis du médecin, malgré le fait que celui-ci lui compliqua la tâche avec ses nombreuses questions et remises en question), qui tournait fébrilement en rond dans la chambre.

— C'est la cheville, décréta le Dr Barkley. Une fracture. Je vais l'immobiliser. Elle remarchera, mais je crains qu'elle ne doive renoncer à danser.

Phinn revit Olivia au bal de Cyprian, la grâce et la joie avec lesquelles elle dansait. Ses entrailles se contractèrent et s'enflammèrent.

— Sa tête a pris un coup, également, poursuivit le médecin. Je suis certain qu'elle va revenir à elle. Espérons qu'elle n'ait pas perdu la mémoire! dit-il dans un gloussement amical.

Phinn ignorait si ce serait une bonne ou une mauvaise chose. Se souviendrait-elle qu'il lui avait menti? Se souviendrait-elle qu'ils avaient été contraints de s'épouser? Et si elle ne s'en souvenait pas?

— Nous ne pouvons qu'attendre, dit le Dr Barkley.

Il donna ses directives aux femmes de chambre, puis s'en alla.

Phinn, à genoux près du lit, prit la main d'Olivia entre les siennes. Et attendit.

Dans un premier temps, Olivia entendit uniquement des voix. Comme celles-ci lui arrivaient comme à travers un brouillard ou du coton, elle ne comprit pas ce qu'elles disaient. Mais elle reconnut toutefois les inflexions angoissées de sa mère. Les glapissements, en fait. Et les beuglements de son père. Même si elle ne pouvait pas le voir, elle estima qu'il devait avoir la figure bordeaux, à en juger par la fureur de sa voix.

Ce qui la mena à se questionner : où était-elle? Pourquoi ses parents étaient-ils hystériques?

Elle tenta faiblement de bouger, et une vive douleur la poignarda. Elle y réfléchirait à deux fois avant de refaire ça.

À mesure qu'elle revenait à elle — à présent, elle entendait des mots, mais pas clairement, et elle n'essaya pas de suivre la conversation —, elle sentit que sa main était chaude et à l'abri, comme si Phinn l'avait tenue.

Était-ce le cas, ou un vœu pieux? Pensait-elle ou dormait-elle? Que lui était-il donc arrivé? Poussée par la curiosité, elle s'efforça d'ouvrir les yeux.

Lentement, petit à petit, tout redevint net. Elle était allongée sur son lit, à l'hôtel. Il était tard. La chambre était chichement éclairée par la nuit tombante et des bougies éparpillées dans la pièce. Ses parents se disputaient dans un coin.

Phinn. Il était là. Il lui tenait la main.

— Olivia, murmura-t-il. Je suis terriblement désolé.

Elle cligna des yeux. Il avait un air affreux. Angoissé, en fait. Sa bouche n'était plus qu'un trait accablé. Combien de temps s'était écoulé depuis leur baiser? Ses yeux étaient rouges et ses cheveux, dans un désordre indescriptible. Elle savait que cela signifiait qu'il avait été contrarié ou harassé, et qu'il y avait passé les doigts.

Que s'était-il passé?

Olivia referma les yeux. Et tendit l'oreille. C'était tout ce qu'elle avait la force de faire.

— A-t-elle repris connaissance?

C'était sa mère, anxieuse. Olivia pouvait se la représenter, serrant un mouchoir sur sa poitrine.

— Très brièvement.

C'était Phinn.

— Si elle meurt...

C'était la voix menaçante de son père, celle qu'il prenait pour la gronder. *Si tu n'arrêtes pas de laisser traîner tes poupées dans l'escalier...* Mais soudain, sa voix faiblit.

— Je vous ai confié ma fille, en dépit de toutes ces mau-
dites rumeurs sur votre compte. Je me suis trompé, vous êtes
exactement ce que l'on dit de vous.

— Pire ! s'écria sa mère.

— Vous m'aviez donné votre parole de gentilhomme, dit
son père. Et, poursuivit-il en enflant la voix, vous êtes un
assassin et un menteur.

Si elle en avait eu la force, Olivia aurait sursauté en
entendant cette accusation. En tant qu'homme d'honneur,
Phinn n'avait d'autre choix que de riposter contre celui qui
venait de proférer de pareils mensonges. Car il s'agissait de
mensonges, non ?

— C'était un accident, entendit-elle Phinn répondre.

Il avait l'air désespéré.

— Je vous jure que je n'ai jamais voulu lui faire de mal.

— Dès qu'elle reviendra à elle, nous la ramènerons chez
nous, déclara son père.

Olivia songea que son visage devait à présent avoir la
teinte du rouge à lèvres qu'elle portait lors de leur première
et désastreuse rencontre officielle.

— Où elle sera en sécurité, souffla sa mère.

Qui s'écria ensuite, dans un sanglot étranglé :

— Et vous divorcerez. Oh, que diront les gens ?

Divorcer ? Olivia envisagea un moment de rassembler ses
forces et d'exiger des explications. Mais ils discutaient toujours de sa vie sans tenir compte de ses désirs, alors à quoi
bon s'extraire de cet étrange état de semi-conscience ?

— Les gens diront que nous avons sauvé notre fille des
griffes d'un scélérat, dit son père d'une voix dure.

Olivia songea que sa figure devait avoir la couleur
d'une glace à la framboise. Après quoi, elle eut envie

d'une glace à la framboise. Mais cela impliquait de se réveiller, activité pour laquelle elle ne se sentait ni la force ni l'inclination.

— J'ai été bête de vous confier quelque chose d'aussi précieux que la vie de ma fille.

Pendant un moment, le cœur d'Olivia cessa de battre. Ils se souciaient d'elle. *En ce moment*, ils se souciaient d'elle.

— C'était un accident, dit Phinn en haussant le ton.

Ils le provoquaient en l'accusant ainsi. Et s'il allait perdre son sang-froid, comme il l'avait perdu avec Rogan et Brendon (Brandon ?) ? Elle l'entendit inspirer — il ne devait pas en être très loin ! — et expirer lentement. Lorsqu'il reprit la parole, sa voix était profonde et rude.

— Dans les deux cas. Des accidents.

— Pensez-vous vraiment que nous allons vous croire ? aboya son père. Pensez-vous vraiment que quelqu'un en ce monde va vous croire ?

— Vous ne serez plus invité nulle part, dit froidement sa mère.

Comme si Phinn s'en souciait. Olivia, croyant le connaître désormais assez, savait que cela ne comptait pas pour lui. Elle eut ensuite conscience que sa mère s'élançait vers elle et venait creuser le matelas à côté d'elle.

— Comment se fait-il qu'elle n'ait pas encore repris conscience ? s'écria-t-elle.

— Avez-vous fait venir un médecin ?

C'était son père.

— Évidemment que j'ai fait venir le médecin, répliqua Phinn.

— Je crois que vous devriez laisser la suite entre nos mains. Elle a besoin de sa mère.

— Vous avez entendu Lady Archer. Laissez-la avec nous. Partez.

Écarlate. Il devait avoir la figure écarlate. Olivia entrouvrit une paupière pour voir si elle avait raison. Elle avait raison.

Elle vit aussi Phinn tourner les talons et s'apprêter à partir. Il avait la main sur le bouton de la porte. Sa mère sanglotait à son chevet. Il était temps de rassembler ses forces. Il ne pouvait *pas* la laisser. Et surtout, il ne pouvait pas l'abandonner entre les griffes de ses parents hystériques. Pas maintenant. Elle aimait vivre à l'hôtel et voulait demeurer avec Phinn.

— *Restez*, dit-elle.

Ce n'était qu'un murmure. Elle se reprit.

— Restez.

— Olivia !

Phinn se retourna vivement et se précipita à son chevet. Il se jeta à genoux, et elle lui tendit la main.

— Elle est réveillée ! Archer, elle est réveillée ! cria sa mère.

Son père repoussa Phinn, prit la main d'Olivia et la pressa.

— Tout va bien, ma chérie, nous te ramenons à la maison, dit sa mère avec effusion. Tu ne resteras pas ici une minute de plus.

— Je suis désolé, ma fille, d'avoir fait fi des rumeurs et cru qu'il était un homme intègre. Sans quoi, je n'aurais jamais autorisé ces fiançailles. J'aurais dû lui permettre de te courtiser plus longuement, comme il le souhaitait…

C'était plus qu'Olivia n'était capable d'assimiler pour l'heure. Mais elle en avait suffisamment compris. Elle avait puni Phinn pour des péchés qui n'étaient pas tout à fait les siens. Tout ce qu'elle arriva à faire fut de pousser un soupir las.

— Taisez-vous, mon mari, dit sa mère. Ne voyez-vous pas qu'elle est à bout ?

— Nous le voyons tous, ma femme, répliqua son père d'une voix glaciale.

Phinn se tenait debout derrière eux. Olivia puisa de la force dans son regard.

— J'ai ce qu'il nous faut, dit sa mère en plongeant la main dans son réticule.

Il lui fallait toujours au moins cinq minutes pour mettre la main sur ce qu'elle y cherchait. Cette fois ne fit pas exception.

— Donnez-moi une minute… c'est ici, quelque part.

Finalement, elle en tira la chose en question d'un air triomphant. Et brandit un flacon de sels Smythson's. Elle le décapsula et le plaça sous le nez d'Olivia.

Dieu, c'était drôlement revigorant ! Olivia inspira profondément, toussa, puis fit appel à tout son courage pour, malgré la douleur que cela lui infligeait, détourner la tête de cette odeur curieusement virulente.

— Ça marche ! Ça marche toujours ! s'écria sa mère. Si vous aviez suivi mes conseils et acheté des actions, nous serions riches et n'aurions pas été obligés de miser sur la fortune de Radcliffe.

Olivia regarda alternativement sa mère, son père et Phinn. Son regard s'attarda sur celui-ci.

— Olivia. Je vous en prie, restez, dit-il.

Ce n'était pas un ordre, ni une question, mais une prière.

Tant bien que mal, en dépit de leurs protestations et de leurs accusations, Phinn réussit à chasser ses parents. Le silence, Dieu, le silence était divin. Elle ferma les yeux pour le savourer, mais Phinn la supplia de rester éveillée.

— Que s'est-il passé? arriva-t-elle enfin à demander.

— L'engin n'était pas prêt, dit-il, et elle se souvint de la machine rutilante qu'elle avait détruite.

Oh, ce qu'il devait être furieux contre elle!

— Mais vous ne pouviez pas le savoir, puisque je ne vous l'avais pas dit. Je travaillais tard chaque soir et veillais à ne rentrer que lorsque vous étiez au lit parce que... C'est difficile à expliquer.

Ce qu'il disait n'avait guère de sens, mais elle comprit qu'il ne lui en voulait pas. C'était manifeste à sa voix angoissée et à sa manière brusque de se passer la main dans les cheveux.

— J'ai fait une erreur, Olivia. L'engin s'est écroulé. Vous vous êtes cassé la cheville. Le médecin pense que vous remarcherez.

— Oh.

Cela expliquait pourquoi elle souffrait tant quand elle essayait de bouger.

— Olivia.

Il lui prit de nouveau la main. Elle se souvint de la soirée à l'opéra. Elle voulait revivre cela. Mais dès qu'elle vit son regard, elle comprit qu'il ne songeait pas au doux jeu qui s'était déroulé dans le noir. Non, il était mortellement sérieux.

— Nous n'avons pas consommé notre union. Je sais que vous avez été forcée de m'épouser. Ce n'était pas ce que je voulais, et chaque fois que j'ai tenté d'arranger les choses, je n'ai réussi qu'à les aggraver. J'ai cru qu'il était préférable pour nos réputations de nous épouser. Mais vous êtes libre de partir. Nous ferons annuler le mariage. Je vais partir. Et assumer l'entière responsabilité. Vous méritez mieux que cela, et mieux que moi. Et je suis prêt à *tout* pour faire de vous la femme la plus heureuse du monde.

Olivia se rendit vaguement compte que l'une de ces déclarations d'amour romantiques dont elle avait toujours rêvé venait finalement, et brillamment, de lui être faite. Elle souhaita qu'il la répète encore et encore afin qu'elle la mémorise. Il était hors de question qu'elle la rapporte en termes approximatifs à Prudence et à Emma. Il fallait qu'elle la répète *mot à mot*.

Phinn lui pressa la main. Ce n'était pas fini.

— Mais, mon ange, si vous restez, vous ferez de moi l'homme le plus heureux du monde.

— Oh.

C'était un soupir venu du fond du cœur. Elle ne pouvait en faire davantage. Elle était uniquement consciente des lents battements de son cœur, de sa main bien au chaud dans la sienne, de l'amour sincère brillant dans les yeux de Phinn. Elle devait rester, c'était le seul moyen d'obtenir des réponses.

Quelqu'un frappa vigoureusement à la porte. Ne savait-on pas qu'elle avait très mal à la tête ? Ses parents se ruèrent dans la chambre. On discuta encore de la nécessité qu'elle parte, de l'annulation du mariage, du fait qu'elle ne reverrait plus jamais Phinn. Mais elle ne pouvait le perdre maintenant. Il y avait trop de questions sans réponse, trop de choses qu'elle voulait savoir, trop de baisers qu'ils n'avaient pas échangés.

— Nous sommes ses parents. C'est à nous de décider.

C'était entendu, n'est-ce pas ? Ils décidaient toujours à sa place. Tout le monde décidait toujours à sa place. Personne ne lui demandait ce qu'elle voulait. Si elle en avait été capable, elle l'aurait fait remarquer.

Au lieu de quoi, elle soupira et attendit que Phinn réponde qu'elle était sa femme et que, par conséquent, il lui revenait de prendre les décisions touchant à son bien-être.

Au lieu de quoi, il dit :

— C'est à Olivia de décider.

Et lui donna ainsi la meilleure raison du monde de rester.

Chapitre 21

Le Baron fou frappe encore.

Le tristement célèbre Lord Radcliffe a été vu transportant le corps inerte de sa nouvelle épouse dans le hall du Mivart, l'hôtel où le couple réside. On est en droit de craindre le pire.
— LONDON WEEKLY

La chambre d'Olivia
Plus précisément, son lit

À la suite de la tournure tragique des événements ayant cloué Olivia au lit, celle-ci se retrouva... eh bien, clouée au lit. Et après le flot initial de visiteurs, dont le médecin (qui déclara que sa cheville était cassée), ses parents (qui s'agitèrent excessivement), et ses amies (qui la divertirent en lui rapportant les derniers ragots), on la laissa seule afin qu'elle se repose.

Comme elle s'y attendait, au matin, Phinn était retourné à l'atelier superviser la reconstruction de l'Engin. Il s'agissait d'une tâche importante pour laquelle il était venu à Londres. Mais il y était également venu pour prendre une épouse, qui se retrouvait clouée au lit et seule. Qui avait détruit l'engin.

Olivia soupira. Elle ne s'était pas opposée à son départ, parce qu'elle était alors entourée de visiteurs. Mais il y avait longtemps que ceux-ci étaient partis, et Phinn n'était pas rentré. La lumière entrant par les fenêtres était passée du jaune vif de l'après-midi au violet du crépuscule.

Elle s'ennuyait tellement et se sentait si énervée qu'elle s'empara de la broderie que sa mère avait laissée à portée de main. Pendant un moment, elle contempla le modèle de broderie. Le tissu vierge, l'aiguille et le fil représentaient tout ce qu'elle méprisait — la petite bonne femme qui restait assise à ne rien faire, à attendre, qui se tenait occupée en brodant des versets de la Bible et des motifs décoratifs sur un bout d'étoffe qui deviendrait, un jour, un coussin ornant un canapé sur lequel son mari lui ferait ou non l'amour.

Broder était une activité vaine. Contrairement au travail de Phinn, qui risquait de changer le monde à jamais.

Les jeunes dames restent à la maison et brodent.

Les hommes sortent, se lancent dans de folles entreprises et réalisent de Grandes Choses.

Règles, règles, règles! Elle ne les connaissait que trop bien. Elles lui colonisaient le cerveau. Elles la freinaient, la contraignaient, la pressaient dans le moule de la Parfaite Petite Dame jusqu'à la faire suffoquer. Grâce à son Mystérieux Chevalier de minuit — Phinn! —, depuis quelque temps, elle n'obéissait plus qu'à une seule règle.

Établissez vos propres règles.

Un sourire aux lèvres, Olivia prit l'aiguille et choisit un fil rose vif. Elle commença à broder et continua ainsi jusqu'à l'arrivée de Phinn.

— Exactement où je vous ai laissée, fit-il remarquer depuis le cadre de la porte, où il s'appuyait, avant d'entrer dans la chambre.

— Salut, dit-elle avec un sourire timide.

Elle était ravie de le voir, mais par ailleurs consciente d'être, bien que décemment vêtue, allongée sur son lit et, à cause de sa cheville, incapable d'en sortir.

— Je vous prie de me pardonner de rentrer si tard, dit-il. L'engin aura besoin d'importantes réparations.

Le sourire d'Olivia s'évanouit.

— Je suis affreusement navrée, dit-elle.

En vérité, chaque fois qu'elle repensait à ce qu'elle avait fait, elle se sentait terriblement malheureuse. Tout ce travail… réduit à néant en quelques minutes.

— Je n'avais pas l'intention de le détruire. Je n'ai que voulu vérifier s'il fonctionnait.

Elle n'avait que voulu le voir, lui, et mieux le connaître. Mais c'était là des mots qu'elle n'arrivait pas encore à prononcer.

— Non, c'est moi qui suis désolé, Olivia, dit Phinn en s'asseyant sur une chaise près du lit et en lui prenant la main.

Il lui adressa un regard grave. Contrit.

— Je n'aurais pas dû partir.

— Pourquoi l'avez-vous fait ?

Phinn se passa la main dans les cheveux.

— Vous aviez si peur de moi, Olivia. Vous aviez été témoin de la violence dont je suis capable. J'ai cru qu'en apprenant que c'était moi, vous seriez encore plus effrayée et ne me permettriez plus de vous toucher. Je ne pouvais donc pas vous embrasser, car cela aurait été me trahir.

Olivia le regarda gravement. Elle considéra ses yeux verts, qui la contemplaient avec tristesse et une petite lueur d'espoir. Puis, elle reporta son attention sur sa cicatrice, rappel de son passé trouble, de son caractère violent, de tout ce qu'elle ignorait de lui. Elle repoussa les cheveux de Phinn, les lissa de la main.

— Soyons honnêtes, vous êtes venu à mon secours, dit-elle. On m'agressait. Phinn, si vous n'aviez pas été là, je frémis à l'idée de ce que j'aurais subi.

Elle vit qu'il serrait les poings au rappel de cette soirée. Ses mâchoires se contractèrent. Ses yeux verts devinrent presque noirs. Pendant un moment, Olivia trembla de frayeur. De mari attentif, Phinn s'était transformé en un homme qui n'était plus là, mais emporté par la colère.

Clouée au lit, incapable de marcher, elle était totalement à sa merci. Elle ne croyait pas qu'il l'agresserait, mais il était troublant de voir la manière dont la colère s'emparait de lui. Elle non plus n'avait pas oublié ce soir-là. Ses coups avaient été vifs, assurés, incessants, jusqu'à ce qu'elle lui crie d'arrêter et que Brendon (Brandon ?) se retrouve inconscient sur le sol.

Refusant de laisser Phinn s'égarer dans son humeur sombre, elle posa les mains sur ses poings serrés et plongea le regard dans le sien. Elle sentit peu à peu ses poings s'ouvrir et ses doigts se détendre.

— Je suis colérique, reconnut-il.

— Vraiment ? Je n'avais pas remarqué, répondit doucement Olivia.

Phinn songea qu'elle devait être bête. Puis, il comprit qu'elle se moquait de lui ; à sa propre surprise, il rejeta la tête en arrière et éclata de rire. Et aussitôt, la fureur sauvage, violente, qui l'habitait, s'évanouit. C'était pour cela qu'il avait besoin d'Olivia. Personne d'autre n'arrivait à adoucir son humeur ou à le distraire de sa colère.

— À quoi travaillez-vous? demanda-t-il en montrant de la tête le bout de tissu qu'elle avait à la main.

— Je fais un peu de broderie, dit-elle avec un petit rire en baissant les yeux.

— Je croyais que vous détestiez broder.

Et lui qui pensait commencer à la connaître…

— C'est vrai. Mais c'était la seule chose qui se trouvait à portée de main, dit-elle avec un sourire penaud.

Le cœur de Phinn se serra. C'était par sa faute qu'elle se trouvait clouée au lit, à broder. Dieu, à sa place, il aurait été d'une humeur de chien.

— Je suis navré, Olivia.

— Je sais, répondit-elle. J'ai toutefois trouvé la manière de rendre cela moins ennuyeux.

Elle tourna la broderie vers lui. Il sourit en voyant les mots formés par les lettres larges, verticales, ornées de quelques fioritures : «Établissez vos propres règles.»

— Que dira votre mère en voyant cela? demanda Phinn en haussant le sourcil.

— Elle dira : «Olivia, les jeunes dames ne font pas cela.» Mais, moi, j'affirme que les jeunes dames font cela.

— J'espère bien, murmura Phinn.

Leurs regards se croisèrent. Se fixèrent. Une fois de plus, il sentit une force l'attirer vers Olivia. Pareille à celle de la gravité. Pareille au magnétisme. Comme une loi de la nature qu'il n'y avait pas moyen de rompre. Non qu'il le souhaitât; au contraire, il souhaitait être très près d'elle… il voulait être en elle.

Il baissa les yeux sur ses lèvres, légèrement entrouvertes. Il voulait l'embrasser. Puis, il baissa encore les yeux, sur ses seins qui tendaient le corsage. Il voulait les toucher, les goûter, les adorer. Il désirait sa femme avec une intensité propre d'ordinaire à ses accès de colère.

Le désirait-elle aussi ? Le fait que ses yeux bleus soient plus sombres le laissait entendre.

— Et quelles sont les règles selon Olivia ? demanda Phinn d'une voix rauque.

— Une jeune dame doit exprimer ses pensées et ses opinions, dit-elle. Je n'y ai guère excellé.

— Vous y excellez en ce moment, répondit-il, l'invitant ainsi à poursuivre.

Plus il la connaîtrait, plus il pourrait la rendre heureuse. Plus elle serait heureuse, plus il serait heureux.

— Dites-moi quelques-unes de vos règles.

— Obéir uniquement aux règles qui sont sensées, dit-elle, et le cœur de Phinn se gonfla d'amour pour elle.

Elle lui sourit.

— Par exemple, il est ridicule qu'une femme doive avoir un appétit d'oiseau, manger du bout des lèvres et mourir de faim le plus clair du temps. Une jeune dame ne devrait pas remettre son bonheur entre les mains d'autrui. Il est à craindre que certaines personnes ne s'en préoccupent guère, ajouta-t-elle, et il comprit qu'ils pensaient l'un comme l'autre au soldat. Du reste, il est plus que vraisemblable que personne ne se souciera de son bonheur autant qu'elle-même.

Phinn se douta qu'elle parlait à présent de ses parents. Ils étaient bien intentionnés, mais s'ils s'étaient réellement souciés de son bonheur, ils auraient prêté une oreille attentive à leur fille et lui auraient permis de prendre les décisions touchant à sa vie personnelle.

— Autre chose?

— Une dame doit découvrir ce qui lui fait plaisir, répondit doucement Olivia.

— Cette règle me plaît, murmura-t-il d'un ton suggestif.

— Je ne pensais pas à ce que visiblement vous pensez, répliqua-t-elle.

— Dommage.

Vraiment dommage.

— Je n'ai guère d'expérience en cette matière, avoua-t-elle.

Ce qu'il savait. Ce qui lui plaisait.

Le cœur de Phinn se mit à battre plus fort et plus vite.

— Il est facile d'y remédier.

— Mais... mais, bredouilla-t-elle.

Phinn haussa le sourcil pour l'inviter à continuer tout en ne voulant pas la presser au point de l'effrayer. Ils se rapprochaient enfin. Elle soupira.

— Ma jambe. Et puis, j'ai vu les images, et bien qu'elles piquent ma curiosité, je ne sais trop que penser de... toutes ces choses. Je suis curieuse, certes, cependant...

— Olivia.

— Oui?

— Une dame doit découvrir ce qui lui fait plaisir, dit Phinn. Et elle doit exprimer clairement son opinion et ses désirs, que ce soit en disant «Oui, j'aime cela et j'en veux davantage» ou «Arrêtez immédiatement».

— Un gentilhomme doit se plier aux désirs d'une dame, répliqua-t-elle en relevant légèrement les coins de sa bouche.

— Tout à fait d'accord, dit-il, la voix rauque et le cœur battant.

Olivia laissa tomber sa broderie sur le plancher.

Phinn repoussa une bouclette égarée de son visage. Il allait l'embrasser maintenant. Elle saurait que c'était lui, et ce serait bien ainsi. Elle serait peut-être nerveuse ou effrayée, mais il lui démontrerait qu'elle pouvait lui faire confiance, qu'il saurait la protéger et faire son bonheur. Il l'aiderait à découvrir ce qui lui faisait plaisir.

Bien qu'il ne manquât pas d'expérience, il se sentait nerveux. Étrange.

Après ce baiser, ils ne pourraient plus faire marche arrière.

Phinn se pencha sur sa bouche, déterminé à faire le plaisir de la dame. Dans un premier temps, même s'il dut pour cela se maîtriser, il veilla à ce que le baiser soit léger et doux. Elle avait semblé l'apprécier la première fois. Puis, comme enivré par son goût, il perdit la tête. Il la pressa d'entrouvrir les lèvres afin de la savourer pleinement.

Olivia sembla apprécier cela tout autant. Quand il s'allongea près d'elle sur le lit, il la sentit se tendre, puis se détendre. Elle était sans expérience. Il ne devait pas l'oublier. Ni non plus qu'elle croyait connaître son passé et son tempérament. S'il arrivait à s'arracher de ses lèvres, il lui expliquerait.

Ou il pourrait se contenter de lui démontrer qu'elle n'avait rien à craindre. De l'embrasser comme si rien d'autre n'existait.

D'abord, elle répondit timidement à son baiser. Puis, elle s'abandonna un peu plus. Elle repoussa doucement une boucle égarée sur le front de Phinn. Ce faisant, elle effleura du bout des doigts la cicatrice.

Il la sentit se tendre.

Il retint son souffle.

Puis, elle glissa la main dans ses cheveux et l'attira vers elle. Il sentit ses seins se presser contre sa poitrine. Son érection tendait son pantalon. Il rêvait de s'enfoncer en elle et de lui faire l'amour jusqu'à jouir en criant son nom. Au lieu de quoi, il se contraignit à prendre son temps et à la découvrir.

Quand il lui embrassa le cou de ses lèvres chaudes, entrouvertes, Olivia se figea, comme saisie d'incertitude. Puis, elle soupira et inclina la tête pour mieux s'offrir à ses baisers. Comme elle avait les paupières closes, elle ne vit pas le sourire triomphant de Phinn. Il savait comment exciter une femme jusqu'à ce qu'elle s'abandonne, transportée de désir, entre ses bras. Il se mit à respirer plus vite, tant il désirait toucher sa peau nue.

Phinn glissa ses mains ouvertes sur les flancs d'Olivia et caressa le creux exquis entre ses hanches et sa taille, et elle se pressa contre lui. Il ne s'arrêta pas, même quand sa paume se referma sur son sein. Elle s'y moulait à la perfection. Olivia plongea le regard dans le sien. Puis, avec un sourire langoureux, elle ferma les yeux. Il posa les lèvres sur ce sourire léger et entreprit d'abaisser son corsage, exposant d'abord une épaule ronde et magnifiquement pâle. Il se devait de l'embrasser.

Quand il écarta tout le tissu se trouvant entre ses deux épaules, elle ne protesta pas. Quand il baissa la tête et emprisonna dans sa bouche l'un de ses mamelons sombres, elle laissa échapper un léger soupir. Quand il agaça de la langue le mamelon dressé, ses soupirs se transformèrent en gémissements.

Quand il remua contre elle, comme s'il eût été à l'intérieur d'elle, elle se tendit de nouveau. Ou bien elle aimait cela, ou bien elle ne savait pas quoi faire.

— Remuez en même temps que moi, dit-il rudement. Ou dites-moi d'arrêter.

Les jeunes dames ne contrarient pas les messieurs...

Les règles continuaient de tourmenter Olivia. Elle trouvait de plus en plus difficile de se retenir. Pourquoi s'entêtait-elle à lui résister? Elle ne savait plus. Pourquoi n'arrivait-elle pas à remuer en même temps que lui? C'était pourtant ce que son instinct lui commandait. On lui avait dit que les dames restaient immobiles pendant que l'homme prenait son plaisir, et voilà qu'il lui demandait de bouger avec lui ou de lui dire d'arrêter. Compte tenu de son excitation grandissante, de son désir exacerbé et du sentiment de ne pas en avoir assez, arrêter lui était impossible. Oubliant ses scrupules, elle s'autorisa donc à remuer les hanches avec lui. Elle sentit son membre dur se presser contre son sexe. Elle éprouva aussitôt le désir de le sentir davantage.

Elle s'était juré de *tout* faire pour ne pas épouser cet homme, et voilà qu'elle haletait tant elle désirait qu'il la touche. Le plaisir que les mains et la bouche de Phinn lui procuraient avait réussi à faire taire les craintes qui l'habitaient. Quand il lui avait embrassé le cou, elle avait frissonné et oublié qu'elle se sentait vulnérable.

Ses mains, qui avaient peut-être fait du mal à une autre femme, glissaient sur son corps. Le découvraient. L'excitaient. Lui écartaient les jambes. Du bout des doigts, il lui caressait doucement l'intérieur des cuisses, où la peau est si sensible.

— Dites-moi d'arrêter, dit-il d'une voix rauque.

— Non, murmura-t-elle.

Ses mains s'insinuèrent plus haut, et il commença à caresser le bouton de son sexe du bout des doigts. Elle se mordit la lèvre et réprima ses gémissements.

Les jeunes dames peuvent se montrer, mais ne doivent pas se faire entendre.

— Je veux vous entendre, murmura-t-il.

Elle soupira donc et céda sous les caresses délicates qu'il traçait autour de la zone la plus sensible de son corps. Le plaisir s'accrut au point où elle laissa échapper un gémissement. Il lui était impossible de rester immobile. Quand il glissa un doigt en elle, elle hoqueta. Elle n'avait jamais rien ressenti de tel. Il continua de la caresser délicatement, de l'exciter jusqu'à ce qu'elle s'en trouve exaspérée. Ce n'était pas assez. Ne comprenait-il donc pas que ce n'était pas assez?

— Phinn, lança-t-elle d'une voix rauque.

Il l'embrassa et glissa un second doigt dans son sexe tout en lui caressant le clitoris du pouce. C'était plus qu'elle ne pouvait en supporter. Elle avait trop chaud — pourquoi diable avait-elle encore sa robe? Il remua les doigts avec une sensualité qui lui fit perdre la tête. Ses poumons contractés l'empêchaient de respirer. Elle se sentait si contractée, si tendue, qu'elle craignait d'exploser.

Et elle explosa. Son orgasme fut violent et soudain. Olivia, secouée par des vagues successives d'un plaisir qu'elle n'avait même jamais imaginé, cria.

— Olivia, murmura Phinn en lui embrassant de nouveau le cou.

— Mmm, murmura-t-elle en l'enveloppant de ses bras.

— Ce n'est pas assez, murmura-t-il.

Ou voulait-il dire trop? Très vite, il lui retira sa robe, qui se retrouva par terre. Suivie de près des vêtements de Phinn.

Olivia écarquilla les yeux à la vue des larges épaules de Phinn, de sa poitrine musclée. Son regard s'attarda sur son imposant membre dressé. Puis, elle détourna les yeux et les plongea dans ceux assombris de Phinn.

— Olivia?

C'était une question. À laquelle il n'y avait qu'une seule réponse. Avec un sourire coquet, elle posa les paumes sur sa poitrine, sentit la chaleur de sa peau. Du bout des doigts, elle lui caressa les mamelons, et il haleta.

— Oui, murmura-t-elle.

Elle voulait ressentir de nouveau cette jouissance. Elle voulait le connaître, son mari. Il se pencha sur elle, et se sentant coincée, elle se tendit brièvement. Puis, il l'embrassa, et elle ne pensa plus qu'au plaisir à venir. Son étreinte était chaude. Elle se rendit compte qu'elle ne voulait pas être ailleurs.

Il lui prit encore une fois la bouche dans un long baiser passionné — la sorte de baiser qui lui faisait perdre la tête, en vouloir davantage. Elle sentit son membre dur contre elle. Elle écarta les jambes et prit conscience de l'intensité de son désir pour lui.

Phinn entra lentement en elle. Elle était chaude et mouillée pour *lui*. En dépit de tout ce qu'elle avait fait pour se débarrasser de lui, il était indéniable qu'à cet instant, elle le désirait. Il s'enfonça; elle haleta. Il commença à aller et à venir lentement mais profondément. Elle l'enveloppa de ses bras. Plus loin. Plus. Elle lui prit la bouche. Plus fort. Elle remua les hanches avec lui. Et il n'y eut plus qu'elle et lui, dansant ensemble. Et il n'y eut plus que plaisir lorsqu'il atteignit l'orgasme dans un cri. Puis, il n'y eut plus que les battements de son cœur, et Olivia entre ses bras. Rien d'autre. Et ce rien était tout.

Chapitre 22

Tout espoir n'est pas perdu pour Lord et Lady Radcliffe !

Lady Olivia n'est que légèrement blessée, et il ne fait aucun doute qu'elle survivra à ses blessures. Cependant, il se peut qu'elle ne voie guère son époux pendant quelque temps. Le Baron fou devra en effet travailler jour et nuit s'il veut reconstruire l'Engin d'ici l'Exposition universelle, qui aura lieu sous peu.

— LONDON WEEKLY

La chambre d'Olivia
Plus précisément son lit
Encore une fois...

Quand Olivia se réveilla le lendemain matin, la situation avait changé du tout au tout. Ils étaient à présent bel et bien mari et femme, et ils ne pouvaient plus faire marche arrière — sauf par décision express du Parlement, ce qui se produisait encore plus rarement qu'un miracle divin. Si elle tenait à connaître l'amour et le bonheur, elle devrait agir en conséquence — et en conséquence avec Phinn.

Elle se réveilla près de lui. Sauve. Adorée. Avec quelques craintes en moins.

Après le petit déjeuner, il lui demanda :

— Que vous plairait-il de faire aujourd'hui ?

— Il me plairait d'aller me promener au parc, d'aller faire des courses dans Bond Street, de danser une quadrille ou de courir dans un pré en chantant, répondit Olivia. Mais, ajouta-t-elle en soupirant, je suppose que je vais rester ici, au lit.

— Je suis tellement navré, Olivia, dit-il en faisant la grimace.

Il se sentait responsable de sa blessure — comme si cela avait été sa faute alors qu'en réalité, c'était celle d'Olivia. Elle n'aurait pas dû tenter de mettre en marche une machine dont elle ne comprenait pas le fonctionnement.

— Cessez de vous excuser, sourit-elle, et tentez plutôt de vous racheter.

— Vous voulez que je vous apporte votre broderie ?

— Non, je l'ai terminée, dit Olivia. Et je crois que je ne broderai plus jamais de ma vie.

— Vous aimeriez peut-être peindre ?

Peut-être pas, songea Olivia. Elle en avait plus que marre de peindre des fleurs et des natures mortes. Mais elle posa alors les yeux sur Phinn.

Il était assis sur une chaise près du lit, en pantalon et la chemise ouverte sur sa large poitrine musclée. Il avait les cheveux en bataille — non pas parce qu'il y avait passé la main avec agacement, mais parce qu'elle l'avait décoiffé de ses doigts pendant qu'ils faisaient l'amour. Olivia sourit, désireuse d'immortaliser cette image et certaine d'en être capable.

— Ce sera la peinture, Olivia ?

Elle sourit malicieusement.

— Oui. Mais j'aurai besoin que vous m'aidiez en ce qui a trait au sujet.

— Tout ce qu'il vous plaira, dit-il, n'ayant visiblement pas la moindre idée de ce qu'elle entendait lui demander.

Il avait promis de faire tout ce qu'il lui plairait, et c'est pourquoi il se retrouva à poser pour elle. Peu importait qu'ils n'aient que quelques jours devant eux pour reconstruire l'Engin avant l'Exposition universelle. Il allait demeurer assis dans ce fauteuil, vêtu uniquement d'un pantalon et d'une chemise ouverte et laisser sa femme lui tirer le portrait.

Et bien que n'étant pas dévot, il allait également prier le ciel de veiller à ce que cette aquarelle ne tombe sous les yeux de personne. Qu'Olivia soit la seule à la voir.

— Je me sens ridicule, remarqua-t-il tandis que le regard d'Olivia allait et venait entre lui et l'aquarelle, et qu'elle trempait régulièrement son pinceau dans le pigment ou dans l'eau.

— Pourtant, vous avez l'air…

Olivia lui jeta un regard qu'il trouva très excitant.

— Vous n'avez pas l'air ridicule, dit-elle en souriant timidement et en rougissant quelque peu.

Elle ne pouvait pas le lui dire, mais ce qu'elle voyait lui plaisait.

Phinn se surprit à pianoter impatiemment sur l'accoudoir, et elle fit la grimace. Il pensa à l'engin… à toutes ces pièces identiques qu'il leur fallait remettre précisément à leur place et ajuster à la perfection. Il expira vivement. Les ouvriers l'avaient remonté une fois déjà ; ils étaient capables de travailler pendant une heure ou deux sans qu'il les suive pas à pas. Du reste, il était occupé. Assis dans un fauteuil. Presque nu.

Pour cesser de penser au travail, il prit le parti de regarder Olivia peindre. Elle mordillait sa lèvre inférieure rose. Elle le regardait en fronçant les sourcils, puis baissait les yeux sur son aquarelle. Il considéra d'un œil admiratif ses longs cheveux soyeux, ses boucles blondes, qui ne cessaient de lui retomber devant les yeux — et qu'elle ne cessait de repousser du bout de ses doigts tachés de peinture. Il sourit en remarquant une traînée de peinture rouge dans ses cheveux et une petite trace de peinture blanche sur sa joue.

Tout en gardant les yeux fixés sur son aquarelle, elle lui demanda :

— D'où vient cette cicatrice, Phinn ?

— Pourquoi me le demandez-vous ?

Il réprima l'envie de porter la main à cette foutue marque. À ce sombre rappel de l'une des nuits les plus abominables de son existence — elles étaient au nombre de deux, et il ne savait pas laquelle était la pire, bien que l'une menait à l'autre.

— Parce que je me suis posé la question en la peignant, répliqua-t-elle.

Elle lui décocha un coup d'œil incertain.

— Vous auriez pu ne pas la peindre.

— En effet, mais je veux *vous* peindre tel que vous êtes.

Il se tendit. En effet, il était l'homme à la cicatrice mystérieuse et l'homme connu sous le nom de « Baron fou ». Il n'aimait pas ces épithètes. Mais elles avaient leur raison d'être, et il voulait qu'Olivia l'aime tel qu'il était.

— Je me suis bagarré, dit-il enfin.

— Avec qui ?

Phinn hésita. Il ne pouvait répondre « avec ma femme », parce qu'Olivia était à présent sa femme. Il ne voulait pas dire «avec ma défunte épouse», parce que ce n'était pas une façon d'engager une discussion amoureuse. Il aurait pu dire «avec Nadia». Mais il n'y arrivait pas, redoutant que dès lors qu'il prononcerait son nom à voix haute, elle deviendrait la troisième roue du carrosse, de *ce* mariage-ci.

Il s'agita un peu dans le fauteuil avant de répondre :

— Avec une femme.

— À quel sujet ?

— Honnêtement, je ne m'en souviens même pas.

Olivia leva les yeux sur lui, croisa son regard. Il était conscient des questions qui se bousculaient dans sa tête. Quelle femme ? Votre première épouse ?

Il n'avait pas envie de penser à Nadia en ce moment. Ni à son frère, ni à la bagarre, ni à la manière dont tout s'était mis à aller de travers — pas alors que tout se mettait enfin à bien aller.

— Ce sera encore long ?

— Vous ne devez pas bouger, le gronda-t-elle.

— Je crois que je devrais aller voir ce que vous avez fait.

À vrai dire, il avait envie de refaire l'amour. Quant à repousser l'heure où il pourrait enfin se remettre à travailler sur l'engin, aussi bien en profiter et faire en sorte que ça en vaille la peine.

— Pas avant que j'ai terminé, dit-elle d'un ton à la fois aimable mais ferme, qui donna à Phinn un aperçu de la mère qu'elle serait, jour qu'il attendait impatiemment. Pourquoi ? demanda-t-elle. Vous devez vous rendre quelque part ?

Phinn pensa à l'engin, aux ouvriers, au temps nécessaire pour assembler l'Engin avant l'Exposition universelle qui aurait lieu sous peu. Ils ne pouvaient plus se permettre la moindre erreur. Il aurait dû être sur place, à superviser les travaux, à mettre l'épaule à la roue.

C'était la raison pour laquelle il avait voulu d'une épouse charmante et docile, sans exigences. Mais il regarda alors Olivia, assise sur son lit, avec de la peinture sur la joue et les cheveux en désordre. Elle était ravissante, et il la désirait plus que tout au monde. Elle portait une chemise de nuit et un peignoir de soie bleu pâle, deux articles qu'il lui retirerait en un tournemain dès qu'il en aurait envie.

Il en avait envie.

— Non, dit-il avec un sourire coquin. Je ne veux être nulle part ailleurs. Toutefois, je pense que je ne devrais pas être le seul dévêtu.

— Vous ne l'êtes pas, le corrigea Olivia. Je porte une chemise de nuit. On ne peut pas vraiment dire que je suis vêtue.

Phinn retira sa chemise et la jeta par terre.

— Je n'ai pas fini ! protesta-t-elle.

Il sourit de nouveau.

— Vous avez raison. Il vous reste quelque chose à enlever.

Avec un sourire coquet, elle tira sur le nœud de son peignoir.

Très vite, ces ravissantes choses ne furent plus qu'un fouillis soyeux sur le sol. Phinn s'accorda le temps de la contempler dans la douce lumière du matin. Ses seins étaient ronds et pleins, avec leurs pointes roses dressées qui semblaient réclamer ses caresses. Ses boucles douces cascadaient autour de ses épaules ; il avait envie de les repousser pour mieux admirer l'arc délicat de son cou et le galbe de ses épaules. Après quoi, il avait envie de la couvrir de baisers du haut vers le bas, vers le doux renflement de son ventre, et plus bas encore. Il avait envie de lui faire découvrir une autre façon de jouir. Et puis, il avait envie de se perdre en elle.

Il fit tout cela, accompagné par les soupirs et les gémissements de sa femme. Puis, ils le refirent.

Chambre d'Olivia
Toujours au lit!
Plus tard l'après-midi

Entre le départ de Phinn et l'arrivée de ses amies, Olivia eut tout juste le temps de prendre un bain et de revêtir une robe propre. Elle allait lire les journaux, quand Emma et Prudence se précipitèrent dans la chambre. Faisant comme chez elles, elles demandèrent qu'on leur apporte du thé et tirèrent des fauteuils près du lit.

— Nous sommes venues plus tôt, mais on nous a dit que tu ne te sentais pas bien, dit Prudence avec un sourire malicieux.

— Je suppose qu'il est inutile de te demander *pourquoi*, ajouta Emma.

— Les jeunes dames ne discutent pas de questions conjugales, dit Olivia d'un ton qui se voulait guindé.

— Ne me dis pas que nous allons recommencer à respecter les règles de la bienséance, dit Prudence avec dégoût.

— Pas du tout, sourit Olivia. Je me limiterai à dire que Phinn et moi avons fait plus ample connaissance.

Il suffisait à ses amies de voir la rougeur de ses joues pour comprendre tout ce qu'il y avait à comprendre.

— Phinn? s'enquit Emma, curieuse. Et non pas le Baron fou?

— Plus ample connaissance ? répéta Prudence. Dans le sens d'intime ?

— Ou dans le sens de biblique ? ajouta Emma.

— À mon avis, c'est ce qu'elle veut dire, dit Prudence en s'emparant du carnet d'aquarelle d'Olivia et en brandissant le portrait de Phinn affalé dans un fauteuil avec pour seuls vêtements un pantalon moulant et une chemise ouverte.

Olivia avait pris le temps de bien observer sa large poitrine dans le but de rendre justice à sa musculature. Elle avait également soigné son expression, désireuse de dépeindre le désir qu'exprimaient ses yeux verts.

Elle était plus fière de ce portait que de la nature morte montrant des chatons dans une corbeille qui lui avait valu le premier prix de l'Académie.

— Voyez, je vous avais dit que vous seriez toutes deux heureuses et mariées avant le bal de Lady Penelope, dit Emma avec un large sourire.

Olivia et Prudence échangèrent un regard et sourirent avec embarras. Le bal anniversaire devait avoir lieu dans à peine un mois, et Prudence n'avait toujours pas de prétendant. Et même si Olivia était mariée et en train de s'éprendre de son mari, il lui en restait encore beaucoup à apprendre sur son compte. Quand elle l'avait interrogé sur la cicatrice, il lui avait fourni une réponse évasive, ce qui était insupportable parce qu'ainsi, elle s'imaginait le pire. Par ailleurs, ils n'avaient pas encore parlé de ce qui était à l'origine des racontars sur le Baron fou. Ni de son précédent mariage. Quand il la touchait, elle n'y pensait plus. Et quand il continuait de la toucher, elle cessait totalement de réfléchir. Mais les questions finissaient inévitablement par revenir la tourmenter.

— J'ignore encore tout de son passé, dit-elle. Et j'ai toujours l'impression de ne pas le connaître tout à fait.

— L'as-tu interrogé ? demanda Prudence.

— J'ai essayé. Je crois qu'il était sur le point de tout me dire le jour du déjeuner dans le pavillon, répondit Olivia. Avant que je ne sois terrassée par le poison. Ou le vin. Peu importe.

— Demande-lui, dit Emma. Qu'est-ce qui t'en empêche, à présent ?

Certainement pas l'obligation de se montrer discrète ou de ne pas se mêler des affaires d'autrui.

— Et si je n'aimais pas la réponse ? dit Olivia, angoissée. Je suis liée à lui à jamais désormais. Et si je m'étais donnée à un assassin ?

— Ne lui demande pas, alors, dit Prudence en haussant les épaules.

— Lis plutôt *Le Baron fou : le destin tragique d'une jeune fille pure, de son amour malheureux et de sa triste fin. Une histoire vraie*, dit Emma. Je t'en ai apporté un exemplaire avec d'autres livres empruntés à la bibliothèque.

— S'il est bel et bien un assassin, tu pourras sans doute divorcer, fit remarquer Prudence.

Ce n'était guère réaliste. Olivia nota aussi que son cœur s'était insurgé sur-le-champ.

— Ou venir habiter avec Blake et moi, offrit Emma.

En effet, songea Olivia. Ou aller vivre dans une petite maison près de la mer avec Prudence. Mais il y avait un hic, un détail énervant et troublant. Avec un soupir, elle pensa à Phinn lui faisant l'amour et posant pour elle à peine vêtu, et elle demanda :

— Et si je ne le veux pas ?

Emma et Prudence échangèrent un regard.

— Serais-tu tombée amoureuse du Baron fou? demanda Emma.

— Peut-être, marmonna Olivia.

Sinon, comment expliquer qu'elle se sente irrésistiblement attirée par lui, alors même qu'elle ne le connaissait pas tout à fait? Elle commençait à lui faire confiance, encore qu'il se pouvait qu'elle n'aurait pas dû.

— Oooh, Olivia! Je suis ravie pour toi, s'exclama Emma en souriant largement.

— Il est possible que j'aille bientôt te rejoindre dans le club des insupportables nouvelles mariées, répondit Olivia. Je n'en suis pas encore certaine.

— Où est-il en ce moment? demanda Prudence.

— Parti travailler sur l'engin, expliqua Olivia en soupirant. Il y passe le plus clair de son temps. Je le surprends parfois en train de rêvasser, et je sais alors qu'il pense à l'engin.

— Ce sera bientôt terminé, expliqua Emma. Ils prévoient présenter l'engin à l'Exposition universelle, le lendemain en fait du bal de Lady Penelope.

Olivia plissa les lèvres. Pouvait-on lui reprocher d'être vexée d'apprendre ce renseignement crucial de la bouche de son amie et non de son mari?

Évident — il lui cachait des choses, tant futures que passées.

— En autant qu'il vienne au bal, dit Olivia d'un ton quelque peu boudeur.

Après tout, n'était-ce pas particulièrement en vue de cet événement qu'elle avait tant souhaité avoir un mari à ses côtés?

— Je m'en vais à Bath, déclara Prudence de but en blanc.

— C'est charmant, dit Olivia depuis le lit sur lequel elle était clouée. Quand pars-tu?

— Demain, déclara Prudence.

Olivia et Emma en restèrent bouche bée.

— Quoi? demanda Olivia, sous le choc.

— Pourquoi? demanda Emma, également sous le choc.

— Plus rien ne me retient ici, dit Prudence d'un ton dramatique. Vous êtes toutes deux mariées, à présent. J'ai été présentée à tous les célibataires de Londres, ou du moins je les connais tous. Quand ils me regardent, ils ne voient que Prudence la Prude, et rien d'autre. Je n'ai aucune chance ici.

— Mais... Bath? demanda Olivia.

— Lady Dare veut aller prendre les eaux, dit Prudence, faisant référence à sa tante et tutrice, une femme encline à agir sur un coup de tête. Je vais l'accompagner. J'y rencontrerai peut-être quelqu'un.

— Et aller t'installer là-bas si tu te maries? demanda Emma en fronçant les sourcils à l'idée que ses deux amies disparaissent au fin fond de l'Angleterre.

— C'est tout de même moins loin que le Yorkshire, dit Olivia, que la perspective d'aller vivre dans le Yorkshire rebutait toujours.

— En effet, reconnut Emma. Mais...

— Tu seras de retour pour le bal de Lady Penelope, n'est-ce pas? demanda Olivia.

Prudence hésita.

— Je ferai de mon mieux.

— Prudence, tu dois y aller! s'écria Emma. Nous devons y aller ensemble.

Prudence sourit tristement.

— Vous êtes toutes deux amoureuses, et je m'en réjouis profondément pour vous, dit-elle d'un ton sincère tout en serrant anxieusement les poings dans les plis de sa jupe. Vraiment. Mais il vous faut profiter pleinement de votre lune de miel sans avoir à vous soucier de votre amie, la dernière des laissées-pour-compte.

Chapitre 23

Les libraires affirment que les ventes du livre Le Baron fou :
le destin tragique d'une jeune fille pure, de son amour
malheureux et de sa triste fin. Une histoire vraie *montent
en flèche. Manifestement, le récent mariage de Lord et Lady
Radcliffe et l'accident qui l'a suivi ont ravivé l'intérêt des gens
de la Haute pour cette histoire.*

— LONDON WEEKLY

Toujours. Au. Lit.

Emma et Prudence partirent, laissant Olivia seule. Elle
se cala contre ses oreillers, rêvant de pouvoir marcher.
Ou danser. Ou simplement aller s'assoir sur le canapé de la
pièce adjacente. On ne peut pas empêcher une fille de rêver.

Elle se demanda quand Phinn rentrerait. Le crépuscule
envahissait le ciel, baignant sa chambre d'ombres lavande.
Elle alluma maladroitement la bougie posée sur la table de
chevet. Son regard tomba sur la pile de livres apportés par
Emma. *Le Baron fou : le destin tragique d'une jeune fille pure,
de son amour malheureux et de sa triste fin. Une histoire vraie* se
trouvait sur le dessus.

Curieuse, et n'ayant rien d'autre à faire, elle étudia la couverture.

On y voyait un homme grand et imposant — avec une cicatrice près de l'œil —, les mains refermées sur le long cou mince d'une femme élancée, mais à la poitrine extrêmement plantureuse, à genoux à ses pieds. Olivia, se souvenant qu'elle avait offert son cou aux caresses et aux baisers de Phinn, déglutit.

En arrière-plan, une grange était dévorée par des flammes s'élevant très haut dans le ciel. La flamme de la bougie sur la table de chevet vacilla, comme agitée par la brise. Olivia jeta des coups d'œil nerveux autour d'elle. Elle était seule. Sur la couverture, la scène était complétée par d'épais nuages noirs et un croissant de lune. L'histoire promettait d'être terrifiante, et elle ne devait pas la lire. Elle en avait le cœur qui battait à tout rompre juste à regarder l'effroyable couverture.

Elle n'arrivait pas à faire le rapprochement entre l'homme de la couverture et le Phinn qu'elle commençait à connaître. Il était dévoué et attentionné. Son toucher était tendre et doux. Clouée au lit comme elle l'était, il aurait eu largement l'occasion de s'en prendre à elle. Quand ils faisaient l'amour, elle s'abandonnait sans réserve. Il n'en tirait jamais profit. Elle s'endormait à côté de lui et se réveillait chaque matin.

Mais elle se posait tant de questions sur son passé, et il n'était pas là pour y répondre. Lire ce pamphlet l'aiderait peut-être à élucider les secrets qui se dressaient encore entre eux.

Elle n'aurait pas dû le lire, cependant. Elle avait l'impression de trahir Phinn. Certes, elle avait lu l'histoire à l'Académie, mais il y avait longtemps, et elle ne s'en souvenait

que vaguement. Elle ne ferait que le feuilleter pour se rafraî-
chir la mémoire.

Elle ouvrit le livre tout en ayant l'impression que c'était
mal. Elle connaissait Phinn désormais. Elle avait beau ignorer ce qui s'était produit, elle ne croyait pas qu'il était un
assassin. Elle avait passé la nuit avec lui, seule et vulnérable.
S'il avait voulu l'assassiner, il en aurait amplement eu l'occasion — et aurait pu faire en sorte que cela ressemble à un
accident. Au lieu de quoi, il l'avait fait gémir de plaisir pour
ensuite dormir paisiblement auprès d'elle.

Mais que ferait-elle, si elle ne le lisait pas ?

À cet instant, il est possible qu'elle ait bougé et frôlé acci-
dentellement les autres livres. Ils tombèrent par terre dans
un bruissement de pages et une succession de bruits sourds.

— Oups ! dit-elle à nulle autre qu'elle-même.

Même si elle avait voulu les ramasser, ou, disons, broder, elle n'aurait pas pu, car toutes ses affaires se trouvaient
par terre ou dans l'autre pièce. Olivia tenta de déplacer sa
cheville étroitement pansée. Une vive douleur lui fit aussitôt comprendre qu'elle allait obéir aux ordres du médecin et
rester alitée.

C'est donc par souci pour sa santé qu'Olivia tourna la
première page et commença à lire.

Le Baron fou a fait la connaissance de sa femme dans des
circonstances mystérieuses, scandaleuses et discutables.
Miss Nadine Prescott avait été fiancée au frère du Baron
fou, George.

— Son frère ! s'écria Olivia.

Elle regarda à la ronde, en quête d'un interlocuteur avec
qui partager son étonnement. Il n'y avait personne.

George aurait hérité du titre de baron Radcliffe s'il n'était pas mort de la main de son frère.

— Bonté divine, murmura Olivia, le cœur battant.

Phinn aurait également assassiné son frère? Elle n'arrivait pas à y croire. Un meurtre pouvait être un accident. Mais deux?

Elle continua de lire.

George fit la connaissance de Nadine un après-midi, à Westlake Village, sur High Street. Il en tomba amoureux sur-le-champ. Elle était réputée pour sa beauté. Ses yeux en amande avaient la couleur du chocolat. Sa bouche rappelait un bouton de rose. Ses cheveux de jais ruisselaient comme de la soie jusqu'à sa taille. Sa silhouette était d'une sveltesse parfaite, sauf là où elle était d'une volupté parfaite. Dans tout le Yorkshire, aucune femme ne rivalisait avec elle en beauté et en charme.

Olivia leva les yeux de sa lecture en faisant la grimace. Était-ce mal de sa part de se sentir inférieure à une morte? Et comment arriverait-elle à soutenir la comparaison aux yeux de Phinn?

George était un sportif accompli et le chouchou de la noblesse locale. Il excellait dans tous les sports, multipliait les exploits, ne se laissait intimider par aucun défi en apparence impossible. Son père, le baron, était fier de son héritier.

Olivia passa rapidement sur une page complète énumérant toutes les activités sportives, les exploits et les défis impossibles figurant au tableau brillant de George. Elle se sentit épuisée juste à lire qu'il excellait à la joute, à la boxe, à l'escrime, à la chasse à courre, à la course tant sur de courtes que de longues distances, qu'il était capable de grimper dans un arbre immense et d'en redescendre à l'aide d'une seule main (l'autre tenant une portée de chatons frétillants). On ne parlait pas de son jeune frère Phinn, et c'était ce dernier qui excitait la curiosité d'Olivia.

Nadine et George se firent une cour passionnée. Olivia l'apprit parce que c'était ce qui était écrit dans le livre, « Ils se firent une cour passionnée ». Elle passa rapidement sur la description de leur relation idéale. Elle avait hâte d'arriver à la partie sur Phinn.

Cette merveilleuse histoire d'amour se termina ABRUP-TEMENT à l'arrivée du jeune frère de George, de retour de l'université où il avait étudié des sciences Étranges et Dangereuses. Lorsqu'il ne s'enfermait pas dans un atelier de fortune logé dans une grange sur la propriété de George, il se rendait coupable d'un premier sacrilège : convoiter la fiancée de son seul frère, qui s'était pourtant toujours montré fort aimable à l'endroit de ce parent excentrique.

Pis encore, il intrigua pour se l'approprier en racontant à son frère les pires mensonges sur le compte de la jeune femme. De pures inventions ! Nulle femme n'était plus belle, plus charmante et plus parfaite que Nadine. Comment avait-il l'audace de répandre des calomnies sur le compte de la promise de son frère, dans l'unique dessein de la séduire ?

— Comment oses-tu ! lui lança George par une nuit sombre et orageuse.

*Son frère, aussi fou que diabolique, mais pas encore
baron, lui répondit...*

— Olivia.

Elle répondit en poussant un cri à glacer le sang.

Quand son cœur retrouva son rythme normal et elle ses
esprits, elle se rendit compte que Phinn était rentré. *Elle était
seule avec le Baron fou !*

Olivia expira lentement. Non, elle était seule avec
son mari, qui ne s'était montré que dévoué et tendre à son
endroit. En plus de lui donner des baisers qui éveillaient en
elle la flamme et l'émerveillement dont elle avait toujours
rêvé. Mais que tous les autres connaissaient comme le Baron
fou ayant convoité la fiancée de son frère et sans doute assassiné les deux.

Elle le regarda avec nervosité.

— Je suis navrée, dit-elle en se ressaisissant. J'étais en
train de lire ce livre affreux. Je me suis laissé emporter par
mon imagination et par l'histoire. Vous m'avez effrayée.

D'un air penaud elle brandit le torchon en question.

Olivia vit Phinn se raidir. Sa mâchoire se contracta, et
ses lèvres se serrèrent en une ligne rigide. Parce qu'elle le
connaissait à présent, elle y vit les signes de l'assombris-
sement de son humeur et de l'explosion imminente de son
tempérament.

Elle ne supporterait pas qu'il l'invective comme il avait
invectivé Rogan. Ou qu'il la frappe — non, il ne ferait pas
cela. Elle en était convaincue. Afin de prévenir une scène,
elle plongea les yeux dans les siens, soutint son regard et lui
sourit.

— C'est un vrai torchon, dit-elle.

Mais à dire vrai, elle s'interrogeait. Il avait des secrets.

Les yeux de Phinn se rétrécirent. Il inspira profondément et expira lentement, comme on le fait lorsqu'on tente de ne pas perdre son sang-froid. Elle n'avait pas eu l'intention de le mettre en colère. Elle n'avait que voulu le connaître, et il n'était pas *là*, mais avec son engin. Et quand il était là, ils ne conversaient pas vraiment.

— Phinn, regardez-moi.

Il la regarda. Pendant un bref instant, elle fut décontenancée par la noirceur de son regard. Il était drôlement furieux. Ce qui était tout à fait ridicule. Heureusement, elle eut le bon sens de ne pas le lui faire remarquer. Elle se contenta de soutenir son regard pendant qu'il s'efforçait de maîtriser le démon inconnu qui s'était emparé de lui.

Phinn garda les yeux fixés sur le ravissant visage d'Olivia. Le bleu centaurée de ses yeux l'apaisait, surtout quand elle le considérait avec autant d'inquiétude. Il ne pouvait se mettre en colère maintenant. Il ne *voulait* pas se mettre en colère, car alors il ne pourrait plus passer avec elle une soirée — et une nuit — agréable, ce qu'il souhaitait ardemment.

Phinn fit appel à sa volonté pour chasser sa colère. Il abhorrait ce pamphlet. Il avait causé plus de tort que Nadia, ce qui n'était pas peu dire. Nadia ne l'avait que tourmenté, mais cela appartenait au passé. Ce foutu pamphlet avait failli lui coûter son futur bonheur. Il détestait qu'Olivia le lise, mais en dépit de la fureur qui le consumait, il comprit qu'en refusant de lui dire la vérité, il ne lui avait pas laissé d'autre choix.

En conséquence, Phinn expira sèchement et demanda :

— Est-ce vraiment si terrible?

— C'est abominable, dit Olivia avec véhémence. Écoutez plutôt. « C'est par une nuit maléfique, sombre et orageuse, éclairée par la lune, que miss Nadine Prescott connut un sort affreux. » Comment, je vous le demande, une nuit peut-elle à la fois être sombre, orageuse et éclairée par la lune? Et qu'est-ce qu'une nuit maléfique?

La nuit avait été maléfique. De cela, il se souvenait. La pluie fouettait les fenêtres. La flamme des bougies vacillait. La bouteille était presque vide. Le moment était mal choisi pour que George lui demande ce qu'il pensait de sa future femme, et mal choisi pour qu'il lui révèle le fond de sa pensée. Il était pourtant bien *intentionné*, ce qui n'en était que plus affreux.

— Elle ne s'appelait pas Nadine, dit finalement Phinn.

Olivia se mordit la lèvre et se prépara à entendre la vérité.

— Elle s'appelait Nadia.

— Était-elle réellement la femme la plus belle et la plus charmante de tout le Yorkshire, avec des yeux en amande de la couleur du chocolat et une silhouette à la fois élancée *et* voluptueuse?

— Nadia était très belle, reconnut Phinn.

Il se souvenait encore de la première fois où il l'avait vue, à son retour de l'université. Elle riait et prenait le thé, et se présentait en tout comme la femme la plus belle et la plus charmante du Yorkshire. Elle n'avait pas encore piégé son frère et, par conséquent, pas encore révélé sa véritable nature.

— Mais elle était cauchemardesque... hautaine, exigeante, gâtée, jalouse.

— Pas tout à fait le modèle de vertu que ce livre prétend qu'elle était, murmura Olivia.

Phinn se détacha du cadre de la porte sur lequel il s'appuyait et approcha un fauteuil du lit.

— Votre frère était-il le plus accompli des sportifs et le chouchou de la noblesse du coin? Parce que sinon, cet auteur est un fieffé menteur. Car il dresse une liste impressionnante de tous les sports dans lesquels votre frère excellait.

— En effet, tout le monde adorait George, dit Phinn. Surtout moi. Surtout notre père, pour qui George était tout ce que je n'étais pas, et tout ce qu'il attendait d'un fils. Ce qui m'allait bien : ils me laissaient le loisir d'étudier quand ils s'en allaient relever quelque défi sportif. Les équations mathématiques et les lois de la physique ne mettaient pas mon tempérament à rude épreuve comme ma famille avait le don de le faire. Et trois hommes doués du tempérament Radcliffe, plus ma mère encline à l'hystérie, ne pouvaient conduire qu'à un seul résultat : une catastrophe.

Olivia, qui buvait chacune de ses paroles, hocha la tête. Elle reprit sa lecture.

— Tout le monde adorait George. Il ne pensait qu'au sport, à Nadia, et à boire de la bière. Rien de plus.

— On dit dans ce livre que vous convoitiez Nadine, Nadia, et que vous avez tenté de dissuader votre frère de l'épouser, dit doucement Olivia.

Il baissa les yeux sur le livre ouvert sur les genoux d'Olivia. Pour la plupart des gens, ce n'était qu'un affreux roman. Pour Phinn, c'était une main spectrale issue du passé qui le ramenait à des événements et à des souvenirs qu'il aurait préféré oublier.

— Nadia ne s'intéressait pas à moi, expliqua Phinn. Je n'étais que le fils cadet renfermé et féru de sciences. Nadia voulait George. Elle n'a pas tenté de me séduire et elle ne m'a même jamais prêté beaucoup d'attention. En ma présence, elle oubliait ses bonnes manières, croyant que personne d'important ne la regardait. Je l'ai vue frapper une femme de chambre qui avait oublié ses gants. Et je l'ai vue à l'arrière de la salle de bal publique avec John Huntford.

— Je suppose qu'il s'agit là des «affreux» mensonges que vous avez rapportés à votre frère?

— George ne voulait rien entendre. Il a déclaré que même si c'était vrai, il était trop tard.

— Il avait déjà demandé sa main? demanda Olivia.

Phinn garda le silence, cherchant comment lui répondre.

— Il l'avait déjà faite sienne, dit-il en espérant que ce serait suffisamment éloquent.

— Oh.

Olivia sembla saisir.

— Est-il vrai que cela s'est produit par une nuit sombre et orageuse, empreinte de violence?

— Mon frère et moi nous sommes battus comme seuls deux Radcliffe peuvent le faire. Il ne pouvait supporter qu'on parle contre elle, dit Phinn.

Il prit de nouveau une grande respiration. Il détestait cette nuit, en détestait le souvenir, détestait devoir la revivre. Mais il détestait aussi la frayeur qu'il avait vue dans les yeux d'Olivia et les secrets qui les avaient séparés et étaient la cause des torts qu'avait subis Olivia.

— Je suis colérique, Olivia. Je n'y peux rien. Je n'aime pas cela.

— Je vous ai vu compter jusqu'à dix et expirer lentement, dit-elle avec un demi-sourire.

— C'est censé être utile, dit-il en haussant les épaules.

— L'est-ce ?

Phinn plongea les yeux dans les siens.

— Moins que de vous regarder.

Olivia lui caressa la main pour le réconforter. Puis, elle se déplaça vers le bord du lit pour lui faire une place, et l'invita du regard avec un petit sourire. Phinn alla la retrouver sur le lit. Ils s'allongèrent côte à côte, calés sur les oreillers.

Le maudit livre était ouvert sur les genoux d'Olivia. Il baissa les yeux sur les mots qui y étaient imprimés, noir sur blanc, indifférents à la souffrance qu'ils engendraient.

Effrayé par son frère jaloux et bizarre, George plongea dans la nuit noire et orageuse, dans laquelle le DANGER flottait. Seule une TERREUR inouïe pouvait pousser un homme à s'aventurer dehors sous une pluie torrentielle. En ville, il rencontra par hasard Huntford.

— George est allé chez lui, dit Phinn en soulignant les mensonges imprimés sur la page. George refusait de me croire, mais il savait que je ne lui mentirais pas. Leur rencontre n'était pas due au hasard.

Olivia reprit le livre et lut à voix haute.

Devant pareilles injures, Huntford se trouva dans l'obligation de défendre son honneur. Les deux hommes rompus au sport échangèrent une pluie de coups violents, chacun se battant pour son honneur et sa dignité. Mais ils en arrivèrent très vite à ne plus se battre que pour leur vie. Et pour l'amour.

— Le fin mot de l'histoire est que Huntford a tué mon frère, dit Phinn. Il a dû quitter le pays.

— Donc, quand on dit dans ce torchon que vous avez tiré avantage de la détresse de Nadine, de son exceptionnelle vulnérabilité à la suite de cette perte tragique et de son sentiment de deuil inconsolable, pour l'obliger à vous épouser, je présume que cela ne s'est pas passé exactement ainsi, dit Olivia. L'un de ses amants était mort et l'autre aurait pu tout autant l'être. Elle était déshonorée. Le mariage était sa seule issue.

— Nadia m'a supplié de l'épouser, dit Phinn en se rappelant comment elle l'avait supplié et cajolé.

Il y avait eu des pleurs. Des soupirs à fendre l'âme. Une femme désespérée à genoux devant lui, et qui lui promettait *tout* s'il la sauvait. Il avait été tenté ; Nadia était très belle. Elle avait le don d'imposer sa volonté aux hommes. Mais il n'était pas amoureux d'elle.

— Elle m'a dit qu'il se pouvait qu'elle soit enceinte, dit-il.

— Il y a eu un enfant ? demanda Olivia en ouvrant très grand les yeux. Y *a-t-il* un enfant ?

— Non, dit Phinn.

Il ne savait trop s'il en avait été attristé ou s'il s'en était réjoui en raison de la liberté que cela lui accordait. Il s'était souvent demandé comment les choses auraient tourné s'ils avaient attendu de savoir si elle était enceinte. Ou lui avait-elle menti d'emblée, tant elle tenait à devenir baronne et à profiter de la protection qui en découlerait ? Il semblait impératif qu'il l'épouse avant que le scandale n'éclate.

— Pourquoi l'avez-vous épousée ? demanda Olivia. Par honneur ?

— Elle aurait été déshonorée, sinon. Et je ne pouvais laisser l'enfant de mon frère, s'il y en avait un, grandir dans des conditions sordides, dit Phinn. Et elle était belle et avait le don de manipuler les hommes par un terrifiant mélange de larmes et de sourires séduisants.

— Ce que l'on ne nous enseigne pas à l'Académie pour jeunes filles de bonne famille de Lady Penelope, fit sèchement remarquer Olivia.

— Grâce au ciel, dit Phinn.

Il ne voulait surtout pas d'une autre épouse calculatrice et impétueuse.

Olivia roula sur le flanc pour se placer face à lui. Il considéra ses longs cheveux blonds, qui ondulaient autour de son visage et ruisselaient sur l'oreiller. Il voulait y plonger les doigts, l'attirer vers lui et l'embrasser à en perdre le souffle. Il ne voulait plus jamais revenir sur le passé.

— L'aimiez-vous? demanda doucement Olivia.

— J'avais de l'affection pour elle, dit Phinn.

Et il était vrai qu'il avait eu de l'affection pour elle à un certain moment. Mais ils n'étaient pas faits l'un pour l'autre. Il ne lui accordait pas l'attention dont elle était avide, ce qui l'incitait à se comporter encore plus outrageusement, ce qui éloignait encore davantage Phinn. Mais elle demeurait sa femme. Il ne pouvait pas *ne pas* se soucier d'elle.

— Mais je n'étais pas amoureux d'elle.

— Comment est-elle morte, Phinn?

La voix d'Olivia était douce. Elle glissa la main dans la sienne.

— Je suppose que vous ne l'avez pas étranglée dans un accès de colère. Ou, pour citer le livre...

Elle baissa les yeux sur la page.

— « Refermé vos poings énormes sur son long cou blanc et vulnérable tandis qu'elle vous suppliait de lui épargner la vie. »

— Nous nous sommes installés dans une routine consistant à nous éviter autant que faire se pouvait, sauf quand nous nous disputions pendant le dîner et quand nous…

Phinn se tut, se rappelant comment leurs disputes enflammées se transformaient en une tout autre ardeur dans la chambre à coucher. Il se rappela aussi s'être chaque fois senti malheureux et honteux après. En présence d'Olivia, il ne voulait pas penser à la façon dont ils se réconciliaient après s'être disputés, moins encore à en faire mention devant sa jeune et ravissante épouse.

— Après quoi, nous nous raccommodions, dit-il finalement. Mais elle exigeait de plus en plus mon attention. Pour l'obtenir, elle multipliait les drames et les crises d'hystérie. Ce qui avait le don de m'exaspérer, et en raison de mon tempérament colérique, je jugeais préférable de rester dans mon atelier et de me concentrer sur mon travail.

— Ce qui avait le don d'exacerber sa colère, acheva Olivia avec un petit sourire. Je peux comprendre.

— Je l'ai bannie de mon existence, dit Phinn en se passant la main dans les cheveux. Elle détestait cela.

— N'importe quelle femme détesterait cela, dit Olivia.

Elle lui tira la main. Il se tourna vers elle.

Cette fois, quand leurs yeux se croisèrent, ceux d'Olivia n'exprimaient plus la peur. Phinn remarqua ses seins qui se soulevaient et s'abaissaient doucement. Ses lèvres… toutes proches. Mais il ne pourrait plus s'arrêter s'il l'embrassait. Il voulait terminer son récit, en finir avec le passé et, enfin délesté de ses secrets, jouir pleinement de son avenir avec Olivia.

Il reprit son récit de mauvaise grâce.

— Un soir, elle s'est rendue dans mon atelier, dans un accès de colère, bien entendu. Elle ne s'était jamais intéressée à mon travail. Elle devait y voir un rival, je suppose. Ce soir-là, elle y a mis le feu. Je crois qu'elle voulait attirer mon attention, dit Phinn.

C'était la raison pour laquelle il se sentait responsable. S'il s'était montré meilleur, avait fait plus d'efforts, elle n'aurait pas eu recours à une mesure aussi folle, aussi radicale. C'était pourquoi Olivia n'avait pas réussi à l'effrayer avec ses folies. Il était trop résolu à lui être dévoué.

— Mettre le feu est une façon d'attirer l'attention, fit remarquer Olivia.

— Elle n'a pas réussi à sortir à temps…, dit Phinn d'une voix rude.

Il revécut la scène en esprit… L'odeur de la fumée qui lui était parvenue alors qu'il s'assoyait pour dîner. Il pouvait encore sentir son cœur se loger dans sa gorge quand, regardant par la fenêtre, il avait vu les flammes — puis la place vide de Nadia à l'autre bout de la table.

Il avait couru lui porter secours. Mais était arrivé trop tard.

— Un truc sur lequel je travaillais s'était écroulé. Elle était coincée. Et je suis arrivé trop tard. Donc, voyez-vous, je ne l'ai pas vraiment tuée. Pas de mes mains. Mais je suis tout de même responsable de sa mort.

Phinn retint son souffle, s'attendant à ce qu'Olivia lui ordonne de partir. Il n'aurait pu lui reprocher de ne plus vouloir de lui après avoir entendu cette sordide histoire.

Mais elle l'étonna encore une fois. Comme elle l'avait toujours fait et comme elle le ferait toujours.

— Je suis désolée, Phinn, murmura-t-elle.

Et elle apaisa la peur profondément enfouie en lui qu'il n'arrivait pas à exprimer, mais qui pesait lourdement sur lui.

— Je suis désolée d'avoir détruit l'Engin. Je ne tentais pas de le détruire ni de provoquer votre colère. Je croyais que vous étiez à l'atelier, et c'est pourquoi j'y suis allée. Lorsque j'ai vu l'Engin, je n'ai pu en détacher les yeux.

Il y avait tant de ressemblances entre le jour où Olivia avait été blessée et l'affreuse nuit d'autrefois. À la différence que cette fois, sa femme venait vers lui, elle ne le fuyait pas. Que cette fois, il l'avait sauvée.

— Mais vous ne devriez pas vous enfermer loin de moi avec cette machine, dit-elle. Du moins, pas alors que je suis clouée au lit et que j'ai grand besoin de me divertir.

Phinn sentit son souffle s'accélérer.

— Vous divertir ?

— D'oublier la douleur, dit doucement Olivia.

— Vous voulez du laudanum ?

— Non, je vous veux, vous, dit-elle avec le plus tendre des sourires.

Avec ses caresses, Phinn effaça la douleur d'Olivia. Il l'effaça si bien, que la douleur céda la place au plaisir.

Chapitre 24

Au terme d'une saison ponctuée de nombreux scandales et de la cour la plus tumultueuse dont la haute société ait été témoin, Lord et Lady Radcliffe semblent filer le parfait amour. Est-il trop tôt pour s'en réjouir ?

— LONDON WEEKLY

Quelques semaines plus tard

Ils s'étaient installés dans un train-train agréable. Olivia et Phinn faisaient l'amour le matin et prenaient le petit déjeuner ensemble, après quoi Phinn s'en allait travailler sur l'Engin pendant qu'Olivia clopinait à gauche et à droite en compagnie d'Emma. Elles prenaient le thé, lisaient des magazines, écumaient les boutiques en quête de la robe parfaite pour le bal de Lady Penelope et écrivaient à Prudence des lettres qui toutes demeuraient sans réponse, ce qui était troublant. Le soir, Olivia et Phinn allaient au bal ou à l'opéra, ou restaient simplement chez eux. À la nuit tombée, ils faisaient l'amour, puis s'endormaient l'un près de l'autre.

Olivia commençait à le connaître d'une façon qu'elle n'aurait pas crue possible. Elle connaissait si bien son corps qu'elle aurait pu le dessiner de mémoire — ce qui ne l'empêchait pas de l'obliger encore parfois à poser pour elle pour l'unique plaisir de le caresser des yeux. Elle voyait bien à son regard distrait qu'il songeait à l'engin, ce qui était différent de voir ses yeux s'assombrir et son corps se raidir sous le coup de la colère.

Elle était devenue experte dans l'art de dissiper sa colère avant qu'elle ne se transforme en une violente explosion de rage destructrice. Mais son tempérament ne s'était guère manifesté. La vie était belle.

Ils étaient heureux.

Elle était amoureuse.

Elle pensait sans cesse à lui, à ses baisers, comptait les minutes avant leurs retrouvailles. En dépit de ses craintes, et de celles de tout le monde, elle se trouvait heureusement mariée pour le bal anniversaire de Lady Penelope.

Elle avait même déniché la robe parfaite.

Mais il y avait un problème.

Phinn rentra à la maison plus tard que d'habitude. La reconstruction de l'engin était tombée sur un os. Certaines pièces avaient été abîmées par la chute, et il fallait en fabriquer de nouvelles, ce qui les ralentissait considérablement. Quelques jours à peine les séparaient de l'Exposition universelle. Phinn et Ashbrooke avaient prévu d'y présenter l'Engin, dans l'espoir d'attirer l'attention d'un manufacturier intéressé à en produire d'autres et d'un imprimeur intéressé à s'associer à eux pour la publication d'un nouveau Registre des barèmes.

Si rien ne sortait de cet événement, leur travail serait réduit à néant. Leur engin était trop extraordinaire, trop puissant, trop révolutionnaire pour rester dans un entrepôt à se couvrir de poussière.

Quand Phinn entra dans leur suite, il était tracassé, affamé, épuisé et conscient qu'il devrait sans doute retourner travailler dans le courant de la soirée.

Il réussit à sourire faiblement à Olivia.

— Vous êtes rentré! dit-elle en clopinant depuis le canapé jusque dans ses bras.

Il posa un petit baiser sur ses lèvres. La cheville d'Olivia avait merveilleusement guéri; le médecin l'attribuait à tout le temps qu'elle avait passé au lit, ce qu'entendant, Olivia et Phinn avaient échangé un sourire malicieux en pensant aux activités non reposantes qui y avaient pris place.

— Avez-vous sonné pour qu'on apporte le dîner?

— Comment a été votre journée? demanda-t-elle en prenant le manteau de Phinn.

— Bien. Longue. Épuisante.

Phinn gagna la desserte et se versa un whisky. La journée avait été interminable, et une autre semblable l'attendait le lendemain, et le surlendemain. Il ne fermerait sans doute pas l'œil du reste de la semaine.

— Le dîner, Olivia? Vous avez sonné pour qu'on nous l'apporte?

— Je le fais tout de suite, murmura-t-elle.

Il vit le regard agacé qu'elle lui lança. Phinn avala son whisky et se promit de se racheter plus tard. Elle revint presque aussitôt.

— Vous ne remarquez rien? demanda-t-elle en le regardant avidement.

Phinn l'examina et tenta honnêtement de déceler ce qu'il aurait dû remarquer. Il vit ses cheveux blonds, et leur couleur lui rappela les pièces de l'engin devant être refaites. Le bleu de ses yeux lui rappela l'encre avec laquelle il avait dessiné les plans — et effectué frénétiquement des calculs tout au long de la journée. Ce n'était pas ce qu'il devait dire. Le premier imbécile venu savait cela.

— Dites-moi, dit-il en parvenant à s'arracher un faible sourire, tandis que celui d'Olivia cédait la place à une grimace.

Zut.

— Ma robe. Elle est toute neuve. Je l'ai fait faire pour le bal de Lady Penelope.

Olivia tourna sur elle-même pour la lui faire admirer.

— Elle est ravissante, dit-il en appréciant la façon dont l'étoffe bleu mettait en valeur le galbe de ses hanches et la rondeur de ses seins.

Peut-être, tout compte fait, n'était-il pas trop fatigué pour... Il oublierait tous ses soucis contre ses courbes, sa peau douce, dans la danse insouciante de l'amour. Il posa son verre et alla embrasser sa femme.

Olivia s'écarta de lui en virevoltant.

— Vous ne devez pas la froisser, dit-elle en lui donnant par jeu une petite tape sur les mains. Quoique, ajouta-t-elle avec un sourire coquet, le bal n'aura lieu que vendredi. Je suppose qu'on aura le temps de la repasser.

— Vendredi ?

— Oui, répondit Olivia. Je vous l'ai dit il y a déjà plusieurs semaines.

Il s'en souvenait vaguement.

— Vendredi prochain ? vérifia Phinn.

— Celui-là même.

Zut. Il se passa la main dans les cheveux. Sirota son whisky. Puis lui annonça la mauvaise nouvelle.

— Je crains de ne pouvoir y assister, mon ange, dit-il d'un ton contrit.

Bien entendu, il tenait à être constamment à ses côtés. Mais il *devait* terminer l'engin dans les délais prévus. Il n'y aurait qu'une seule journée d'inauguration de l'Exposition universelle, et ils n'auraient qu'une seule chance de faire une éblouissante et spectaculaire première impression. S'il avait travaillé aussi fort, c'était dans le but de profiter de cette occasion pour lancer l'Engin.

— Mais je ne peux pas rater cela, protesta-t-elle.

Phinn se creusa les méninges en quête d'une solution.

— Ne pouvez-vous pas y aller seule?

— J'aimerais mieux mourir, déclara-t-elle de façon dramatique.

Il se retint de hausser les sourcils d'un air sceptique.

— C'est un peu excessif, répondit-il.

Ce n'était visiblement pas la chose à dire, à en juger par l'éclair qui jaillit de ses yeux et par son air féroce.

— Pour quelle raison ne pourrez-vous pas y assister? demanda-t-elle, et le cœur de Phinn se mit à battre irrégulièrement.

— L'Exposition universelle sera inaugurée le lendemain matin, et j'aurai trop à faire pour achever l'Engin.

Olivia croisa les bras et plissa les yeux.

— Je vois, dit-elle froidement.

— Olivia…

— Quelqu'un d'autre ne pourrait-il pas le faire?

— J'ai bien peur que non. C'est trop important. Ce doit être fait correctement, expliqua Phinn.

Non seulement l'engin devait-il être achevé, mais encore fallait-il qu'il fonctionne. Sinon, il ne serait qu'une lubie de richards, un assemblage de pièces métalliques sans aucune utilité.

— Mais ce bal est tellement important pour moi, plaida-t-elle.

Elle leva ses yeux bleus vers lui, et il hésita une seconde.

— Ce n'est qu'un bal de finissants, dit-il.

Il était diplômé d'*Oxford*, et il ne s'était jamais senti obligé d'assister à aucun bal de finissants de l'université.

— Les bals auxquels nous allons presque chaque soir réunissent les mêmes personnes.

— Ashbrooke y sera, lui dit-elle pour le titiller.

— Oui, mais il ne comprend pas en quoi consiste la fabrication de l'engin autant que moi, dit Phinn.

— Choisirez-vous vraiment une machine de préférence à votre femme ? demanda-t-elle, incrédule.

Évidemment, c'était devenu une question de choix. Alors qu'en réalité, c'était une question de priorité. Et il était *fatigué*. Et *affamé*.

— Ce n'est pas cela, Olivia. C'est l'œuvre de ma vie.

— Eh bien, me trouver un mari a été l'œuvre de ma vie, parce que c'est tout ce qu'on m'a autorisée à accomplir, et j'aimerais célébrer ma réussite.

Phinn poussa un soupir las et dit :

— Puisque c'est tellement important pour vous, je vais faire de mon mieux pour y assister. Mais je ne puis vous le promettre.

Ce à quoi Olivia répondit en claquant la porte de la chambre et en plantant là Phinn, sidéré. Ce n'était qu'un bal de plus, non ?

— Ce n'est pas un bal comme les autres, lui expliqua Ashbrooke quelques jours plus tard.

Phinn avait passé presque tous les moments où il ne dormait pas à travailler sur l'engin ; lorsqu'il était chez eux,

Olivia faisait la tête et l'évitait. Il avait manifestement fait quelque chose de MAL. Heureusement, Ashbrooke était là pour l'éclairer.

— Mais ce sont les mêmes gens que nous côtoyons à tous les autres bals, et auxquels nous ne parlons même pas. J'arrive à peine à les tolérer dans le meilleur des cas. D'ordinaire, j'attends impatiemment de rentrer à l'hôtel avec Olivia. Je n'ai pas la patience d'assister à un bal de la Haute alors qu'il restera tant à faire sur l'Engin la veille de l'Exposition.

— Si j'ai bien compris Emma, commença Ashbrooke, cet événement est l'équivalent de l'entrée au Paradis. Apparemment, depuis la fondation de l'Académie il y a un siècle, aucune de ses diplômées ne s'est trouvée à être toujours célibataire au bout de quatre saisons.

— Olivia en était à sa quatrième saison?

Pourquoi n'en savait-il rien? Il aurait dû le savoir.

Ashbrooke hocha la tête.

— Elles ont eu recours à des mesures désespérées pour se marier. Enfin, Emma y a eu recours.

— Je suppose alors, qu'en dépit de ses protestations, Olivia ne se souciera guère que je n'y assiste pas, dit Phinn, considérant tout ce qu'elle a fait pour éviter de m'épouser.

— C'est ce que vous déduisez de quatre journées de complet silence de la part de votre femme, si on exclut les claquements de porte? demanda Ashbrooke, stupéfait. Vous comprenez peut-être les lois de la physique, mais vous êtes un parfait imbécile en matière de femme.

— Je n'ai jamais dit le contraire, maugréa Phinn.

— À ce que j'en comprends, c'est un véritable martyre pour une jeune fille que d'assister à ce bal sans être mariée, ce qu'Emma et Olivia peuvent confirmer, étant donné qu'elles ont enduré ce calvaire trois fois.

— Ce n'est qu'un bal, protesta Phinn. Elles ne se sont que trouvé un mari. Ce n'est pas comme si elles avaient, disons, fabriquer un engin qui risque de transformer en profondeur les industries de l'Angleterre au grand complet.

— Premièrement, bien que je sois d'accord, je vous conseille vivement de ne *jamais* dire une telle chose en présence de nos femmes. Du moins, pas tant que l'engin n'est pas achevé. Je ne puis me permettre que vous soyez occis par une horde de femmes en colère. Deuxièmement, comment savoir ce qu'elles pourraient accomplir si on leur enseignait quelque chose de pratique à l'école? Troisièmement, c'est important pour elles; par conséquent, c'est important pour nous. Si ce n'est pas une loi scientifique, ce devrait l'être.

— Mais l'engin…

Phinn balaya d'un regard las les pièces éparpillées dans l'entrepôt et l'engin à demi achevé. Quelques jours. Il ne leur restait que quelques jours pour l'achever.

— Il sera terminé, déclara Ashbrooke.

— Qu'est-ce qui vous donne cette assurance?

— J'ai foi en vous, Radcliffe, dit le duc en lui assénant une claque dans le dos. Et un petit bijou ne serait pas non plus de trop.

Chapitre 25

Il ne reste qu'un jour avant l'inauguration officielle de l'Exposition universelle ! Le roi en personne ira examiner les objets qui y seront exposés avant qu'on ne laisse entrer la foule impatiente.

— LONDON WEEKLY

La veille du bal de Lady Penelope

Olivia frappa nerveusement à la porte de l'hôtel particulier de Curzon Street.

Les jeunes dames ne rendent pas visite aux messieurs.

Elle lissa ses jupes et corrigea l'angle de son bonnet. Elle établissait ses propres règles désormais. Par ailleurs, Phinn comprendrait pourquoi elle devait solliciter l'assistance d'un autre homme que lui. À la nuit tombée.

Le majordome ouvrit la porte et parut étonné de trouver une femme convenable sur le seuil.

— J'aimerais m'entretenir avec Lord Rogan, s'il vous plaît.

Elle remit sa carte au majordome : « Lady Radcliffe ». Son nom était imprimé à l'encre noire sur l'épais vélin.

Bien entendu, Rogan la reçut immédiatement. Il la mena à la bibliothèque et lui offrit un verre de brandy, qu'elle refusa. N'ayant pas de temps à perdre, Olivia lui exposa son plan.

— Je ne sais pas si Phinn aimera cela, dit nerveusement Rogan lorsqu'elle eut fini.

— Je vous accorde qu'il va sans doute commencer par s'y opposer, mais il finira par comprendre que l'union fait la force, dit Olivia avec assurance.

— Il est vrai que j'ai une dette envers lui…, murmura Rogan.

Quand Olivia et Rogan arrivèrent à l'entrepôt de Devonshire Street, ils n'étaient pas seuls. Emma et Ashbrooke s'y trouvaient également, avec plusieurs de leurs domestiques. Certains apportaient de la nourriture, du vin et des bougies. D'autres étaient venus contribuer à l'achèvement de la machine sans doute la plus extraordinaire que le monde ait connu.

— Phinn? appela Olivia dans le noir.

Elle l'aperçut, courbé sur son bureau, en train d'examiner les plans éclairés par quelques bougies dérisoires. Ses yeux se faisant à la pénombre, elle vit une multitude de pièces éparpillées sur les tables et le plancher.

— Olivia? Que faites-vous là?

Il se leva et marcha vers elle en se passant la main dans les cheveux.

— Pardonnez-moi de ne pas être à la maison ce soir, et s'il s'agit du bal de demain…

— Chut. Je suis venue vous donner un coup de main, dit Olivia.

— Moi aussi, dit Rogan en s'avançant.

Les domestiques enflammèrent les bougies, qui illumi-
nèrent la pièce — et tous ceux qui étaient présents.

— Vous venez *tous* m'aider ? demanda Phinn, incrédule.

— Nous attendons vos directives, dit Ashbrooke en rou-
lant ses manches.

— Toutes les pièces sont faites. Il ne reste plus qu'à les
assembler, dit Phinn.

— Commençons, alors, dit Olivia. Dites-nous quoi faire.

Phinn avait toujours travaillé seul. Sa famille y avait
veillé — en lui donnant un atelier éloigné de la maison, tranquille, retiré, trop pour qu'on ait envie de marcher jusque-
là. Le travail était une activité qui le tenait à l'écart de ses
proches et... de la vie, en fait.

Il trouva donc étrange, réconfortant, et pas du tout désagréable de voir les figures enthousiastes de ses amis, et de sa
femme, tous disposés à l'aider. C'était un don du ciel. C'était
un geste généreux. C'était une aide dont il avait désespéré-
ment besoin. Par conséquent, il sourit et commença à distri-
buer ses ordres.

Ils travaillèrent toute la nuit. Les femmes classèrent
et polirent les pièces. Les hommes les mirent en place, les
assemblèrent les unes aux autres, jusqu'à ce que la machine
s'élève devant eux.

Le soleil aussi s'éleva, et les ouvriers improvisés poursui-
virent leur tâche, car cette machine importait plus que tout,
davantage même que le besoin de dormir. Au fil des heures,
l'Engin prit de l'ampleur, et Phinn comprit qu'il n'en serait
jamais venu à bout seul. Peut-être y avait-il autre chose dans
l'existence que le travail — comme le lui avait si souvent
répété Nadia. Par exemple, des amis prêts à aider un homme
dans le besoin, des épouses généreuses et dévouées prêtes à

enfreindre les règles imposées à leur sexe, tous déterminés à boucler le boulot.

Ce n'est que vers la fin de l'après-midi du vendredi, quelques heures à peine avant le bal de Lady Penelope, que l'Engin fut enfin achevé.

— Voyons s'il fonctionne, déclara Ashbrooke en se frottant les mains avec enthousiasme.

— Il faut qu'il fonctionne, dit Phinn.

— Sinon, j'ai une idée…, offrit Rogan.

Phinn blêmit. Rogan sourit malicieusement.

— Je vais laisser à quelqu'un d'autre le soin de choisir le problème à résoudre et de tirer sur le levier, dit Olivia avec un frisson.

Elle avait dû surmonter sa peur de l'imposante machine pour l'aider. Phinn, en en prenant conscience, sentit sa gorge se serrer.

— Phinn, à vous l'honneur.

Il était un sacré veinard.

La machine fonctionnait.

Ils poussèrent tous des cris de joie parce que, par Dieu, ça marchait! Ashbrooke en eut même les larmes aux yeux. Phinn saisit la main d'Olivia, pris du besoin de toucher quelqu'un pour s'assurer qu'il ne rêvait pas, que ce triomphe était réel. Et qu'il avait été rendu possible, il le savait, grâce à la détermination de sa ravissante épouse.

Ils eurent tout juste le temps de rentrer chez eux, de faire la sieste et de s'habiller. Quelques heures plus tard, ils se retrouvèrent au bal de Lady Penelope. Phinn avait accompli tout ce qu'il s'était juré d'accomplir en venant à Londres : se marier et fabriquer l'Engin. Il ne lui restait plus qu'une seule chose à faire…

Il entraîna Olivia dans un coin obscur de la salle de bal et la prit dans ses bras — parce qu'il le pouvait, et parce que sa ravissante épouse ne s'y opposait pas le moindrement.

— Je t'aime, Olivia, toi et ta détermination à établir tes propres règles, murmura Phinn.

Il se répétait ces mots depuis si longtemps qu'ils coulèrent de source de ses lèvres.

Olivia lui sourit de ce sourire dont il avait tant rêvé, l'entoura de ses bras et lui dit :

— Je t'aime aussi.

Au bal du centième anniversaire de l'Académie de Lady Penelope, l'une des moins susceptibles de Londres enfreignit les règles en embrassant scandaleusement et passionnément l'homme le plus tristement célèbre de Londres dans un coin retiré de la salle de bal. Tout était pour le mieux.

À une exception près : où était Prudence ?

Épilogue

Sept ans plus tard

La propriété du Yorkshire n'était pas le lieu triste, isolé et terrifiant qu'Olivia avait redouté. Le manoir Radcliffe était une charmante vieille maison de pierre pleine de coins et de recoins, et entourée de beaux jardins, d'une vaste pelouse et d'une forêt. Leurs quatre bambins avaient largement la place pour y courir, y jouer et s'y lancer dans de folles aventures.

Il n'y avait pas de donjon. Elle avait vérifié.

Ce qui ne l'empêchait nullement de laisser parfois entendre, mine de rien, qu'il y en avait peut-être un quand l'un de ses rejetons se conduisait mal.

Phinn et elle passaient la moitié de l'année à Londres et l'autre moitié dans le Yorkshire. La vie à la campagne était très loin d'être aussi solitaire qu'elle ne l'avait craint. De nombreux invités séjournaient fréquemment chez eux, les voisins n'étaient pas très loin et venaient souvent leur rendre visite. Entre ses invités, quatre enfants turbulents et son mari, Olivia était si occupée qu'elle trouvait rarement le temps de broder.

Elle trouvait cependant le temps de peindre, bien que nul n'ait été autorisé à voir ses portraits de Phinn.

Phinn avait établi son atelier dans l'aile est de la maison. Ses fils et ses filles, emportés par leurs jeux, s'y ruaient à l'occasion, mettant à mal sa concentration, mais il ne s'en offusquait pas. Il lui arrivait souvent de leur confier du travail, comme de polir des lentilles ou de trier des outils.

Toutefois, quand sa femme venait interrompre son travail, il fermait la porte de l'atelier. Et la verrouillait.

— Qu'est-ce qui vous occupe aujourd'hui ? demandait Olivia en traînant dans son atelier, pareille à une vision avec ses cheveux clairs et sa silhouette voluptueuse.

Parfois, Phinn lui parlait de son dernier projet. Plus souvent qu'autrement, il se contentait de sourire, de la prendre dans ses bras et de murmurer :

— Toi, mon amour.

Note de l'auteure

On considère généralement la «machine à différences[2]» comme le premier ordinateur. Son inventeur, l'Anglais Charles Babbage, en a eu l'idée en *1821* en constatant que les tables de calcul en usage étaient truffées d'erreurs. «Je jure devant Dieu qu'on dirait que ces calculs ont été exécutés au petit bonheur la chance», se serait-il exclamé. Cet homme charmant, mathématicien brillant, inventeur et philosophe a investi, en plus de subsides en provenance de l'État, des milliers de livres de sa poche dans le but de concevoir et de fabriquer une machine à calculer fiable.

Bien que Babbage soit considéré comme le père de l'informatique, il n'a cependant jamais réussi à fabriquer les machines de son invention — encore que ce ne soit pas faute d'avoir essayé. Il s'est associé pour cela à Joseph Clement, qui était à la fois un remarquable fabricant d'outils et un dessinateur industriel chevronné. Après s'être acharnés pendant des années à construire la machine, les deux hommes ont fini par se brouiller.

Le rôle qu'a joué Clement dans la mise au point de la machine m'a inspiré le personnage de Radcliffe. J'ai pris la liberté d'établir une relation très différente entre Radcliffe

---

2. N.d.T.: Présentée dans cette série sous le nom d'«Engin révolutionnaire».

et Ashbrooke (dont le personnage est inspiré de Babbage), et une liberté encore plus grande en couronnant de succès les efforts de mes deux héros. J'ai même osé déplacer la date de l'Exposition universelle, qui n'a eu lieu qu'en 1851, car il me semblait nécessaire d'offrir à mes hommes un événement qui soit le pendant du bal de Lady Penelope.

La machine à différences n'a été fabriquée qu'en 1991 — pour le 200ᵉ anniversaire de naissance de Babbage — par un groupe d'employés dévoués du Musée de la science de Londres, déterminés à la construire à partir des plans originaux et à enfin découvrir si elle fonctionnerait. (Et elle a fonctionné ! Génial !)

Je dois une fière chandelle à Doron Swade et à son livre *The Difference Engine: The Quest to Build the First Computer*. Il s'agit du récit à la fois formidable et captivant de la vie de Babbage, de même que de la véritable épopée moderne consistant à fabriquer sa machine à partir de ses propres plans.

Lorsque j'ai entrepris d'écrire une série de romans d'amour prenant place dans le passé (dont *L'ingénue se rebelle* est le deuxième tome, et *L'espiègle ingénue* le premier), j'ai été on ne peut plus ravie de découvrir que l'ordinateur — qui l'eût cru ! — pourrait jeter un pont entre le Londres du XIXᵉ siècle et le New-York du XXIᵉ. Les héros de la série historique Mauvais garçons et belles ingénues réussissent là où Babbage avait échoué (parce qu'il s'agit d'une œuvre de fiction et que j'en ai décidé ainsi).